Le langage,
cet inconnu

Du même auteur

Julia Kristeva

Le langage, cet inconnu

Une initiation
à la linguistique

Éditions du Seuil

Ce livre a été publié une première fois sous le titre :
Julia Joyaux, *Le Langage, cet inconnu,* dans la collection
« Le point de la question » aux éditions SGPP en 1969.

EN COUVERTURE

Égypte, époque pré-saïte XXVIe dynastie, hiéroglyphes (détail de la
stèle du Serapeum). Musée du Louvre, Paris, Archives Giraudon.

ISBN 2-02-005774-3

Par où commencer quand on veut s'initier à la linguistique ? Ce livre répond à cette question, que se pose tout étudiant qui s'intéresse au langage et aux sciences humaines. Plus qu'un manuel, il retrace l'histoire des pensées sur le langage, élaborées dans différentes civilisations, pour centrer son intérêt sur la science du langage en Occident et plus particulièrement encore aujourd'hui. La pensée linguistique s'éclaire ainsi, comme étroitement liée à la philosophie et à la société. Au-delà des querelles techniques entre diverses écoles, cette pensée apparaît ici essentiellement ouverte à l'aventure de l'homme à travers le sens et les sociétés. S'il est vrai qu'à l'ère de l'humanisme succède… une inconnue, n'est-il pas indispensable de l'aborder par ce qui demeure encore et toujours plus inconnu que l'homme et coextensif à son être : par le langage ?

Ceci justifie, me semble-t-il, la reprise d'un livre écrit il y a une dizaine d'années et qui porte, par-delà les marques de son temps, des interrogations toujours d'actualité.

J. K.

Première partie

Introduction
à la
linguistique

Faire du langage un objet privilégié de réflexion, de science et de philosophie, voilà un geste dont on n'a sans doute pas encore évalué toute la portée. En effet, si le langage est devenu un objet de réflexion spécifique depuis déjà bien des siècles, la science linguistique, elle, est toute récente. Quant à la conception du langage comme «clé» de l'homme et de l'histoire sociale, comme voie d'accès aux lois du fonctionnement de la société, elle constitue peut-être l'une des caractéristiques les plus marquantes de notre époque. Car il s'agit bien d'un phénomène nouveau : le langage, dont l'homme a depuis toujours maîtrisé la pratique — qui ne fait qu'un avec l'homme et la société, auxquels il est intimement lié —, ce langage, de nos jours plus que jamais dans l'histoire, est isolé et comme mis à distance pour être saisi en tant qu'*objet de connaissance* particulier, susceptible de nous introduire non seulement aux lois de son propre fonctionnement, mais aussi à tout ce qui relève de l'ordre du social.

Dès maintenant, on peut poser que le rapport du sujet parlant au langage a connu deux étapes, dont la seconde définit notre époque :

D'abord, on a voulu *connaître* ce qu'on savait déjà pratiquer (le langage), et ainsi se sont créés les mythes, les croyances, la philosophie, les sciences du langage.

Ensuite, on a projeté la connaissance scientifique du langage sur l'ensemble de la pratique sociale et l'on a pu étudier comme *des langages* les diverses manifestations signifiantes, posant ainsi les bases d'une approche scientifique dans le vaste domaine dit humain.

Le premier mouvement — c'est-à-dire la mise en place du langage comme objet spécifique de connaissance — implique qu'il cesse d'être un exercice qui s'ignore lui-même pour se mettre à « parler ses propres lois » : disons qu'« une parole se met à parler le parlé ». Ce retournement paradoxal décolle le sujet parlant (l'homme) de ce qui le constitue (le langage), et le fait *dire comment il dit*. Moment lourd de conséquences dont la première serait qu'il permet à l'homme de ne plus se prendre pour une entité souveraine et indécomposable, mais de s'analyser comme un système parlant — comme un *langage*. Peut-être pourrions-nous dire que, si la Renaissance a substitué au culte du Dieu médiéval celui de l'Homme avec une majuscule, notre époque amène une révolution non moins importante en effaçant tout culte, puisqu'elle remplace le dernier, celui de l'Homme, par un *système* accessible à l'analyse scientifique : le langage. L'homme comme langage, le langage à la place de l'homme, ce serait le geste démystificateur par excellence, qui introduit la science dans la zone complexe et imprécise de l'humain, là où s'installent (habituellement) les idéologies et les religions. C'est la *linguistique* qui se trouve être le levier de cette démystification ; c'est elle qui pose le langage comme objet de science, et nous apprend les lois de son fonctionnement.

Née au siècle dernier — le mot *linguistique* est enregistré pour la première fois en 1833, mais le terme *linguiste* se trouve déjà en 1816 chez François Raynouard, dans *Choix des poésies des troubadours*, t. I, p. 1 —, la science du langage avance à un rythme accéléré, et éclaire sous des angles toujours nouveaux cette pratique que nous savons exercer sans la connaître.

Mais qui dit langage dit *démarcation, signification* et *communication*. En ce sens, toutes les pratiques humaines sont des types de langage puisqu'elles ont pour fonction de *démarquer,* de *signifier,* de *communiquer.* Échanger les marchandises et les femmes dans le réseau social, produire des objets d'art ou des discours explicatifs comme les religions ou les mythes, etc., c'est former une sorte de *système linguistique secondaire* par rapport au langage, et instaurer sur la base de ce système un circuit de communication avec des sujets, un sens et une signification. Connaître ces systèmes (ces sujets, ces sens, ces significations), étudier leurs particularités en tant que types de langage, tel est le second mouvement marquant la réflexion moderne qui prend l'homme pour objet en s'appuyant sur la linguistique.

QU'EST-CE QUE LE LANGAGE ?

Répondre à cette question nous introduit au cœur même de la problématique qui a été de tout temps celle de l'étude du langage. Chaque époque ou chaque civilisation, conformément à l'ensemble de son savoir, de ses croyances, de son idéologie, répond différemment et voit le langage en fonction des moules qui la constituent elle-même. Ainsi, l'époque chrétienne, jusqu'au XVIIIᵉ siècle, avait une vue théologique du langage en interrogeant avant tout le problème de son origine, ou à la rigueur les règles universelles de sa logique ; le XIXᵉ siècle, dominé par l'historicisme, considérait le langage comme un développement, un changement, une évolution à travers les âges. De nos jours, ce sont les vues du langage comme *système* et les problèmes du *fonctionnement* de ce système qui prédominent. Donc, pour saisir le langage, il nous faudrait suivre la trace de la pensée qui, à travers les âges, et avant même la constitution de la linguistique comme une science particulière, a esquissé les différentes visions du langage. La question : « *Qu'est-ce que le langage ?* » pourrait et devrait être remplacée par une autre : « *Comment le langage a-t-il pu être pensé ?* » En posant ainsi le problème, nous nous refusons à chercher une soi-disant « essence » du langage, et présentons la pratique linguistique à travers ce processus qui l'a accompagnée : la réflexion qu'elle a suscitée, la représentation qu'on s'en est faite.

Quelques mises au point préalables s'imposent néanmoins pour situer, dans sa *généralité,* le problème du langage, et pour faciliter la compréhension des représentations successives que l'humanité s'en est faites.

1. Le langage, la langue, la parole, le discours

A quelque moment que l'on prenne le langage — dans les périodes historiques les plus éloignées, chez les peuples dits sauvages ou à l'époque moderne —, il se présente comme un système extrêmement complexe où se mêlent des problèmes d'ordre différent.

D'abord, et vu de l'extérieur, le langage revêt un caractère *matériel* diversifié dont il s'agit de connaître les aspects et les rapports : le langage est une chaîne de *sons* articulés, mais aussi un réseau de *marques* écrites (une écriture), ou bien un jeu de *gestes* (une gestualité). Quels sont les rapports entre la voix, l'écriture et le geste ? Pourquoi ces différences et qu'impliquent-elles ? Le langage nous pose ces problèmes dès que nous touchons à sa façon d'être.

En même temps, cette matérialité énoncée, écrite ou gesticulée produit et exprime (c'est-à-dire communique) ce qu'on appelle une pensée. C'est dire que le langage est à la fois la seule façon d'être de la pensée, sa réalité et son accomplissement. On a trop souvent posé la question de savoir s'il existe un langage sans pensée et une pensée sans langage. Outre le fait que même le discours muet (la « pensée » muette) emprunte dans son labyrinthe le réseau du langage et ne peut se passer de lui, il semble de nos jours impossible, sans quitter le terrain du matérialisme, d'affirmer l'existence d'une pensée extralinguistique. Si l'on remarque des différences entre la pratique du langage qui sert la communication et celle, disons, du rêve ou d'un processus inconcient ou préconscient, la science d'aujourd'hui tente non pas d'exclure ces phénomènes « particuliers » du langage, mais au contraire d'élargir la notion de langage en lui permettant d'englober ce qui à première vue semble y échapper. Aussi bien nous garderons-nous d'affirmer que le langage est l'*instrument* de la pensée. Une telle conception donnerait à croire que le langage *exprime*, tel un *outil*, quelque chose — une idée ? — d'extérieur à lui. Mais qu'est-ce que cette idée ? Existe-t-elle autrement que sous forme de langage ? Prétendre que oui équivaudrait à un idéalisme dont les racines métaphysiques sont trop visibles. On voit donc comment la conception instrumentaliste du langage, qui, à sa base, suppose l'existence d'une pensée ou d'une activité symbolique sans langage, aboutit par ses implications philosophiques à la théologie.

Si le langage est la matière de la pensée, il est aussi l'élément même de la communication sociale. Il n'y a pas de société sans langage, pas davantage qu'il n'y a de société sans communication. Tout ce qui se produit comme langage a lieu pour être communiqué dans l'échange social. La question classique : « Quelle est la fonction première du langage : celle de *produire* une pensée ou celle de la *communiquer?* » n'a pas de fondement objectif. Le langage est tout cela à la fois, et il ne peut avoir une de ces fonctions sans l'autre. Tous les témoignages que l'archéologie nous offre de pratiques langagières se trouvent dans des systèmes sociaux, et par conséquent participent d'une communication. « L'homme parle » et « l'homme est un animal social » sont deux propositions tautologiques en elles-mêmes et synonymes. Mettre l'accent sur le caractère social du langage ne veut donc pas dire qu'une prédominance est accordée à sa *fonction de communication*. Au contraire, après avoir servi contre les conceptions spiritualistes du langage, la théorie de la communication, si elle prenait une position dominante dans l'approche du langage, risquerait de cacher toute problématique concernant la formation et la production linguistique, c'est-à-dire la formation et la production du sujet parlant et de la signification communiquée qui, pour cette théorie de la communication, sont des constantes non analysables. Cette mise en garde étant faite, nous pouvons dire que le langage est un processus de communication d'un *message* entre deux *sujets* parlants au moins, l'un étant le *destinateur* ou l'émetteur, l'autre, le *destinataire* ou le récepteur.

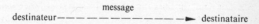

Or chaque sujet parlant est à la fois le destinateur et le destinataire de son propre message, puisqu'il est capable *en même temps* d'émettre un message tout en le déchiffrant, et en principe n'émet rien qu'il ne puisse déchiffrer. Ainsi, le message destiné à l'*autre* est, en un sens, d'*abord* destiné au *même* qui parle : d'où il découle que *parler*, c'est *se parler*.

De même, le destinataire-déchiffreur ne déchiffre que dans la mesure où il peut dire ce qu'il entend.

On voit donc que le circuit de communication linguistique ainsi établi nous introduit dans un domaine complexe du sujet, de sa constitution par rapport à son autre, de sa manière d'intérioriser cet autre pour s'y confondre avec lui, etc.

S'il est une pratique qui se réalise dans la communication sociale et à travers elle, le langage constitue une réalité matérielle qui, tout en participant du monde matériel lui-même, n'en pose pas moins le problème de son rapport avec ce qui n'est pas langage, c'est-à-dire avec le *dehors :* la nature, la société, etc., qui existent sans le langage même si elles ne peuvent pas être nommées sans lui. Que veut dire « nommer » ? Comment « nommer » se produit-il, et comment se distribuent l'univers nommé et l'univers qui nomme ? Voilà une autre série de questions dont l'éclaircissement nous aidera à comprendre le fait « langage ».

Enfin, ce que nous appelons langage a une histoire qui se déroule dans le temps. Du point de vue de cette *diachronie*, le langage se transforme durant les différentes époques, prend diverses formes chez les différents peuples. Pris comme un système, c'est-à-dire *synchroniquement*, il y a des règles précises de fonctionnement, une structure donnée et des transformations structurales obéissant à des lois strictes.

On voit donc que, comme l'a noté Ferdinand de Saussure, « pris dans son tout, le langage est multiforme et hétéroclite ; à cheval sur plusieurs domaines, à la fois physique, physiologique et psychique, il appartient encore au domaine individuel et au domaine social ; il ne se laisse classer dans aucune catégorie de faits humains, parce qu'on ne sait comment dégager son unité ». Par la complexité et la diversité des problèmes qu'il soulève, le langage appelle donc l'analyse de la philosophie, de l'anthropologie, de la psychanalyse, de la sociologie, sans parler des différentes disciplines linguistiques.

Pour isoler de cette masse de traits qui se rapportent au langage un objet unifié et susceptible d'une classification, la linguistique distingue la partie *langue* dans l'ensemble du langage. D'après Saussure, « on peut la localiser dans la portion déterminée du circuit où une image auditive (i) vient s'associer à un concept (c) », et Saussure donne de ce circuit le schéma suivant :

La *langue* est « la partie sociale du langage », extérieure à l'individu ; elle n'est pas modifiable par l'individu parlant et semble obéir aux lois d'un contrat social qui serait reconnu par tous les membres de la communauté. Ainsi la langue est isolée de l'ensemble hétérogène du langage : elle n'en retient qu'un « système de signes où il n'y a d'essentiel que l'union du *sens* et de l'*image acoustique* ».

Si la langue est pour ainsi dire un système anonyme fait de *signes* qui se combinent d'après des lois spécifiques, et comme tel ne peut se réaliser dans le parlé d'aucun sujet, mais « n'existe parfaitement que dans la masse », la *parole* est « toujours individuelle et l'individu en est toujours le maître ». La parole est donc, d'après la définition de Saussure, « un acte individuel de volonté et d'intelligence » : 1) les combinaisons par lesquelles le sujet parlant utilise le code de la langue ; 2) le mécanisme psychophysique qui lui permet d'extérioriser ces combinaisons. La parole serait la somme : a) des combinaisons individuelles personnelles introduites par les sujets parlants ; b) des actes de phonation nécessaires à l'exécution de ces combinaisons.

Cette distinction langage-langue-parole, discutée et souvent rejetée par certains linguistes modernes, sert pourtant à situer de façon générale l'objet de la linguistique. Pour Saussure même, elle entraîne une division de l'étude du langage en deux parties : celle qui examine la langue, et qui est par conséquent sociale, indépendante de l'individu et « uniquement psychique » ; et celle, psychophysique, qui observe la partie individuelle du langage : la parole, y compris la phonation. En fait, les deux parties sont inséparables l'une de l'autre. Pour que la parole puisse se produire, la langue est nécessaire au préalable, mais en même temps il n'y a pas de langue dans l'abstrait sans son exercice dans la parole. Deux linguistiques inséparables l'une de l'autre sont ainsi nécessaires : linguistique de la langue et linguistique de la parole, dont la seconde en est encore aux balbutiements.

L'introduction de notions propres à la *théorie de la communication* dans le champ linguistique contribue à reformuler la distinction langue-parole et à lui donner une signification nouvelle et opératoire. Le fondateur de la cybernétique, Norbert Wiener, avait déjà remarqué qu'il n'existe aucune opposition fondamentale entre les problèmes qui se présentent aux spécialistes de la communication et ceux qui se posent aux linguistes. Pour les ingénieurs, il s'agit de transmettre un message à l'aide d'un *code,* c'est-à-dire d'un nombre minimal de décisions binaires, autrement dit, d'un système de classement ou, disons, d'un schéma représentant les structures invariables et fondamentales du message, structures propres à l'émetteur et au récepteur, et d'après lesquelles le récepteur pourra reconstruire le message lui-même. De même, le linguiste peut trouver dans la complexité du message verbal des traits distinctifs dont la combinaison lui fournit le code de ce message. Comme le remarque Roman Jakobson, les interlocuteurs appartenant à la même communauté linguistique peuvent être définis comme les usagers effectifs d'un seul et même code ; l'existence d'un code commun fonde la communication et rend possible l'échange des messages.

Le terme de *discours* désigne de façon rigoureuse, et sans ambiguïté, la manifestation de la langue dans la communication vivante. Précisé par Émile Benveniste, il s'oppose donc à celui de *langue,* qui recouvre désormais le langage en tant qu'ensemble de signes formels, stratifiés en paliers successifs, formant des systèmes et des structures. Le *discours* implique d'abord la participation du sujet à son langage à travers la *parole de l'individu.* Utilisant la structure anonyme de la langue, le sujet se forme et se transforme dans le discours qu'il communique à l'autre. La langue commune à tous devient, dans le discours, le véhicule d'un message *unique,* propre à la structure particulière d'un sujet donné qui imprime sur la structure obligatoire de la langue un cachet spécifique, où se marque le sujet sans pour autant qu'il en soit conscient.

Pour préciser le plan du discours, on a pu l'opposer à celui de la *parole* et de l'*histoire.* Pour Benveniste, dans l'énonciation historique, le locuteur est exclu du récit : toute subjectivité, toute référence autobiographique sont bannies de l'énonciation historique qui se constitue comme un mode d'énonciation de la vérité. Le terme « discours », au contraire, désignerait toute énonciation qui intègre dans ses structures le locuteur et l'auditeur, avec le désir du premier d'influencer l'autre. Aussi le discours devient-il le champ privilégié de la psychanalyse. « Ses moyens, dit Jacques Lacan, sont ceux de la parole en tant qu'elle confère aux fonctions de l'individu un sens ; son domaine est celui du discours concret en tant que réalité transindividuelle du sujet ; ses opérations sont celles de l'histoire en tant qu'elle constitue l'émergence de la vérité dans le réel. »

Il est clair désormais qu'étudier le langage, saisir la multiplicité de ses aspects et fonctions, c'est construire une science et une théorie stratifiées dont les différentes branches porteront sur les différents aspects du langage, pour pouvoir, dans un temps de synthèse, fournir un savoir toujours plus précis du fonctionnement signifiant de l'homme. Il sera donc nécessaire de connaître le langage vocal aussi bien que l'écriture, la langue aussi bien que le discours, la systématique interne des énoncés et leur rapport aux sujets de la communication, la logique des changements historiques et le lien du niveau linguistique au réel. On s'approchera ainsi des lois spécifiques du travail symbolique.

2. Le signe linguistique

L'idée que le noyau fondamental de la langue réside dans le *signe* est propre à plusieurs penseurs et écoles de pensée, de l'Antiquité grecque au Moyen Age et jusqu'à nos jours. En effet, tout locuteur est plus ou moins conscient du fait que le langage symbolise, qu'il *représente,* en les *nommant,* les faits réels. Les éléments de la chaîne parlée, mettons pour l'instant les mots, sont associés à certains objets ou faits qu'ils *signifient*.

Le *signe* ou « *representamen* », dit Charles Sanders Peirce, est ce qui remplace quelque chose pour quelqu'un. Le signe s'adresse à quelqu'un et évoque pour lui un objet ou un fait en

l'*absence* de cet objet et de ce fait. Aussi dit-on que le signe
signific « *in absentia* ». « *In praesentia* », c'est-à-dire par rapport
à l'objet présent qu'il re-présente, le signe semble poser une
relation de convention ou de contrat entre l'objet matériel représenté et la forme phonique représentante. Étymologiquement, le
mot grec σύηβολον vient du verbe συμβάλλειν qui veut dire
« mettre ensemble », et qui a été souvent employé pour signifier
une association, une convention ou un contrat. Pour les Grecs,
un drapeau ou une enseigne sont des symboles, de même qu'un
billet de théâtre, un sentiment ou une croyance : on voit que, ce
qui unit ces phénomènes et permet une appellation commune,
c'est le fait que tous *remplacent* ou *représentent* quelque chose
d'absent, évoqué par un intermédiaire, et, par conséquent, inclu
dans un système d'échange : dans une communication.

Dans la théorie de Pierce, le signe est une relation triadique
qui s'établit entre un *objet*, son *représentant* et l'*interprétant*.
L'interprétant, pour Peirce, est une sorte de *base* sur laquelle
s'instaure le rapport objet-signe, et correspond à l'*idée* au sens
platonicien du terme. Car le signe ne représente pas tout l'objet,
mais seulement une idée de lui, ou comme dirait Saphir, le
concept de cet objet.

Théoriquement, on peut affirmer que les signes linguistiques
sont à l'« origine » de tout symbolisme : que le premier acte de
symbolisation est la symbolisation dans et par le langage. Cela
n'exclut pas le fait qu'une diversité de signes se présente dans
les différents domaines de la pratique humaine. D'après le
rapport entre le représentant et l'objet représenté, Pierce a pu les
classer en trois catégories :

— L'*icône* se réfère à l'objet par une ressemblance avec lui :
par exemple, le dessin d'un arbre qui représente l'arbre réel en
lui ressemblant est une icône.

— L'*index* ne ressemble pas forcément à l'objet, mais il est
affecté par lui et, de cette façon, a quelque chose en commun
avec l'objet : ainsi la fumée est un index du feu.

— Le *symbole* se réfère à un objet qu'il désigne par une sorte
de loi, de convention, par l'intermédiaire de l'idée : tels sont les
signes linguistiques.

Si Peirce a fait une théorie générale des signes, c'est à
Saussure que nous devons le premier développement exhaustif
et scientifique du signe *linguistique* dans sa conception mo-

derne. Dans son *Cours de linguistique générale* (1916), Saussure observe qu'il serait illusoire de croire que le signe linguistique associe une chose et un nom ; le lien que le signe établit est entre un *concept* et une *image acoustique*. L'image acoustique n'est pas le son lui-même, mais « l'empreinte psychique de ce son, la représentation que nous en donne le témoignage de nos sens ». Ainsi, pour Saussure, le signe est une réalité psychique à deux faces : l'une étant le concept, l'autre l'image acoustique. Par exemple, pour le mot « pierre », le signe est constitué de l'image acoustique *pierre* et du concept « pierre » : une enveloppe commode qui retient ce qui est commun aux milliers de représentations que nous pouvons avoir de l'élément distinct « pierre ».

Ces deux faces inséparables du signe, que Saussure décrit comme les deux faces d'une même feuille, on les appelle *signifié* (le concept) et *signifiant* (l'image acoustique). Pour Saussure, le signe linguistique est défini par le rapport signifiant-signifié, duquel est exclu l'*objet* désigné sous le terme de *référent* : la linguistique ne s'occupe pas du référent, elle ne s'intéresse qu'au signifiant, au signifié et à leur rapport.

Quel est le rapport entre le signifiant et le signifié ?

Un des postulats de base de la linguistique est que le signe est *arbitraire*. C'est dire qu'il n'y a pas de relation nécessaire entre le signifiant et le signifié : le même signifié « pierre » a pour signifiant en français *pier*, en russe *kame*, en anglais *stoun*, en chinois, *shi*, 石 . Cela ne veut pas dire que les signifiants sont choisis arbitrairement par un acte volontaire individuel, et que par conséquent ils peuvent être changés aussi arbitrairement. Au contraire, l'« arbitraire » du signe est pour ainsi dire normatif, absolu, valable et obligatoire pour tous les sujets parlant la même langue. Le mot « arbitraire » signifie plus exactement *immotivé*, c'est-à-dire qu'il n'y a pas de nécessité naturelle ou réelle qui lie le signifiant et le signifié. Le fait que certaines onomatopées et exclamations semblent *mimer* les phénomènes réels et, comme telles, paraissent motivées ne supprime pas ce postulat linguistique, puisqu'il s'agit bien d'un cas d'importance secondaire.

Pourtant, la théorie du signe, qui a l'avantage de poser le problème du rapport entre la langue et la réalité en dehors du champ des préoccupations linguistiques, et de permettre l'étude de la langue comme un système formel, soumis à des lois et faits de structures ordonnées et transformationnelles, est aujourd'hui en butte à une critique qui, si elle ne la détruit pas complètement, en requiert certaines modifications.

Ainsi, la théorie du signe repose sur la réduction du réseau phonique complexe qu'est le discours en une *chaîne linéaire* dans laquelle est isolé un élément minimal correspondant au *mot*. Or il est de plus en plus difficile d'admettre que l'unité minimale de la langue soit le mot. En effet, le mot n'obtient sa signification complète que dans une phrase, c'est-à-dire par et dans un rapport *syntaxique*. D'autre part, ce même mot est décomposable en éléments morphologiques, les *morphèmes*, plus petits que lui, porteurs eux-mêmes de signification, et dont l'ensemble constitue la signification du mot. Ainsi, dans les mots *donner*, *don*, *donneur*, on peut isoler le morphème *don-*, qui implique l'idée d'*offre*, et les morphèmes *-er*, *-*, *-eur* qui attribuent diverses modalités à la racine *don-*. Enfin, la signification de ce mot ne sera complète que si on l'étudie dans un *discours*, en tenant compte de l'énonciation du sujet parlant.

On comprend que le mot, conçu comme entité indivisible et valeur absolue, devienne suspect aux yeux des linguistes et, de nos jours, cesse d'être l'appui fondamental de la réflexion sur le fonctionnement du langage. Il est de plus en plus question de l'écarter de la science du langage. André Martinet écrit avec raison que « la sémiologie [la science des signes], telle que de récentes études la laissent entrevoir, n'a aucun besoin du mot. Et qu'on ne s'imagine pas que les sémiologistes pensent, en fait, "mot" là où ils écrivent "signe". D'aucuns penseraient plutôt "phrase" ou "énoncé", sans jamais oublier, d'ailleurs, que le *-r-* de *paiera* est aussi un signe ». Martinet propose de remplacer la notion de mot par celle de « "syntagme", "groupe de plusieurs signes minima" qu'on appellera *monème : "au fur et à mesure"* n'est qu'un seul et même monème parce qu'une fois qu'il est choisi d'employer *fur* le locuteur ne peut s'abstenir de débiter tout le reste ». On voit, par cet exemple, que la linguistique cherche à saisir, au-delà des apparences immédiates, derrière « l'écran du mot », les « traits réellement fondamentaux du langage humain ».

En outre, et sans doute en dépendance étroite avec l'isolement du mot comme élément de base de la langue, la théorie du signe se construit sous la dominance du *concept* comme interprétant matriciel des éléments langagiers. Il n'y aurait donc pas de langage en dehors du *concept* puisque le concept en tant que *signifié* bâtit la structure même du signe. L'acceptation, jusqu'au bout, de cette thèse nous amènerait à bannir du domaine du langage tout ce qui n'est pas de l'ordre du concept : le rêve, l'inconscient, la poésie, etc., ou au moins à réduire leur spécificité à un seul et même type de fonctionnement conceptuel. Elle aboutirait à une vision *normative* du fonctionnement signifiant, qui ne saurait aborder la multiplicité des pratiques signifiantes, quand elle ne les reléguerait pas dans une pathologie à réprimer. Certains linguistes, comme Edward Sapir, notent à ce propos qu'il serait inexact de confondre le langage avec la pensée conceptuelle telle qu'elle s'exerce actuellement ; il va même jusqu'à affirmer que le langage est avant tout une fonction « extra-rationnelle », ce qui veut dire que sa matière s'offre à des pratiques de différenciation et de systématisation qui ne relèvent pas forcément de la raison du sujet défini actuellement comme un sujet cartésien.

Enfin, la notion de l'arbitraire du signe a été mise en défaut par un examen critique. Le raisonnement saussurien semble avoir admis une erreur : tout en affirmant que la substance (le référent) ne fait pas partie du système de la langue, Saussure pense justement au *référent réel* quand il affirme que [*böf*] et [*oks*], si différents de par leurs signifiants, se rapportent à une même idée (à un même signifié), et que par conséquent le rapport signifiant-signifié est arbitraire. Au fond, comme le note Benveniste, ce n'est pas le rapport entre le signifiant [*böf*] et le signifié « bœuf » qui est arbitraire. Le lien [*böf*]-« bœuf » est nécessaire, le concept et l'image acoustique sont inséparables et se trouvent en « symétrie établie ». Ce qui est *arbitraire*, c'est le rapport de ce signe (signifiant-signifié : [*böf*]-« bœuf ») à la réalité qu'il nomme, autrement dit le rapport du symbole langagier dans sa totalité au dehors réel qu'il symbolise. Il semble qu'il ait

là une contingence qui, dans l'état actuel de la science linguistique, n'a su trouver d'explication autre que philosophique ou
théorique.

Quelles sont les théories qui se sont fait jour à la faveur de la
brèche ainsi ouverte dans la conception de la langue comme
système de signes ?

La linguistique elle-même, en prenant appui sur la conception
(permise par la théorie du signe) que la langue est un système
formel, se désintéresse des aspects symboliques du langage, et
étudie son ordre strictement formel comme une structure
« *transformationnelle* ». Telles sont les théories actuelles de
Noam Chomsky. Dans un premier temps, celui-ci quitte le
niveau du *mot* pour s'attaquer à la structure de la *phrase*, qui
devient ainsi l'élément linguistique de base susceptible d'être
synthétisé à partir de fonctions syntaxiques. Dans un deuxième
temps, les éléments syntaxiques fondamentaux (le *sujet* et le
prédicat) sont décomposés, affectés des notations « algébri-
ques » X et Y, et deviennent, au cours d'un processus dit « génératif », des noms et des verbes. Les problèmes de signification
sont remplacés par une formalisation représentant le processus
de synthèse par lequel les « universaux » linguistiques (constituants et règles générales) peuvent engendrer des phrases
grammaticalement — et, par conséquent, sémantiquement —
correctes. Au lieu de chercher pourquoi la langue est constituée
d'un système de signes, la grammaire générative de Chomsky
montre le mécanisme formel, syntaxique, de cet ensemble ré-
cursif qu'est la langue et dont la réalisation *correcte* a pour
résultat une *signification* [1]. On voit donc que la linguistique
moderne va plus loin que Saussure, « désubstantialise » la langue et *représente* la signification (dont elle commence par ne
pas se préoccuper) comme le résultat d'un processus de transformation syntaxique engendrant des phrases. Il y a là une
démarche qui rappelle celle du linguiste Leonard Bloomfield,
qui excluait déjà la sémantique du domaine de la linguistique et
la renvoyait au domaine de la psychologie.

D'un autre point de vue, en se fondant sur une critique
philosophique du concept même de signe qui lie la *voix* et la

---

1. Voir dans la deuxième partie, chapitre XVI de cet ouvrage, l'analyse plus
détaillée des thèses de N. Chomsky.

pensée de telle façon qu'il en arrive à effacer le signifiant au profit du signifié, d'autres auteurs ont remarqué que l'*écriture*, elle, en tant que *trace* ou tracé (ce qu'on appelle, selon une terminologie récente, un *gramme*), dévoile à l'intérieur de la langue une « scène » que le signe et son signifié ne peuvent pas voir : une scène qui, au lieu d'instaurer une « ressemblance » comme le fait le signe, est au contraire le mécanisme même de la « différence ». Dans l'écriture, en effet, il y a tracé mais non pas représentation, et ce tracé — cette trace — a fourni les bases d'une science théorique nouvelle qu'on a appelée la *grammato-logie* [1].

3. La matérialité du langage

Si la langue est un réseau de différences réglées qui fonde la signification et la communication, elle est loin d'être une idéa-lité pure. Elle se réalise par et dans une *matière concrète* et les

1. Le philosophe français Jacques Derrida propose le concept d'*écriture* qui nous permet de penser le langage, y compris sa manifestation phonique, comme une différence (que Derrida orthographie volontairement *différance*, pour bien marquer le processus de différenciation). Pour Saussure déjà la langue est un *système de différences* : et, en effet, il n'existe aucune structure sans qu'il y ait des différences qui constituent ses divers éléments... Mais Derrida va plus loin : dans son système, le « gramme » est à la fois une structure et un mouvement ; c'est, dit-il, « le jeu systématique des différences, des traces de différences, de l'*espacement* par lequel les éléments se rapportent les uns aux autres ». Voilà pourquoi, avec le « gramme-différance », la langue se présente comme une transformation et une génération, et la place du concept classique de « structure » se voit mise entre parenthèses : du même coup, la *linéarité* saussurienne de la chaîne parlée (qui ne fait qu'imiter le processus sonore et sa propension) se trouve mise en question.

Ainsi l'écriture est inhérente au langage, et la parole phonétique peut être envisagée comme une écriture. La dominance du système *signe-sens-concept* est donc déplacée, et la possibilité est ouverte de penser dans le langage ce qui n'est pas signe-sens-concept. Le sujet dépend du système de différences, il ne se constitue qu'en se divisant, en s'espaçant, en se différenciant : « La subjectivité — comme l'objectivité — est un effet de différence, un effet inscrit dans un système de différance », écrit Derrida. On comprend donc comment le concept de *gramme* neutralise l'hypostase phonologique du *signe* (la primauté qu'il accorde au phonétique), et introduit dans la pensée du signe (de la langue) la substance graphique avec les problèmes philosophiques qu'elle pose, à travers toute l'histoire et tous les systèmes d'écriture, au-delà de l'aire occidentale à écriture phonétique.

lois objectives de son organisation. Autrement dit, si nous *connaissons* le langage par un système conceptuel compliqué, le corps du langage lui-même présente une matérialité doublement discernable :

d'une part, dans l'aspect phonique, gestuel ou graphique que revêt la langue (il n'y a pas de langage sans son, geste ou écriture) ;

d'autre part, dans l'objectivité des lois qui organisent les différents sous-ensembles de l'ensemble linguistique, et qui constituent la phonétique, la grammaire, la stylistique, la sémantique, etc. : ces lois reflètent les relations objectives entre le sujet parlant et la réalité extérieure ; elles reflètent de même les rapports qui règlent la société humaine, tout en surdéterminant, en même temps, ces relations et ces rapports.

LE PHONÉTIQUE

Le signe linguistique, nous l'avons vu, ne contient pas le son matériel : le signifiant est l'« image acoustique », et non pas le bruit concret. Or ce signifiant n'existe pas sans son support matériel : le son réel que produit l'animal humain. Il faudrait bien distinguer ce *son*, porteur de sens, des différents cris qui servent de moyen de communication entre les animaux. Le son linguistique est d'une catégorie tout autre puisqu'il fonde ce système de différenciation, de signification et de communication qu'est la langue dans le sens que nous lui avons donné plus haut, et qui n'appartient qu'à la société humaine.

Le son linguistique est produit par ce qu'on appelle improprement « les organes de la parole ». Comme le remarque Sapir, au fond, « il n'y a, à proprement parler, pas d'organes de la parole ; il y a seulement des organes qui sont fortuitement utiles à la production des sons du langage ». En effet, si certains organes tels les poumons, le larynx, le palais, le nez, la langue, les dents et les lèvres participent à l'articulation du langage, ils ne peuvent pas être considérés comme son instrument. Le langage n'est pas une fonction biologique comme la respiration, ou l'odorat, ou le goût, qui aurait son organe dans les poumons, le nez, la langue, etc. Le langage est une fonction de différenciation et de signification, c'est-à-dire une fonction sociale et non pas biologique, rendue pourtant possible par le fonctionnement biologique.

On ne saurait dire non plus que le langage est biologiquement localisé dans le cerveau. La psychophysiologie, il est vrai, arrive à localiser les différentes manifestations matérielles du langage dans divers centres cérébraux : le centre auditif commande l'audition du sens ; les centres moteurs, les mouvements de la langue, des lèvres, du larynx, etc. ; le centre visuel, le travail de reconnaissance visuelle nécessaire dans la lecture, etc. Or tous ces centres ne contrôlent que des parties constituantes du langage, mais ne donnent aucunement la base de cette fonction hautement synthétique et sociale qu'est la pratique de la langue. En d'autres termes, les organes corporels participant à la formation matérielle du langage peuvent nous fournir les fondements quantitatifs et mécaniques du fonctionnement linguistique, sans expliquer ce saut *qualitatif* que l'animal humain effectue lorsqu'il commence à marquer des différences dans un système qui devient ainsi le réseau de significations par lequel les sujets communiquent dans la société. Ce réseau de différences ne peut avoir de localisation ni dans le cerveau ni nulle part ailleurs. Il est une fonction sociale surdéterminée par le processus complexe de l'échange et du travail social, produit par lui et incompréhensible sans lui.

Cela dit, il est possible de décrire les organes qui offrent la base mécanique de l'articulation linguistique : l'appareil vocal et son fonctionnement.

Expulsé par les poumons, l'air emprunte les voies respiratoires et fait vibrer la *glotte* qui pourtant n'imprime aucune différenciation aux sons. Formée de deux cordes vocales qui sont deux muscles parallèles qui se resserrent ou s'écartent, la glotte forme le son laryngé par rapprochement des cordes vocales.

Ce son uniforme peut traverser la *cavité buccale* ou la *cavité nasale* qui particularisent les différents sons de la langue. La cavité buccale comprend lèvres, langue, dents supérieures, palais (avec une partie antérieure inerte et osseuse, et une partie postérieure mobile : le voile du palais), luette, dents inférieures. Par le jeu de ces composants, la cavité buccale peut s'élargir ou se rétrécir, tandis que la langue et les lèvres peuvent attribuer diverses valeurs au son laryngé. Ainsi, la cavité buccale sert à la fois à *produire* des sons et à faire *résonner* la voix. En cas de large ouverture de la glotte, c'est-à-dire en l'absence de vibration du larynx, c'est la cavité buccale qui produit le son. En cas de vibration de la glotte, c'est-à-dire lorsque les cordes sont rapprochées, la bouche ne fait que modeler le son laryngé.

Au contraire, la cavité nasale est complètement immobile, et ne joue que le rôle de résonateur.

On a pu isoler quelques critères d'articulation de sons d'après lesquels peut être établie une classification pertinente correspondant à leurs qualités acoustiques. Ainsi Saussure se propose-t-il de tenir compte des facteurs suivants pour dégager les caractéristiques d'un son : l'expiration, l'articulation buccale, la vibration du larynx, la résonance nasale. « Il faudra, écrit-il, établir pour chaque phonème : quelle est son articulation buccale, s'il comporte un son laryngé ou non, s'il comporte une résonance nasale ou non. » Il distingue par conséquent les sons *sourds*, les sons *sonores*, les sons sourds nasalisés et les sons sonores nasalisés. D'après leur articulation buccale, Saussure donne la systématisation suivante des éléments minimaux de la chaîne parlée ou *phonèmes* (« le phonème est la somme des impressions acoustiques et des mouvements articulatoires, de l'unité entendue et de l'unité parlée... ») :

Les *occlusives* : obtenues par la fermeture complète ou l'occlusion hermétique, mais momentanée, de la cavité buccale :

   a) labiales : p, b, m ;

   b) dentales : t, d, n ;

   c) gutturales : k, g, ʒ.

Les nasales sont des occlusives sonores nasalisées.

Les *fricatives* ou *spirantes* : la cavité buccale n'est pas complètement fermée et permet le passage de l'air :

   a) labiales : f, v ;

   b) dentales : s, z, š (chant), ʒ (génie) ;

   c) palatales : x' (ich, *all.*), γ' (liegen, *all. Nord*) ;

   d) gutturales : χ (Bach, *all.*), γ (Tage, *all. Nord*).

Les *nasales*.

Les *liquides* :

   a) latérales : la langue touche le palais antérieur en laissant une ouverture à droite et à gauche ; ainsi pour *l* dental, *l'* palatal et *l* guttural ;

   b) vibrantes : moins rapprochée du palais, la langue vibre contre lui ; ainsi pour le *r* roulé (produit avec la pointe de la langue appliquée en avant sur les alvéoles), le *r* grasseyé (produit avec partie postérieure de la langue).

Les voyelles exigent un effacement de la cavité buccale comme producteur de son : la bouche agit uniquement comme résonateur, et le timbre du son laryngé se fait entendre pleinement. Quelques distinctions s'imposent parmi les voyelles :

i, ü peuvent être nommées des *semi-voyelles*, d'après Saussure ; les lèvres sont tirées pour la prononciation de *i* et arrondies pour *ü* ; dans les deux cas, la langue est soulevée vers le palais : ces phonèmes sont *palataux* ;

e, o, ö : la prononciation exige un écartement léger des mâchoires par rapport à la série précédente ;

a : s'articule avec une ouverture maximale de la bouche.

La description de la production phonétique aussi bien des voyelles que des consonnes devrait tenir compte, en outre, du fait que les phonèmes n'existent pas à l'état isolé, mais font partie d'un ensemble : l'énoncé, à l'intérieur duquel ils se trouvent en rapport de dépendance interne. La science des sons doit être donc une science des *groupes sonores* pour rendre compte du véritable caractère de la phonation. Ainsi, selon que dans une syllabe un son se prononce de façon *fermante* ou *ouvrante*, on peut distinguer dans le premier cas une *implosion* (>) et dans le second cas une *explosion* (<). Exemple : ằppá. Ces deux prononciations combinées donnent des groupes explosivo-implosifs, implosivo-explosifs, etc. Nous arrivons ainsi à la définition d'une *diphtongue* : c'est un « chaînon implosif de deux phonèmes dont le second est relativement ouvert, d'où une impression acoustique particulière : on dirait que la sonante continue dans le second élément du groupe ». Exemple : Saussure cite les groupes uȏ iȃ dans certains dialectes allemands (*buob, liab*).

Les sons linguistiques se distinguent également par leur *durée*, qu'on appelle *quantité* : cette propriété est variable dans les différentes langues, et dépend aussi de la position du son dans l'ensemble de la chaîne prononcée. Ainsi, en français, la quantité longue n'existe qu'en syllabe accentuée.

Nous voyons donc que l'interinfluence des sons dans la chaîne parlée fait place à une *phonétique combinatoire* qui étudie les modalités d'influence des voyelles et des consonnes selon leur occurrence. Ces modifications ne changent pas toujours le caractère fondamental des sons. Ainsi *t* et *d* peuvent se *palataliser* au contact d'une voyelle palatale (*ti-, di-,* n'ont pas la même consonne que *ton, don*); se *vélariser* au contact de voyelles postérieures ou se *labialiser* à cause de l'arrondissement des lèvres qui accompagne l'articulation de voyelles labiales voisines. Il y a pourtant des phénomènes qui entraînent des changements plus considérables des sons. Ainsi :

l'*assimilation* : le fait qu'un son se rapproche d'un autre en ce qui concerne sa façon d'être articulé, et son lieu d'articulation. Exemple : *entendre* — le *n* est articulé à la place du *t* et du *d* ;

la *dissimilation* : accentuation de la différence des phonèmes. Ainsi, le français populaire enregistre *colidor* à la place de *corridor* ;

l'*intervention*, lorsque les phonèmes changent de place, et la *métathèse*, lorsque ce changement se fait à distance. Ainsi le nom propre Roland a pris en italien la forme Orlando ;

l'*haplologie* (ou hapaxipie), disparition d'un élément de la chaîne parlée qui devrait être répété. L'exemple fréquemment donné est tragi-comédie, à la place de tragico-comédie.

La chaîne parlée, bâtie ainsi de phonèmes, ne se réduit pourtant pas à une ligne hachée en fragments représentés par les phonèmes isolés. Dans la pratique langagière, ses phonèmes se combinent en unités supérieures, telles les *syllabes*. Pour Grammont et Fouché, dont la formulation a été confirmée par la phonétique acoustique, la syllabe se caractérise par une *tension croissante* des muscles phonatoires, à laquelle succède une *tension décroissante*. A un niveau supérieur, la chaîne parlée présente non pas des mots, mais des *groupes phonétiques* constitués par un accent d'intensité sur la dernière syllabe. Dans « l'ami du peuple », il y a un seul accent sur *peu*, ce qui fait de l'expression un seul groupe phonique. Au-dessus des groupes phonétiques, nous trouvons la *phrase* délimitée par la respiration qui coupe la chaîne parlée.

Notons enfin que ces particularités matérielles du phonétisme linguistique, dont nous ne donnons ici qu'un aperçu trop abrégé et schématique, sont spécifiques pour chaque langue nationale et varient suivant les époques : le phonétisme du français du Moyen Age n'est pas le même que celui d'aujourd'hui.

LE GRAPHIQUE ET LE GESTUEL

Malgré les nombreux travaux sur les divers types d'écriture que l'humanité a élaboré à travers les âges, la science actuelle n'a pas encore proposé une théorie satisfaisante de l'écriture, de son rapport à la langue et des règles de son fonctionnement. Une discussion de caractère métaphysique s'est déroulée sur la question de savoir ce qui a été à l'« origine » : le langage vocalique ou le graphisme. Van Ginneken, en s'appuyant sur les travaux du savant chinois Tchang Tcheng-Ming, a soutenu, à peu près contre tout le monde, la thèse de l'antériorité de l'écriture par rapport au langage phonétique. Il se basait sur le fait que l'écriture chinoise, par exemple, semble imiter le langage gestuel, qui par conséquent serait antérieur au langage phonétique.

Cette controverse, outre l'impertinence scientifique qu'elle présente dans la mesure où nous disposons de peu de données pour juger d'une « origine » du langage, apparaît de nos jours caduque en raison de l'inconsistance *théorique* qui formule la question de base. Le problème de la « priorité » de l'écrit sur le vocal, ou inversement, ne peut avoir de sens historique, mais purement théorique : si l'on admet, par exemple, que la trace (l'écrit) est une *marque* de la différence constituant la signification, et que comme telle elle est inhérente à tout langage, parole vocale comprise, le phonétique est par conséquent *déjà* une trace, même si la matière phonétique a contribué à développer dans le système du langage des particularités que l'écriture aurait peut-être marquées autrement. Dans l'échange social, le phonétique a obtenu une indépendance et une autonomie, et c'est dans un deuxième temps que l'écriture est revenue comme enveloppe secondaire pour fixer le vocalisme.

L'écriture dure, se transmet, agit en l'absence des sujets parlants. Elle utilise pour s'y marquer l'*espace*, en lançant un défi au *temps* : si la parole se déroule dans la temporalité, le langage avec l'écriture passe à travers le temps en se jouant comme une configuration spatiale. Elle désigne ainsi un type de fonctionnement où le sujet, tout en se différenciant de ce qui l'entoure, et dans la mesure où il *marque* cet environnement, ne s'en extrait pas, ne se fabrique pas une dimension idéale (la voix, le souffle) pour y organiser la communication, mais la

pratique dans la matière et l'espace même de cette réalité dont il
fait partie, tout en s'en différenciant parce qu'il la marque. Acte
de différenciation et de participation par rapport au réel, l'écriture est un langage sans au-delà, sans transcendance : les « divi-
nités » écrites appartiennent au même monde que la matière qui
les trace et celle qui les reçoit. Aussi dirons-nous que la trace
écrite, de même que le geste, s'ils constituent un acte de différenciation et de désignation, ne sont pas encore des *signes* au
sens défini plus haut. Le triangle du signe (référent-signifiant-
signifié) semble réduit ici à une *marque* (dans l'écriture) ou à
une *relation* (dans le geste) entre le sujet et ce qui est en dehors
de lui, sans l'intermédiaire d'une « idée » déjà constituée et « en
soi » (interprétant, signifié).

On a pu remarquer le rapport étroit entre le geste et certaines
écritures comme celle des Chinois ou celle des Indiens d'Amérique du Nord. D'après J.-G. Février, qui se réfère aux travaux
de G. Mallery et de Tchang Tcheng-Ming, les Winter-Counts
écrivent « pipe » non pas en représentant l'objet, mais en traçant
le geste qui le désigne. Pour les Chinois, l'hiéroglyphe pour
« ami » ou « amitié » est un dessin du geste amical de deux mains
l'une dans l'autre : 友 ou 𠂇.

Un objet réel ou une combinaison d'objets peuvent représenter déjà une écriture, c'est-à-dire un langage. Dans ce cas,
l'objet ou l'ensemble d'objets sont extraits de leur utilité pratique, et s'*articulent* comme un système de différences qui deviennent des signes pour les sujets de la communication.
L'exemple le plus frappant pour ce type de langage concret,
dans lequel le « signe » ne s'est pas encore distingué du référent,
mais, tout simplement, *est* ce référent *inclus* dans un système
communiqué, nous est donné par Hérodote (II, 16). Il raconte
que, lorsque le roi Darius a envahi le pays des Scythes, ceux-ci
lui ont envoyé un cadeau qui se composait d'un oiseau, d'une
souris, d'une grenouille et de cinq flèches. Ce message devait
être lu ainsi : « A moins que vous ne vous transformiez en
oiseaux pour voler dans l'air, en souris pour pénétrer sous la
terre ou en grenouilles pour vous réfugier dans les marais, vous
ne pourrez échapper à nos flèches. »

Un exemple plus approprié d'un graphisme se rapprochant le
plus de l'écriture vraiment tracée est fourni par les « écritures »
formées d'un « équivalent général », c'est-à-dire d'une seule

matière dont les différentes présentations servaient à marquer divers objets. Ainsi les *nœuds* pour les Incas, qui marquaient de cette façon les animaux tués dans les batailles. L'historien espagnol Garcilaso de la Vega les décrit de la façon suivante : « Pour les affaires de la guerre, du gouvernement, pour les tributs, les cérémonies, il y avait divers *guippus* et dans chaque paquet de ceux-ci beaucoup de nœuds et de fils attachés : rouges, verts, bleus, blancs, etc. ; et autant nous trouvons de différences dans nos vingt-quatre lettres, en les plaçant de manière diverse pour en tirer des sons si variés, autant les Indiens obtiennent un grand nombre de significations par la position diverse des nœuds et des couleurs. »

Or les véritables écritures sont déjà des tracés, des grammes, des graphismes complexes, si loin que remonte dans l'histoire la science archéologique et anthropologique. Les tracés les plus anciens ont été situés à la fin de la période moustérienne, et se propagent surtout vers 35 000 avant notre ère, durant la période de Chatelperron. Il s'agit d'entailles dans la pierre ou dans l'os, sans aucune figuration qui laisserait supposer que l'écriture est mimétique, qu'elle copie ou représente une « image » déjà existante, ou plus tard un phonétisme constitué. On peut citer en guise d'exemple les écritures des Australiens churingas qui traçaient de façon *abstraite* les corps de leurs ancêtres et leurs divers environnements. D'autres trouvailles paléontologiques confirment la thèse selon laquelle les premières écritures marquaient le *rythme* et non la *forme* d'un processus où s'engendre la symbolisation, sans devenir pour autant une représentation.

Vers l'an 20 000 avant notre ère, la figuration graphique est courante et évolue rapidement pour atteindre vers 15 000 une maîtrise technique de gravure et de peinture presque égale à celle de l'époque moderne. Il est frappant de constater que les représentations humaines perdent leur caractère « réaliste » et deviennent abstraites, construites à l'aide de triangles, de carrés, de lignes, de points, comme sur les parois des grottes de Lascaux, tandis que les animaux sont représentés d'une manière réaliste, s'efforçant de reproduire leur forme et leur mouvement.

Nous voyons par conséquent que le *langage* (parlé et écrit) et l'*art figuratif* se confondent dans ce qu'André Leroi-Gourhan appelle « le couple intellectuel phonation-graphie ». Pour lui, une part importante de l'art figuré relève de la « picto-idéographie », manière synthétique de marquage qui, tout en représentant des images (latin : *pictus*, peint, représenté), transmet une « conceptualisation », ou plutôt une différenciation et une systématisation irreprésentables (« idée »). Ce type d'écriture n'est pas une simple transposition du phonétisme, et peut-être même se construit de façon tout à fait indépendante de lui ; mais elle ne constitue pas moins un langage. Pour nous, sujets appartenant à une zone culturelle dans laquelle l'écriture est phonétique et reproduit à la *lettre* le langage phonétique, il est difficile d'imaginer qu'un type de langage — une écriture — ait pu exister et existe aujourd'hui pour de nombreux peuples, qui fonctionne indépendamment de la chaîne parlée, qui soit par conséquent non pas *linéaire* (comme l'est l'émission de la voix), mais *spatiale*, et qui enregistre ainsi un dispositif de différences où chaque marque obtient une valeur d'après sa place dans l'ensemble tracé. Ainsi, dès les grottes de Lascaux, on peut remarquer les rapports *topographiques* constants entre les figures des animaux représentés : au centre, bison et cheval ; sur les bords, cerfs et bouquetins ; à la périphérie, lions et rhinocéros. D'après Leroi-Gourhan, « derrière l'assemblage symbolique des figures a forcément existé un contexte oral avec lequel l'assemblage symbolique était coordonné et dont il reproduit spatialement les valeurs ».

De tels dispositifs spatiaux semblent constituer le support graphique-matériel, et par conséquent durable et transmissible, de tout un système mythique ou cosmique propre à une société donnée. On pourrait dire que ces graphismes, mi-écriture mi-représentation « artistique », magique ou religieuse, sont des *mythogrammes*.

D'autre part, cette propriété combinatoire des éléments graphiques permet la constitution d'ensembles scripturaux qui marquent déjà des formations syntaxiques ou logiques plus complexes. C'est ce que les sinologues appellent des *agrégats logiques*, faits d'une juxtaposition de plusieurs *graphèmes* (éléments graphiques). De même, pour indiquer que pendant une année il y a eu « abondance de viande », les Winter-Counts dessinent un cercle (= cache ou tas) au milieu duquel se trouve une tête de buffle et d'où sort un pieu ou une sorte d'échafaudage (pour fumer ou dessécher la viande).

La « multidimensionnalité » de ces graphismes s'observe dans nombre d'écritures non alphabétiques, comme en Égypte, en Chine, chez les Aztèques ou les Mayas. Les éléments de ces écritures, comme nous le verrons plus loin, peuvent être considérés comme des pictogrammes ou des idéogrammes simplifiés, dont certains obtiennent une valeur phonétique constante. On arrive ainsi à la phonétisation alphabétique de l'écriture dont chaque élément est associé à un certain phonème. La spatialisation scripturale est réduite et remplacée par la linéarité phonétique. Telle est l'écriture hiéroglyphique égyptienne, dans laquelle chaque *pictogramme* a une portée phonétique. L'*idéogramme* chinois, au contraire, s'est, d'une part, beaucoup éloigné de l'image-représentation (si l'on admet qu'à la base l'écriture chinoise a été figurative), et, d'autre part, n'a pas abouti à un alphabet phonétique, même si certains éléments ont une valeur phonétique constante et peuvent être utilisés comme des phonèmes.

La science de l'écriture, en systématisant les données archéologiques relatives aux diverses écritures, a pu distinguer trois types : écriture *pictographique*, écriture *idéographique* (ou hiéroglyphique) et écriture *phonétique* (ou alphabétique). Cette typologie traditionnelle est actuellement contestée, et on lui substitue une classification des systèmes d'écriture en cinq catégories :

— Les *phrasogrammes* : ce sont des inscriptions qui transmettent des messages entiers au sein desquels les divers mots ne sont pas distingués. Le terme a été proposé par le savant américain Gelb, et se rapproche de l'expression « écriture synthétique » proposée par Février. Les phrasogrammes peuvent être divisés en deux sous-groupes :

a) les *pictogrammes*, qui sont des dessins complexes ou une série de dessins qui fixent un contenu sans se référer à sa forme linguistique. Un tel type d'écriture a été utilisé par les Indiens d'Amérique, les Esquimaux, etc., et fut employé pour illustrer des situations concrètes. Étant par conséquent instable et conjectural, le pictogramme n'a pas pu se développer en un véritable système d'écriture ;

b) les *signes conventionnels*, tels les signes totémiques, les tabous, les signes magiques, les signes des différentes tribus, etc. Employés isolément et sans relation constante avec les autres signes, ils n'ont pas pu former un système d'écriture.

— Les *logogrammes* (du grec *logos*) sont des marques des différents mots. Proposé par Bloomfield, Gelb, Istrine, etc., ce terme remplace le terme imprécis d'*idéogramme*. Marcel Cohen emploie «signes-mots» et Février «écriture de mots». On appelle donc logogrammes les écritures ordonnées comme celle des Chinois, celle des Sumériens et en partie celle des Égyptiens, issues de la pictographie, et dont les éléments désignent des mots ou plus précisément des unités sémantiques du discours sous la forme de mots ou de combinaisons de mots. Comparée à la pictographie, la logographie représente non seulement le contenu, mais aussi l'ordre syntaxique et parfois l'aspect phonétique de l'énoncé.

Le terme logogramme a en outre l'avantage d'indiquer que l'élément minimal écrit n'est pas une idée ou un concept sans support matériel (comme l'aurait posé le terme idéogramme), mais bien un mot, une unité du langage en tant que système matériel de marques différenciées.

Une catégorie des logogrammes, tels les «hiéroglyphes idéographiques» chinois, sont directement liés à la signification du mot : ils évoquent la forme du phénomène qu'ils indiquent, et peuvent être lus souvent de plusieurs façons. La possibilité de plusieurs lectures d'une seule marque se retrouve aussi chez les anciens Égyptiens : «aller» pouvait être lu «š-m», «s-ʾb» «j-w». On appelle parfois ces logogrammes des *logogrammes sémantiques*.

La deuxième catégorie des logogrammes, tels les «hiéroglyphes phonétiques» du chinois, sont immédiatement liés au phonétisme du mot. Ils étaient employés par conséquent pour désigner des homonymes, malgré la différence de sens. Ces logogrammes sont *polysémiques*, c'est-à-dire qu'ils ont plusieurs sens : ainsi, dans le vieux chinois, le logogramme *ma* pouvait signifier le mot «cheval», mais aussi le mot «mère» et le mot «jurer» qui ressemblaient phonétiquement au premier. Ces logogrammes portent le nom de *logogrammes phonétiques*.

— Les *morphémogrammes* marquent les diverses parties du mot, les *morphèmes*. L'histoire de l'écriture ne connaît pratiquement pas de morphémographie pleinement développée, la dislocation du mot en morphèmes étant en effet une tâche analytique extrêmement difficile et complexe.

— Les *syllabogrammes* sont des écritures qui distinguent les différentes syllabes sans tenir compte du fait qu'elles coïncident ou non avec les morphèmes. On en distingue trois sous-catégories :

a) ou bien les signes marquent des syllabes de diverses constructions phonétiques (l'écriture assyro-babylonienne);

b) ou bien les signes indiquent uniquement des syllabes ouvertes (telle l'écriture crétoise mycénienne);

c) ou, enfin, les signes principaux désignent uniquement des voyelles isolées en combinaison avec des consonnes et la voyelle ă.

— Les *phonogrammes* sont des marques des éléments phoniques minimaux de la chaîne parlée : les phonèmes. Il existe des écritures phonétiques *consonantiques*, dont les lettres principales désignent les consonnes (tel l'alphabet arabe, hébreu, etc.) et des écritures phonétiques *vocalisées* (comme l'alphabet grec, latin, slave), dans lesquelles les signes marquent les consonnes aussi bien que les voyelles.

On remarquera que cette science de l'écriture, dont nous venons de donner les grandes lignes (exposées par Istrine) concernant les types d'écriture, reste fidèle à une conception du langage faite sur le modèle de la langue parlée. Même si un pas en avant est fait par rapport à la distinction classique pictogramme-idéogramme-phonogramme, le progrès ainsi enregistré ne fait que transposer sur le plan de l'écriture le savoir que nous avons de la langue parlée. L'écriture est considérée comme une *représentation* du parlé, comme son double fixateur, et non pas comme une matière particulière dont la combinatoire donne à penser un type de fonctionnement langagier différent du phonétique. La science de l'écriture semble donc prisonnière d'une conception d'après laquelle *langage* se confond avec *langage parlé*, articulé d'après les règles d'une certaine grammaire. A. Meillet, après Saussure, exprimait ainsi, en 1919, cette position : « Aucun dessin ne peut suffire à rendre graphiquement une langue, si simple que soit la structure de cette langue. Il y a beaucoup de mots dont la valeur ne se laisse exprimer clairement par aucune représentation graphique, même en donnant aux représentations la valeur la plus symbolique. Et surtout la

structure même de la langue n'est pas exprimable par des dessins représentant les objets : il n'y a langue que là où il y a un
ensemble de procédés grammaticaux... La structure du langage
conduisait donc nécessairement à noter les sons ; aucune notation symbolique ne pouvait satisfaire. »

De nos jours, sous l'influence des recherches philosophiques
et de la connaissance de la logique de l'inconscient, certains
chercheurs considèrent les divers types d'écriture comme des
types de langage qui n'ont pas forcément « besoin » d'« expression phonétique » comme le croyait Meillet, et qui représentent
ainsi des pratiques signifiantes particulières, disparues ou
transformées dans la vie de l'homme moderne. La science de
l'écriture en tant que domaine *nouveau* (et jusqu'à nos jours
méconnu dans sa spécificité) du fonctionnement linguistique ; de
l'écriture comme langage, mais non pas comme parole vocale
ou chaîne grammaticale ; de l'écriture comme pratique signifiante spécifique qui nous laisse apercevoir des régions inconnues dans le vaste univers du langage — cette science de
l'écriture reste donc à faire.

CATÉGORIES ET RELATIONS LINGUISTIQUES

En exposant la matérialité phonique, scripturale et gestuelle
du langage, nous avons déjà eu l'occasion de mentionner et
même de démontrer qu'il est un *système* compliqué d'éléments
et de relations, à travers lequel le sujet parlant ordonne le réel,
système que, par ailleurs, le linguiste analyse et conceptualise.
Il serait important, dans ce chapitre sur la « matérialité » du
langage, et pour préciser le sens que nous donnons au terme de
« matérialité », d'indiquer, ne serait-ce que brièvement, comment les différentes catégories et relations linguistiques organisent le réel et en même temps donnent au sujet parlant une
connaissance de ce réel-connaissance dont la vérité est confirmée par la pratique sociale.

Les façons dont les différentes tendances et écoles linguistiques ont envisagé les formes et les constructions du langage
vont apparaître au cours de cet ouvrage. Le lecteur remarquera
la multiplicité et souvent la divergence des opinions et des
terminologies, dues aussi bien aux positions théoriques des

auteurs qu'aux particularités des différentes langues pour lesquelles les théories sont faites. Nous nous limiterons ici à
signaler, de manière très sommaire et générale, quelques aspects de la construction linguistique, et ses conséquences pour
le locuteur et son rapport au réel.

La science linguistique se divise en plusieurs branches qui
étudient sous divers aspects les éléments ou catégories linguistiques et leurs rapports. La *lexicographie* décrit le dictionnaire : la
vie des mots, leur sens, leur sélectivité, leurs combinaisons. La
sémantique — science du sens des mots et des phrases —
s'occupe des particularités des rapports de signification parmi
les éléments d'un énoncé. La *grammaire* est conçue comme
« l'étude des formes et des constructions »... Or, de nos jours, le
remaniement et le renouvellement de la science linguistique
entraînent l'effacement des limites de ces continents qui, de plus
en plus, interfèrent, se confondent, se refondent dans des
conceptions toujours nouvelles et en pleine évolution. Il s'ensuit
que, si nous prenons comme exemple une certaine étape des
conceptions, disons de la *grammaire*, cet exemple n'engage que
son champ limité, et ne saurait épuiser la complexité du problème des catégories et des relations linguistiques.

Envisageant la langue comme un système formel, la linguistique distingue actuellement, parmi les formes linguistiques,
celles qui ont une autonomie (elles signifient des notions : *peuple, vivre, rouge*, etc.) et d'autres qui sont semi-dépendantes ou
simplement des rapports (elles signifient des relations : *de, à,
où, dont*, etc.). Les premières sont appelées des *signes lexi-
caux*, les secondes, des *signes grammaticaux*.

Ces signes se combinent dans des segments discursifs de
complexité diverse : *la phrase, la proposition, le mot, la forme*
(d'après P. Guiraud, dans *la Grammaire*, 1967).

Les *mots* ont des *affixes* (suffixes, préfixes, infixes) qui
servent à former d'autres mots (ou sémantèmes) en se juxtaposant au radical. Ainsi : *chang-er, change-ment, re-change*, etc.
Une catégorie d'affixes, les *désinences*, « marquent le statut
grammatical du mot dans la phrase (espèce, modalité, liaison) ».

Les mots forment des *phrases* en se disposant d'après des lois
strictes. Le rapport entre les mots peut être marqué par leur
ordre : l'ordre est décisif dans les langues *isolantes* comme le
français ; par contre, il n'a qu'une importance relative dans une

langue flexionnelle comme le latin. L'accent tonique, les liaisons, mais surtout les *accords*, les *concordances* et les *rections* indiquent les relations entre les différentes parties d'une phrase.

En traitant des *catégories grammaticales*, la grammaire traditionnelle distingue : les *parties du discours*, les *modalités* et les *relations syntaxiques*.

Les *parties du discours* varient dans les différentes langues. Le français en connaît neuf : le substantif, l'adjectif, le prénom, l'article, le verbe, l'adverbe, la préposition, la conjonction et l'exclamation.

Les *modalités* se rapportent aux noms et aux verbes, et désignent leur façon d'être. Ce sont le nombre, le genre, la personne, le temps et l'espace, le mode.

Les *relations syntaxiques* sont les relations dans lesquelles entrent les mots spécifiés (comme parties du discours) et modalisés (à l'aide des modalités) dans la phrase. La science actuelle considère que les marques d'*espèce* et de *modalité* sont aussi des *marques syntaxiques* : qu'elles n'existent pas « en soi », en dehors des relations dans la phrase, mais que, au contraire, elles prennent forme et se précisent uniquement dans et par ces rapports syntaxiques. Autrement dit, un mot est « nom » ou « verbe » parce qu'il a un rôle syntaxique précis dans la phrase, et non pas parce qu'il est porteur « en soi » d'un certain sens qui le prédestine à être « nom » ou « verbe ». Cette position théorique, valable pour les langues indo-européennes, s'applique encore davantage à des langues comme le chinois, dans lequel il n'y a pas de morphologie à proprement parler, et où le mot peut « devenir » telle ou telle partie du discours (« nom », « verbe », etc.) suivant sa fonction syntaxique. Ainsi, la linguistique moderne tend à réduire la *morphologie* (l'étude des formes : déclinaison, conjugaison, genre, nombre), la *lexicologie*, et même la *sémantique*, à la *syntaxe*, à l'étude des constructions, et à formuler tout énoncé linguistique signifiant comme un formalisme syntaxique. Telle est la théorie développée par Chomsky dans sa « grammaire générative », sur laquelle nous reviondrons.

Les catégories syntaxiques de base traditionnellement dégagées sont :

— le *sujet* et le *prédicat* : « une notion-thème (le sujet) à laquelle on attribue un certain caractère, un certain état ou activité (le prédicat) » ;

— les *déterminants* du nom ou de l'adjectif qui, ensemble avec le sujet, forment le *syntagme nominal* dans la terminologie de Chomsky ;

— les *compléments du verbe* qui s'ajoutent au verbe pour désigner l'objet ou les circonstances de l'action. Dans la terminologie de Chomsky, ils forment, avec le prédicat, le *syntagme verbal*.

La question se pose : ces catégories marquent-elles des éléments et des rapports d'ordre spécifiquement linguistique, ou sont-elles au contraire une simple transposition de notions logiques ? La grammaire a, en effet, longuement été prisonnière de vues logiques (aristotéliciennes) qui, de l'Antiquité au nominalisme du Moyen Age, et surtout au XVIIIe siècle, ont voulu imposer l'adéquation de la grammaire à la logique. Aujourd'hui, il est évident que les catégories logiques, loin d'être « naturelles », ne correspondent qu'à certaines langues bien précises et même à certains types d'énoncés, et ne peuvent pas couvrir la multiplicité et la particularité des catégories et relations linguistiques. Un des ouvrages les plus marquants qui aient libéré la grammaire de sa dépendance de la logique fut l'*Essai de grammaire de la langue française* de J. Damourette et E. Pichon (1911-1952) : il restaure la subtilité des catégories de pensée telles que les enregistre le discours, sans souci de systématisation logique. Le projet *logique* persiste pourtant, et donne lieu à deux types de théories.

D'une part, les grammaires psycho-logiques, comme celle de M.-G. Guillaume (1883-1960). L'auteur distingue « la langue », qu'il appelle « immanence », zone confuse, pré-discursive, où s'organise la parole, de l'opération de réalisation de la pensée, et, enfin, du « discours » ou « transcendance » qui est déjà une construction en signes linguistiques. Guillaume étudie plutôt, ce qui précède le discours, et appelle sa science « psychomécanique » ou « psychosystématique ». Le « discours », pour lui, ou la « transcendance », par ses *saisies* que sont les formes grammaticales, modèle et ordonne l'activité pensante (l'« immanence »).

D'autre part, des théories logiques récentes : la logique mathématique, la logique combinatoire, la logique modale, etc., qui fournissent aux linguistes des procédés plus fins pour formaliser les relations qui se jouent dans le système de la langue, sans pour autant quitter le terrain proprement linguistique ni prétendre à une théorisation d'une pensée pré-linguistique. Certains modèles transformationnels, comme celui des Soviétiques Saumjan et Soboleva, se construisent sur la base de principes logiques : dans ce cas précis, il s'agit de ceux qu'exposent Curry et Feys dans leur *Logique combinatoire*.

Les catégories et relations linguistiques que les différentes théories et méthodes isolent à l'intérieur de la langue reflètent et entraînent — la causalité est ici dialectique — des situations concrètes, réelles, que la science peut élucider en partant d'une analyse des données linguistiques. Nous donnerons ici comme exemple la façon dont Benveniste, dans *Problèmes de linguistique générale* (1966), a pu, en étudiant la catégorie de *la personne* et celle du *temps*, reconstruire le système même de la subjectivité et de la temporalité.

L'auteur envisage la subjectivité comme « la capacité du locuteur de se poser comme " sujet "… ». « Nous tenons, écrit Benveniste, que cette " subjectivité ", qu'on la pose en phénoménologie ou en psychologie, comme on voudra, n'est que l'émergence dans l'être d'une propriété fondamentale du langage. Est " ego " qui dit " ego ". Nous trouvons là le fondement de la subjectivité, qui se détermine par le statut linguistique de la " personne ". Or c'est le verbe seul avec le pronom qui possède la catégorie de la personne. La personne est tellement inhérente au système verbal que la conjugaison verbale suit l'ordre des personnes, et cela déjà en Inde (dont les grammairiens distinguaient trois personnes — *purusa*) et en Grèce (dont les érudits représentaient les formes verbales comme des πρόσωπα, des *personnes*). Même des langues comme le coréen ou le chinois, dont la conjugaison verbale ne suit pas la distinction des personnes, possèdent les pronoms personnels et par conséquent ajoutent (implicitement ou explicitement) la personne au verbe.

A l'intérieur du système des personnes se joue une opposition double. La première est celle entre *je/tu* d'une part, et *il* de l'autre ; *je* et *tu* étant des personnes impliquées dans le discours, *il* se situant en dehors de *je/tu* et indiquant quelqu'un ou quelque chose sur lequel on énonce, mais sans que ce soit une personne spécifiée. « La conséquence doit être formulée nettement, écrit Benveniste : la " troisième personne " n'est pas une " personne " ; c'est même la forme verbale qui a pour fonction d'exprimer la *non-personne*... Il suffit de rappeler... la situation très particulière de la troisième personne dans le verbe de la plupart des langues... » (Ainsi, en français, par exemple, le « il » impersonnel de « il pleut ».)

La seconde opposition est celle entre *je* et *tu*. « Je n'emploie *je* qu'en m'adressant à quelqu'un, qui sera dans mon allocution un *tu*. C'est cette condition de dialogue qui est constitutive de la *personne*, car elle implique en réciprocité que *je* deviens *tu* dans l'allocution de celui qui à son tour se désigne par *je*. C'est là que nous voyons un principe dont les conséquences sont à dérouler dans toutes les directions. Le langage n'est possible que parce que chaque locuteur se pose comme *sujet*, en renvoyant à lui-même comme *je* de son discours. De ce fait, *je* pose une autre personne, celle qui, tout extérieure qu'elle est à « moi », devient mon écho auquel je dis *tu* et qui me dit *tu*. »

Si la subjectivité « réelle » et la subjectivité linguistique sont en interdépendance étroite, surdéterminées par la catégorie linguistique de la personne, il en va de même de la catégorie du verbe et des relations de temps qu'elle marque. Benveniste distingue deux plans d'énonciation : l'énonciation *historique* dans laquelle sont admis l'aoriste [1], l'imparfait, le plus-que-parfait et le prospectif, mais sont exclus le présent, le parfait, le futur ; et l'énonciation de *discours* où sont admis tous les temps et toutes les formes, à l'exception de l'aoriste. Cette distinction concerne aussi la catégorie de la personne. « L'historien ne dira jamais *je*, ni *tu*, ni *ici*, ni *maintenant*, parce qu'il n'empruntera jamais l'appareil formel du discours, qui consiste d'abord dans la relation de personne *je : tu*. On ne constatera dans le récit historique strictement poursuivi que des formes de troisième personne. » Benveniste donne l'exemple suivant d'énonciation historique :

« Après un tour de galerie, le jeune homme *regarda* tour à tour le ciel et sa montre, fit un geste d'impatience, *entra* dans un bureau de tabac, y *alluma* un cigare, se *posa* devant la glace, et *jeta* un regard sur son costume, un peu plus riche que ne le permettent [ici le *présent* est dû au fait qu'il s'agit d'une ré-flexion de l'auteur qui échappe au plan du récit] en France les

1. Aoriste : temps passé qui, dans le système verbal grec, désigne une action finie.

lois du goût. Il *rajusta* son col et son gilet de velours noir sur
lequel se *croisait* plusieurs fois une de ces grosses chaînes· d'or
fabriquées à Gênes; puis, après avoir jeté par un seul mouvement sur son épaule gauche son manteau doublé de velours en le
drapant avec élégance, il *reprit* sa promenade sans se laisser
distraire par les œillades bourgeoises qu'il *recevait*. Quand les
boutiques *commencèrent* à s'illuminer et que la nuit *parut* assez
noire, il *se dirigea* vers la place du Palais-Royal en homme qui
craignait d'être reconnu, car il *côtoya* la place jusqu'à la fon-
taine, pour gagner à l'abri des fiacres l'entrée de la rue Froid-
manteau… » (Balzac, *Études philosophiques : Gambara*.)

  Au contraire, « le discours emploie librement toutes les formes personnelles du verbe, aussi bien *je/tu* que *il*. Explicite ou
non, la relation de personne est présente partout ».

  Nous voyons ici comment le langage, avec ses catégories de
verbe, de temps et de personnes et par leur combinaison précise,
s'il ne détermine pas, du moins surdétermine les oppositions
temporelles *vécues* par les sujets parlants. Le linguiste trouve
donc *objectivement*, dans la matière de la langue, toute une
problématique (dans notre exemple, celle de la subjectivité et de
la temporalité) qui se joue *réellement* dans la pratique sociale.
La langue semble forger par ses catégories mêmes ce qu'on a pu
désigner comme « subjectivité », « sujet », « interlocuteur »,
« dialogue », ou « temps », « histoire », « présent », etc. Est-ce
dire que c'est la langue qui produit ces réalités, ou au contraire
que ce sont elles qui se reflètent dans la langue ? Problème
métaphysique et insoluble, auquel nous ne pouvons qu'opposer
le principe de l'*isomorphie* des deux séries (le réel/le langage ; le
sujet réel/le sujet linguistique ; la temporalité vécue/la temporalité linguistique) dont la seconde, le langage, avec ces catégories, serait l'*attribut* en même temps que le *moule* qui ordonne la
première : ce réel extra-linguistique. C'est dans ce sens aussi
que nous pouvons parler d'une « matérialité » du langage, en
nous refusant à poser le langage comme système idéal fermé sur
lui-même (telle est l'attitude « formaliste ») ou comme simple
copie d'un monde réglé existant sans lui (telle est l'attitude
« réaliste » mécaniste).

  Les catégories linguistiques changent dans le temps. La
grammaire latine est différente de celle de l'ancien français qui
diffère de la grammaire du français moderne. « [Le langage]

escoule tous les jours de nos mains et depuis que je vis s'est altéré de moitié», écrivait Montaigne. Évidemment, de nos jours la langue est normativisée, régularisée et fixée par une écriture stable, de sorte que les changements catégoriels n'adviennent pas si vite, même s'ils se produisent sans cesse. Sans affirmer que toute évolution des catégories de la langue implique nécessairement une redistribution du champ dans lequel le sujet parlant organise le réel, nous devons signaler que ces mutations ne sont pas sans importance pour le fonctionnement conscient et surtout inconscient du locuteur. Prenons un exemple que donne M. W. von Wartburg dans *Problèmes et Méthode* et que reprend P. Guiraud : le verbe «*croire*» commande en ancien français deux constructions, *croire en*, et *croire ou* [en le], puisqu'on emploie les noms propres sans article et les noms communs avec l'article (croire en Dieu, croire *ou* [en le] départ, croire *ou* [en le] diable). Mais, au cours de l'évolution de la langue, *ou* [*en le*] s'est confondu avec *au* [*à le*] de sorte que l'opposition *croire en*/*croire en le* s'est estompée. Or les locuteurs ont conservé le sens d'une opposition qu'ils ont, pourtant, réinterprétée sémantiquement de façon qui n'a rien à voir avec l'opposition grammaticale initiale : *croire en* désignera désormais une croyance profonde en un être divin, *croire à* une croyance que quelque chose existe. Et von Wartburg d'écrire : «Un catholique croit en la Sainte Vierge, un protestant croit à la Sainte Vierge [1]. »

Sur un autre plan, et dans le cadre d'un même système grammatical, d'une même étape de la langue, il existe des variations qui, sans franchir le seuil de l'intelligibilité du message, transgressent certaines de ces règles, et peuvent être considérées comme agrammaticales. Elles ont pourtant une fonction spécifique, *rhétorique*, dans les styles particuliers, et font l'objet de la *stylistique*.

Nous abordons ici un autre problème linguistique : celui du sens et de la signification, que nous avons évoqué plus haut en traitant de la nature du signe linguistique. C'est la *sémantique* qui étudie ce problème. Son autonomie en tant que discipline particulière dans l'analyse de la langue est assez récente. Si les

---

1. De nos jours, cette distinction est moins nette et contredit parfois la dichotomie établie par M. W. von Wartburg. Exemple : « Je crois *en* toi/Je crois *à* tes histoires. »

grammairiens du XIXe siècle parlaient de *sémasiologie* (du terme grec *sêma*, signe), c'est le linguiste français Michel Bréal qui a proposé le terme de sémantique et fut le premier à écrire une *Sémantique* (*Esssai de sémantique*, 1896). Aujourd'hui on conçoit la sémantique comme l'étude de la fonction des mots d'être porteurs de sens.

Une distinction est établie entre *sens* et *signification*, le *sens* étant le terme *statique* qui désigne l'image mentale résultant du *procès* psychologique désigné par le terme *signification*. Il est généralement admis que la linguistique ne s'occupera que du *sens*, la *signification* étant réservée à une science plus vaste, désormais appelée *sémiotique*, et dont la sémantique n'est qu'un cas particulier. Or il est évident que le sens n'existant pas en dehors de la signification et vice versa, les études définies par ces deux concepts s'entrecroisent souvent.

Parmi les nombreux problèmes que pose la sémantique, signalons-en quelques-uns.

Si, dans la communication en général, un mot a un seul sens, il est fréquent que les mots en possèdent plusieurs. Ainsi *état* signifie « manière d'être, situation », « nation (ou groupe de nations) organisée, soumise à un gouvernement et à des lois communes », etc.; *carte* peut signifier « billet d'identité », « liste de mets », « représentation du globe ou d'une de ses parties », etc. A ce phénomène dit *polysémie* s'ajoute la *synonymie*; plusieurs mots désignent un seul concept : *travail, labeur, ouvrage. œuvre, affaire, occupation, mission, tâche, besogne, corvée, boulot, turbin, business;* de même que l'*homonymie :* des mots différents à l'origine qui finissent par se confondre : *je, jeu…*

Tout mot dans un contexte a un sens défini et précis, *sens contextuel*, qui souvent diffère de son *sens de base :* « *livrer* des marchandises » et « *livrer* bataille » témoignent de deux sens contextuels du mot « livrer » qui ne sont pas identiques au sens de base. A ces deux sens s'ajoutent les *valeurs stylistiques :* des sens supplémentaires qui enrichissent le sens de base et le sens contextuel. Dans « Les ouvriers ont occupé la boîte », le sens contextuel de « boîte » est « fabrique », mais la valeur stylistique supplémentaire connote une intention populaire, familière ou dévalorisante. On voit que les valeurs stylistiques peuvent être non seulement d'ordre subjectif, mais aussi d'ordre socioculturel.

La sémantique croise ainsi la *rhétorique*. L'étude du sens s'est confondue dans l'Antiquité avec l'étude des *«figures» de mots*, et de nos jours recoupe souvent la *stylistique*.

L'étude classique des *tropes* se présente jusqu'à aujourd'hui comme étant à la base des études de *combinaison*, voire de *changement* de sens. On sait que les Latins après les Grecs en désignaient quatorze types : la métaphore, la métonymie, la synecdoque, l'autonomase, la catachrèse, l'onomatopée, la métalepse, l'épithète, l'allégorie, l'énigme, l'ironie, la périphrase, l'hyperbole et l'hyperbate. Les sémanticiens de nos jours dégagent les relations logiques qui sous-tendent ces tropes, et en tirent les opérations de base pour les changements de sens.

S. Ullmann, par exemple (*the Principles of Semantics*, 1951) distingue des changements dus au *conservatisme linguistique* et des changements dus à l'*innovation linguistique*. Cette dernière classe présente quelques sous-catégories :

  I. Transferts du nom : a) par similitude entre les sens ;
                        b) par contiguïté entre les sens.
 II. Transferts du sens : a) par similitude entre les noms ;
                        b) par contiguïté entre les noms.

Voici un exemple de *contiguïté spatiale* entre les sens (Ib) : le terme « bureau » vient de « bure », l'étoffe de bure recouvrant le meuble et lui léguant son nom.

Si tel est le mécanisme des changements de sens, leurs causes sont : soit *historiques* (changements scientifiques, économiques, politiques qui atteignent le sens des mots), soit *linguistiques* (phonétiques, morphologiques, syntaxiques, contagion, étymologie populaire, etc.), soit *sociales* (restriction ou extention de l'aire sémantique d'un mot suivant sa spécialisation ou sa généralisation), et enfin *psychologiques* (expressivité, tabou, euphémismes, etc.).

Avec la linguistique structurale, la sémantique est devenue aussi structurale. Saussure mettait déjà chaque mot au centre d'une *constellation* d'associations (soit par le sens, soit par la forme), et donnait le schéma ci-après :

De nos jours la sémantique structurale emploie le concept de *champs morpho-sémantiques* (Guiraud) pour indiquer « le complexe de relations de formes et de sens formé par un ensemble de mots » (cf. P. Guiraud, *la Sémantique*, « Que sais-je ? », 1969).

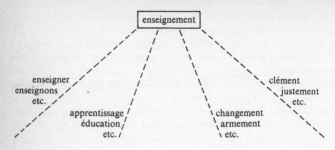

Dans sa *Sémantique structurale* (1966) A. J. Greimas propose d'isoler dans chaque mot les *sèmes*, éléments minimaux de signification dont la combinaison produit le *sémème* (ou le mot en tant que complexe de sens). Les sèmes sont répartis d'après des axes sémiques en opposition binaire. D'autre part, un sémème se compose d'un *noyau sémique* (sens de base) et de *sèmes contextuels*.

Les problèmes complexes de la signification, que la sémantique structurale est loin d'avoir résolus, sont abordés aussi par la sémantique philosophique, la logique, la psychosociologie, etc. Toutes ces théories sont en pleines mutation, ce qui rend d'emblée impossible toute tentative de résumé.

Sans prétendre dresser une histoire des théories linguistiques, tâche impossible avant qu'une théorie générale de l'histoire ne soit élaborée, nous allons essayer de pénétrer plus au fond de la problématique du langage en parcourant les multiples systèmes à travers lesquels les sociétés diverses ont pensé leurs langues. Nous procéderons donc à la description des représentations et des théories linguistiques à travers les âges.

Deuxième partie

Le langage dans l'histoire

Des mythes aux spéculations philosophiques les plus élaborées, le problème des débuts du langage — son apparition, ses premiers pas — n'arrête pas de se poser. Même si la linguistique comme science refuse de l'admettre et encore moins de l'envisager (ce problème a été déclaré hors du champ d'intérêt de la Société linguistique de Paris), la question existe et sa permanence est un symptôme idéologique constant.

Les croyances et les religions attribuent cette origine à une force divine, aux animaux et à des êtres fantastiques que l'homme aurait imités.

On a voulu, aussi, trouver *la langue originelle,* celle qui aurait été parlée par les premiers hommes, et dont les autres langues seraient issues. Ainsi Hérodote (II, 2) rapporte l'expérience de Psammétique, roi d'Égypte, qui aurait fait élever deux enfants dès leur naissance sans aucun contact avec quelque langue que ce soit; le premier mot des enfants a été βεκος («pain» en phygien, ce qui a induit le roi à conclure que le phrygien était plus ancien que l'égyptien).

On a voulu également accéder à l'«origine» du langage en observant l'apprentissage de la pratique linguistique par les sourds et les aveugles. D'autres observations sont faites dans le même but sur l'apprentissage de la langue par les enfants. On a tenté de découvrir les lois primordiales de la langue en observant les habitudes locutoires des personnes bilingues et polyglottes, dans l'hypothèse que le polyglottisme est un moment historique antérieur au monoglottisme (c'est-à-dire à l'unification d'une langue pour une communauté donnée). Quelque intéressantes que puissent être toutes ces données, elles ne révèlent que le processus par lequel une langue *déjà constituée* est *apprise* par des sujets dans une société déterminée, et peuvent nous renseigner sur les particularités psychosociologiques des sujets parlant ou apprenant une certaine langue. Mais elles ne peuvent apporter aucune lumière sur le processus historique de formation du langage, et encore moins sur son « origine ».

Lorsque les chercheurs modernes s'attaquent à la « préhistoire » du langage, ils en entendent surtout les étapes les plus anciennes qui soient connues : soit enregistrées par des documents, soit reconstruites dans des études comparées, et qui ainsi peuvent permettre des hypothèses sur des stades antérieurs dont nous n'avons pas de témoignages. Parmi les données de base pour une reconstruction du passé linguistique, on retient surtout le déchiffrement des hiéroglyphes égyptiens, des inscriptions cunéiformes, des épigraphes des peuples de l'Asie Mineure ou des Étrusques, les runes germaniques, les monuments ogamiques, etc. A partir de ces témoignages écrits, des déductions peuvent être faites concernant la vie non seulement linguistique, mais, en général, sociale des populations diverses. De son côté, la linguistique comparée, en suivant la vie des mots dans les différentes langues — leur migration et leur transformation —, peut déduire certaines lois linguistiques qui nous permettent de reconstruire le passé lointain du langage. A ces recherches s'ajoutent également les découvertes dues au déchiffrement du matériel archéologique : les épigraphes, les noms des dieux, des places, des personnes, etc., dont la constance et la durée dans l'histoire est un indice sûr qui permet l'accès au passé éloigné de la langue.

Plusieurs théories-hypothèses ont été proposées pour expliquer l'« origine » et la préhistoire du langage : hypothèses dont l'audace se trouve très vite démentie et détruite par des propositions s'inspirant d'autres principes idéologiques. Ainsi, le Soviétique N. Marr a formulé une théorie *stadiale* du langage, divisant les langues en quatre types, qui correspondent aux étapes de la société :

1) le chinois et quelques langues africaines ; 2) le finno-hongrois et le turco-mongolien ; 3) le japhétique et hamitique, caractérisant le féodalisme : 4) les langues indo-européennes et sémitiques, caractérisant la société capitaliste. Une langue universelle devrait représenter la société communiste. Cette théorie a été vivement critiquée par Staline qui a affirmé que la langue n'est pas une superstructure et que par conséquent elle ne suit

pas de façon fidèle les transformations historiques des structures sociales.

Une théorie de la préhistoire linguistique en six stades, qui trace le trajet menant de la communication animale au langage humain hautement développé, a été proposée par G. Révész dans *Origine et Préhistoire du langage* (1946). Au stade préhistorique et historique on observe, d'après l'auteur, une réduction du langage aux modes *impératif, indicatif* et *interrogatif,* et une diminution de l'importance des gestes. Quant au système de communication de l'homme primitif, les deixis [1], les cris et les gestes occupent une place prépondérante ; ce langage se limite, toujours d'après Révész, à l'*impératif,* au *vocatif* et au *locatif.*

Abandonnant l'ambition de construire de telles théories générales, pour lesquelles aucune preuve scientifique ne peut être fournie, la linguistique se borne actuellement, comme le note A. Tovar, à « établir un stade archaïque des langues qui ont les mêmes caractéristiques ». Ce travail a été fait en ce qui concerne la phonétique par W. Schmidt. Van Ginneken, pour sa part, a proposé un type de langue qu'il considère comme primitif et aussi vieux que l'écriture. Cette « langue » est un système de consonnes latérales ou « clics » (sons obtenus par les mouvements latéraux de la langue), les voyelles étant absentes. Van Ginneken retrouve l'exemple de ce système phonétique dans la langue caucasienne et chez les Hottentots.

Avec le concours décisif des archéologues et des paléontologues, la linguistique essaie d'établir sinon comment le langage est apparu, du moins depuis quand l'homme parle. Les hypothèses sont hésitantes. Pour Böklen le langage apparaît à la période moustérienne. Leroi-Gourhan partage le même avis : considérant que c'est le symbole graphique qui est le véritable saut exclusivement humain, et que par conséquent il y a langage humain dès qu'il y a symbole graphique, il affirme : « On peut dire que si, dans la technique et le langage de la totalité des Anthropiens, la motricité conditionne l'expression, dans le langage figuré des Anthropiens les plus récents la réflexion déter-

1. Deixis : Terme désignant tous les mots qui situent et indiquent l'acte d'énonciation et ne sont intelligibles que par rapport à lui (*ici, maintenant, aujourd'hui,* etc.). Il joue par conséquent un rôle important dans la théorie saussurienne du discours, et correspond à l'*indication* dans la tradition de Peirce.

mine le graphisme. Les traces les plus anciennes remontent à la
fin du moustérien et deviennent abondantes vers 35 000 avant
notre ère, durant la période de Chatelperron. Elles apparaissent
en même temps que les colorants (ocre et manganèse) et les
objets de parure. »

Peut-on considérer que le langage a subi un temps de développement, de progression lente et laborieuse au cours de laquelle il est devenu ce système complexe de signification et de
communication qu'il est aujourd'hui et que l'histoire retrouve
aussi loin qu'elle remonte dans le passé ? Ou bien admettra-t-on,
avec Sapir, que dès le « début » le langage est « formellement
complet » et que dès qu'il y a homme il y a langage en tant que
système complet chargé de toutes les fonctions qu'il a de nos
jours ? Dans cette seconde hypothèse, il n'y aurait pas de « préhistoire » du langage, mais du langage simplement, avec sans
doute des différences du mode d'organisation du système (différences phonétiques, morphologiques, syntaxiques, etc.) qui
donnent lieu à différentes langues.

L'hypothèse de l'apparition subite du langage est défendue
actuellement par Claude Lévi-Strauss. Il considère toute culture
comme « un ensemble de systèmes symboliques au premier rang
desquels se place le langage, les règles matrimoniales, les rapports économiques, l'art, la science, la religion ». Renonçant à
chercher une théorie sociologique pour expliquer le symbolisme, Lévi-Strauss, au contraire, cherche l'origine symbolique
de la société. Car ce vaste ensemble de systèmes de signification
qu'est le social fonctionne — de même que l'exercice de la
langue — de façon inconsciente. Il est — de même que la
langue — fondé sur l'échange (la communication). Il découle-
rait de ce parallélisme que les phénomènes sociaux peuvent être
assimilés (de ce point de vue) au langage, et qu'à partir du
fonctionnement linguistique on peut accéder aux lois du système
social. Or, écrit Lévi-Strauss, « quels qu'aient été le moment et
les circonstances de son apparition dans l'échelle de la vie
animale, le langage n'a pu naître que d'un seul coup. Les choses
n'ont pas pu se mettre à signifier progressivement. A la suite
d'une transformation dont l'étude ne relève pas des sciences
sociales, mais de la biologie et de la physiologie, un passage
s'est effectué, d'un stade où rien n'avait un sens, à un autre où
tout en possédait ». Pourtant, Lévi-Strauss distingue nettement

cette apparition brusque de la *signification* de la lente prise de connaissance que « cela signifie ». « C'est que les deux catégories du signifiant et du signifié se sont constituées simultanément et solidairement, comme deux blocs complémentaires ; mais que la connaissance, c'est-à-dire le processus intelligible qui permet d'identifier les uns par rapport aux autres certains aspects du signifiant et certains aspects du signifié…, ne s'est mis en route que fort lentement. L'univers a signifié bien avant qu'on ne commence à savoir ce qu'il signifiait. »

Dans une vision semblable, éliminant le problème d'une préhistoire du langage par la question de la structure spécifique du système linguistique et de chaque système signifiant, on a pu proposer une théorie de la *relativité linguistique*. Elle consiste dans l'hypothèse que chaque langue, possédant une organisation particulière et différente des autres, signifie le réel de façon différente ; il y aurait donc autant de types d'organisations signifiantes de l'univers qu'il y a de types de structures linguistiques. Cette idée, qui date de Wilhelm von Humboldt pour être reprise par Léo Weisgerber, fut réinventée par Sapir et développée surtout par Benjamin Lee Whorf, principalement dans ses études sur la langue des Indiens hopis qu'il opposa à la « langue européenne moyenne normale ». Ainsi, la langue hopi possède neuf voix verbales, neuf aspects, etc., qui sont pour Whorf autant de façons de signifier, et indiquent les manières particulières, propres aux Hopis, de penser l'espace et le temps. Cette théorie oublie que dans d'autres langues les mêmes « particularités » peuvent être obtenues par des moyens linguistiques différents (une « voix » peut être indiquée et remplacée par un adverbe, une préposition, etc.), et que, d'autre part, l'ensemble des systèmes signifiants dans une société est une structure complexe et complémentaire, dans laquelle la langue parlée, catégorisée par une certaine théorie, est loin d'épuiser la diversité des pratiques signifiantes. Cela ne veut pas dire que la science ne pourra pas trouver dans le système de la langue les « spécificités » qu'elle est en train de découvrir actuellement dans les systèmes signifiants extra-linguistiques ; cela veut dire seulement qu'il serait trop audacieux de déduire les caractéristiques « mentales » d'une société à partir des considérations, historiquement et idéologiquement limitées, qu'on peut faire sur sa langue.

Considérant avec prudence la théorie de la relativité linguistique, l'anthropologie et la linguistique anthropologique étudient les langues et les théories linguistiques dans les sociétés dites primitives, non pas pour atteindre ainsi au point « initial » du langage, mais pour constituer un vaste aperçu des différents modes de représentations qui ont accompagné la pratique linguistique.

1. Anthropologie et linguistique

Connaissance du langage dans les sociétés dites primitives

A la recherche d'un objet susceptible d'être scientifiquement étudié et supposé fournir un accès vers la culture d'une société « primitive », l'anthropologie a trouvé le *langage*. Analysant les différentes formes sous lesquelles il se présente, ses règles internes, de même que la conscience qu'en ont les divers peuples (dans leurs mythes et leurs religions), l'anthropologie fonde et élargit sa connaissance des sociétés dites sauvages.

Les premières études qui ont ouvert la voie à cette « anthropologie linguistique » furent celles d'Edouard Tylor (*Primitive Culture*, 1871, et *Anthropology*, 1881), mais il avait eu un prédécesseur anglais, R. G. Latham. Malinowski en 1920 développa la thèse de la structure linguistique comme révélatrice de la structure sociale, et la confirma dans son étude *Meaning in Primitive Languages*. Cette tendance est poursuivie par d'autres savants comme Hocard, Haddon, J.-R. Firth. En Europe l'anthropologie s'inspire des travaux de Saussure et de Meillet, et trouve une orientation linguistique dans les recherches de Durkheim et de Mauss. Parmi les savants américains, c'est à Franz Boas principalement que nous devons les formulations les plus décisives et les plus engagées dans ce domaine. Après avoir étudié la langue et l'écriture des Indiens d'Amérique et des Esquimaux, et leur rapport à l'organisation culturelle et sociale, Boas affirme que « l'étude purement linguistique est une partie de la véritable investigation de la psychologie des peuples du monde ». Il pense que, si les phénomènes du langage deviennent par l'ethnologie et l'anthropologie un objet en eux-mêmes, c'est « largement dû au fait que les lois du langage demeurent entièrement inconnues des locuteurs, que les phénomènes linguistiques n'arrivent jamais à la conscience de l'homme primitif[1], tandis que tous les autres phénomènes sont plus ou moins clairement soumis à la pensée consciente ». Boas ne partage pas pour autant la théorie de la relativité linguistique. « Il ne semble pas, écrit-il, qu'il y ait une relation *directe* entre la culture d'une tribu et la langue qu'elle parle, sauf dans la mesure où la langue peut être modelée par l'état de la culture, mais non pas dans la mesure où un certain état de culture est conditionné par les traits morphologiques de la langue. »

Étudiant le langage « primitif » dans un contexte social et culturel, en vue de ce contexte et par rapport à lui, l'anthropologie s'oppose souvent à une approche purement formelle, déductive et abstraite, des faits linguistiques. Elle plaide, comme Malinowski, pour une approche qui placerait le discours vivant dans son contexte contemporain de situations sociales où se produit le fait linguistique, et c'est ainsi seulement que ce « fait » deviendrait l'objet principal de la science linguistique.

A cette vision du langage s'apparente et s'ajoute celle que propose la *linguistique sociologique*. Avec J.-R. Firth, cette science constate que les catégories linguistiques élaborées par la phonétique, la morphologie, la syntaxe, etc., classiques, ne tiennent pas compte des différents *rôles sociaux* que jouent les types principaux de propositions dont l'homme se sert. « La multiplicité des rôles sociaux que nous avons à jouer comme membres d'une race, d'une nation, d'une classe, d'une famille, d'un club, comme fils, frères, amants, pères, ouvriers, etc., demande un certain degré de spécialisation linguistique. » C'est justement ces fonctions sociales du langage, telles qu'elles se présentent dans la structure même de la langue que la socio-lin-

---

1. Comme nous le verrons ci-après, l'« homme primitif » est loin d'être « inconscient » du système par lequel et dans lequel il ordonne le réel, son propre corps et ses fonctions sociales : le langage. Le terme« inconscient » ne peut être admis ici que s'il veut indiquer une incapacité de certaines civilisations à séparer l'activité différenciante et systématisante (signifiante, langagière) de ce qu'elle systématise, et par conséquent à élaborer une science des lois du langage comme une science à part.

guistique étudie pour y saisir des données supplémentaires éclairant le mécanisme inconscient de ces fonctions sociales mêmes.

Si linguistes, anthropologues et sociologues essaient d'extraire, des données linguistiques des peuples « primitifs », des conclusions sur les lois qui régissent en silence leur société, ces peuples eux-mêmes ont élaboré des représentations et des théories, des rites et des pratiques magiques liés à leur langage, et qui constituent pour nous l'*exemple* non seulement des premiers pas de ce qui devient de nos jours une « linguistique », mais aussi de la place et du rôle qu'a pu avoir le langage dans des civilisations si différentes de la nôtre.

Ce qui frappe d'abord l'homme « moderne », rompu à la théorie et à la science linguistique d'aujourd'hui, et pour lequel le langage est extérieur au réel, pellicule fine et sans consistance sinon conventionnelle, fictive, « symbolique », c'est que dans les sociétés « primitives », ou comme on dit « sans histoire », « pré-historiques », le langage est une *substance* et une *force matérielle*. Si l'homme primitif *parle*, *symbolise*, *communique*, c'est-à-dire établit une distance entre lui-même (comme sujet) et le dehors (le réel) pour le signifier dans un système de différences (le langage), il ne *connaît* pas cet acte comme un acte d'*idéalisation* ou d'*abstraction*, mais au contraire comme une *participation* à l'univers environnant. Si la pratique du langage suppose réellement pour l'homme primitif une *distance* par rapport aux choses, le langage n'est pas conçu comme un *ailleurs* mental, une démarche d'abstraction. Il participe comme un élément cosmique du *corps* et de la *nature*, confondu avec la force motrice du corps et de la nature. Son lien avec la réalité corporelle et naturelle n'est pas abstrait ou conventionnel, mais réel et matériel. L'homme primitif ne conçoit pas nettement de dichotomie entre matière et esprit, réel et langage, et par conséquent entre « référent » et « signe linguistique », et encore moins entre « signifiant » et « signifié » : pour lui, ils participent tous au même titre d'*un* monde différencié.

Des *systèmes magiques* complexes, telle la magie assyrienne, reposent sur un traitement attentif de la parole conçue comme une force réelle. On sait que dans la langue akkadienne « être » et « nommer » sont synonymes. En akkadien, « quoi que ce soit » s'exprime par la locution « tout ce qui porte un nom ». Cette

synonymie n'est que le symptôme de l'équivalence généralement admise entre les mots et les choses, et qui sous-tend les
pratiques magiques verbales. Elle transparaît aussi dans les
exorcismes liés à l'interdiction de prononcer tel ou tel nom ou
mot, aux incantations dont on exige la récitation à voix
basse, etc.

Plusieurs mythes, pratiques et croyances révèlent cette vision
du langage chez les primitifs. Frazer (*the Golden Bough*, 1911-
1915) constate que dans plusieurs tribus primitives le *nom*, par
exemple, considéré comme une réalité et non pas comme une
convention artificielle, «peut servir d'intermédiaire — aussi
bien que les cheveux, les ongles ou toute autre partie de la
personne physique — pour faire agir la magie sur cette personne». Pour l'Indien d'Amérique du Nord, d'après ce même
auteur, son nom n'est pas une étiquette, mais une partie distincte de son corps, comme l'œil, la dent, etc., et par conséquent un mauvais traitement de son nom le blessera comme une
blessure physique. Pour sauvegarder le nom, on le fait entrer
dans un système d'*interdictions*, ou de *tabous*. Le nom ne doit
pas être prononcé, car l'acte de sa prononciation-matérialisation
peut révéler-matérialiser les propriétés réelles de la personne qui
le porte, et la rendre ainsi vulnérable au regard de ses ennemis.
Les Esquimaux obtenaient un nom nouveau quand ils devenaient vieux ; les Celtes considéraient le nom comme synonyme
de l'âme et du «souffle» ; chez les Yuins de la Nouvelle-Galles
du Sud en Australie et chez d'autres peuples, toujours d'après
Frazer, le père révélait son nom à son enfant au moment de
l'initiation, mais peu d'autres personnes le connaisssaient. En
Australie on *oublie* les noms, on appelle les gens «frère, cousin,
neveu…». Les Égyptiens aussi avaient deux noms : le petit, qui
est bon et réservé au public, et le grand qui est mauvais et
dissimulé. De telles croyances liées au nom propre se rencontrent chez les Krus de l'Afrique occidentale, chez les peuples de
la Côte des Esclaves, les Wolofs de la Sénégambie, aux îles
Philipines (les Bagobos de Mindanao), aux îles Bourrou (Indes
Orientales), dans l'île de Chiloé au large de la côte méridionale
du Chili, etc. Le dieu égyptien Rê, piqué par un serpent, se
lamente : «Je suis celui qui a beaucoup de noms et beaucoup de
formes… Mon père et ma mère m'ont dit mon nom ; il est caché
dans mon corps depuis ma naissance pour qu'aucun pouvoir

magique ne puisse être donné à quelqu'un qui veut me jeter un sort. » Mais il finit par dévoiler son nom à Isis qui devient toute-puissante. Des tabous pèsent aussi sur les mots qui désignent des degrés de parenté.

Chez les Cafres, il est défendu aux femmes de prononcer le nom de leur mari et du beau-père, de même que tout mot qui leur ressemble. Cela entraîne une modification du langage des femmes telle qu'elles parlent en fait une langue distincte. Frazer rappelle à ce sujet que, dans l'Antiquité, les femmes ioniennes n'appelaient jamais leur mari par son nom, et que nul ne devait nommer un père ou une fille pendant qu'on observait à Rome les rites de Cérès. Chez certaines tribus de l'ouest de Victoria, les tabous exigent que l'homme et la femme se parlent chacun dans sa langue tout en comprenant celle de l'autre, et on ne peut épouser qu'une personne de langue étrangère.

Les noms des morts sont aussi sous les lois du tabou. De telles coutumes étaient observées par les Albanais du Caucase, et Frazer les remarque aussi chez les aborigènes d'Australie. Dans la langue des Abipones du Paraguay, on introduit des mots nouveaux chaque année, car on supprime par proclamation tous les mots qui ressemblent aux noms des morts, et on les remplace par d'autres. On comprend que de tels procédés liquident la possibilité d'un récit ou d'une histoire : la langue n'a plus de dépôt du passé, elle se transforme avec le cours réel du temps.

Les tabous concernent également les noms des rois, des personnages sacrés, les noms des dieux, mais aussi un grand nombre de noms communs. Il s'agit surtout de noms d'animaux ou de plantes considérés comme dangereux, et dont la prononciation équivaudrait à invoquer le danger lui-même. Ainsi dans les langues slaves le mot qui signifie « ours » a été remplacé par un mot plus « anodin » dont la racine est « miel », et donne par exemple *med'ved'* en russe (de *med* - miel) : l'ours maléfique est remplacé par quelque chose d'euphorique — par la nourriture inoffensive de l'espèce, dont le nom, par métonymie, remplace le mot dangereux.

Ces prohibitions ne sont pas motivées consciemment. Elles semblent aller de soi, être des « impossibilités » naturelles, et peuvent être levées ou expiées par certaines cérémonies. Plusieurs pratiques magiques sont fondées sur la croyance que les mots possèdent une réalité concrète et agissante, et il suffit de les prononcer pour que leur action s'exerce. Telle est la base de plusieurs prières ou formules magiques qui « portent » guérison, pluie sur les champs, récolte abondante, etc.

Sigmund Freud, qui s'est penché attentivement sur les données rapportées par Frazer, a pu expliquer le tabou de certains mots ou l'interdiction de certaines situations discursives (femme-mari, mère-fils, père-fille) comme ayant trait à la prohibition de l'inceste. Il constate une ressemblance frappante entre la névrose obsessionnelle et les tabous, en quatre points : 1) l'absence de motivation des prohibitions ; 2) leur fixation en vertu d'une nécessité interne ; 3) leur facilité de se déplacer et de contaminer des objets prohibés ; 4) l'existence d'actes et de règles cérémoniels découlant des prohibitions (cf. *Totem et Tabou*).

Comme Freud le remarque lui-même, « ce serait évidemment agir d'une façon hâtive et peu efficace que de conclure de l'analogie des conditions mécaniques [de la névrose obsessionnelle et du tabou] à une affinité de nature ». Il faudrait insister sur cette remarque car, en effet, si les deux structures se ressemblent, rien n'oblige à penser que les tabous sont « dus » à des « obsessions ». Les notions psychanalytiques sont élaborées et fonctionnent dans le champ de la société moderne, et catégorisent de façon plus ou moins rigoureuse des structures psychiques dans cette société. Les transposer dans d'autres où la notion même de « je » (de sujet, d'individu) n'est pas nettement différenciée est sans doute un acte qui dénature la spécificité des sociétés étudiées. On peut au contraire supposer que des actes comme le tabou, et peut-être en général la pratique même du langage comme réalité agissante (non abstraite, non idéale, non sublimée), sont justement ce qui empêche la formation des « névroses », y compris la névrose obsessionnelle, en tant que structure d'un sujet.

D'autres témoignages prouvent que l'homme « primitif » non seulement refuse de séparer le *référent* du *signe*, mais aussi hésite à scinder le *signifiant* du *signifié*. L'« image phonique » a pour lui le même poids réel que l'« idée », d'ailleurs confondue avec elle. Il perçoit comme une *matière consistante* le réseau du langage, de sorte que les ressemblances phoniques sont pour lui l'indice de ressemblances des signifiés et par conséquent des référents. Boas rapporte de tels exemples chez les Pawnees en

Amérique, dont plusieurs croyances religieuses sont provoquées
par des similitudes linguistiques. Un cas frappant est fourni par
la mythologie chinook : le héros découvre un homme qui essaie
en vain de pêcher le poisson en dansant, et lui explique qu'il
faut pêcher avec un filet. Ce récit s'organise autour de deux
mots phonétiquement identiques (identiques au niveau du signifiant) mais de sens différent (divergents au niveau du signifié) :
les mots *danser* et *pêcher avec un filet* se prononcent de la
même façon en chinook. Cet exemple prouve avec quel raffi-
nement l'homme « primitif » distingue les divers niveaux du
langage, pour en arriver même à jouer avec eux, comme s'il
suggérait par un humour subtil qu'il manie parfaitement le
signifié, mais n'oublie pas pour autant son ancrage dans le
signifiant qui le porte, et que lui — locuteur attentif à la
matérialité de sa langue — entend toujours.

Certains peuples possèdent des théories développées du fonctionnement de la parole, qui se déploient comme de véritables
cosmogonies, de sorte que, lorsque l'ethnologue moderne traduit par « parole » la force cosmique et corporelle sur laquelle
réfléchissent les « primitifs », le décalage avec notre conception
de ce terme est tel qu'une gêne subsiste : s'agit-il vraiment du
« langage » tel que les modernes l'entendent ? Ce que le savant
occidental traduit par *parole* ou *langage* se révèle être parfois le
travail du corps lui-même, le désir, la fonction sexuelle, le
verbe aussi, bien sûr, et tout cela à la fois.

Geneviève Calame-Griaule dans son étude sur les Dogons
(*Ethnologie et Langage : la parole chez les Dogons*, 1965),
population du sud-ouest de la boucle du Niger, remarque que
pour ce peuple le terme « sɔ̀ », qui désigne le langage, signifie à
la fois : « la faculté qui distingue l'homme de l'animal, la langue
au sens saussurien du terme, la langue d'un groupe humain
différente de celle d'un autre, le mot tout court, le discours et
ses modalités : sujet, question, discussion, décision, jugement,
récit, etc. ». Mais aussi, dans la mesure où tout acte social
suppose un échange de parole, où tout acte individuel est lui-
même une manière de s'exprimer, la « parole » est parfois synonyme d'« action, entreprise ». Des expressions courantes attestent ce sens : sɔ̀ : *vomo yoà :*, « sa parole est entrée », il réussit
dans son entreprise (en persuadant son interlocuteur) ; *nὲ yògo sɔ̀
y*, « maintenant c'est la parole de demain », nous remettons à

demain la poursuite du travail… Les Dogons appellent *parole* le résultat de l'acte, l'œuvre, la création matérielle qui en reste : la houe forgée, l'étoffe tissée, sont autant de « paroles ». Le monde étant imprégné de la parole, la parole étant le monde, les Dogons construisent leur théorie du langage comme une immense architecture de correspondances entre les variations du discours individuel et les événements de la vie sociale. Il y a quarante-huit types de « paroles » décomposés en deux fois vingt-quatre, nombre clé du monde. Ainsi, observe Calame-Griaule, « à chaque parole correspond une technique ou une institution, une plante (et une partie précise de la plante), un animal (et un de ses organes), un organe du corps humain ». Par exemple, la « parole nombril », *bɔgu sɔ :* désigne la tromperie, la fausse apparence : quand on soigne la plaie d'un nouveau-né, elle s'infecte souvent même si de l'extérieur elle semble guérie. Tout ce qui est fausse promesse ou vol sera appelé par conséquent *bɔgu sɔ :* le pillage dans l'ordre des techniques, la souris voleuse parmi les animaux, l'arachide ronde qui n'est pas une véritable nourriture, etc. En même temps, ces « paroles » sont systématisées d'après « les événements mythiques qui justifient d'une part leur valeur psychologique ou sociale, et d'autre part leur numéro d'ordre symbolique dans le classement ».

De telles immersions de la parole dans le monde réel ne sont pas un phénomène isolé. Les Soudanais bambaras d'après Dominique Zahan (*la Dialectique du verbe chez les Bambaras,* 1963), considèrent le langage comme un élément physique. S'ils distinguent une première parole non encore exprimée, faisant partie de la parole primordiale de Dieu, et appelée *« ko »*, ils isolent aussi le substrat matériel de la parole, le *phonème* en général sous le nom *« kuma »*. Ce dernier mot est en affinité avec le mot *« ku »* qui signifie *« queue »* ; par ailleurs une maxime bambara dit : « L'homme n'a pas de queue, il n'a pas de crinière ; le point de ''prise'' de l'homme est la parole de sa bouche. » Une écoute analytique découvrirait aisément dans ces rapprochements à quel point la conception de la parole est *sexualisée* chez les Bambaras et pour ainsi dire indistincte de la fonction sexuelle. Cette constatation se confirme par les représentations bambaras des organes de la parole. Ce sont la tête et le cœur ; la vessie, les organes sexuels, les intestins, les reins ; les poumons, le foie ; la trachée, le gosier, la bouche (langue, dents, lèvres, salive). Chacun de ces organes *forme* la parole : le foie par exemple juge et laisse passer ou arrête la parole ; les reins précisent le sens ou lui confèrent une certaine ambiguïté ; « le dire est privé de tout agrément si l'humidité de la vessie n'entre pas dans sa composition » ; enfin, « les organes sexuels, par des mouvements qui sont la réduction des gestes accomplis pendant le coït, donnent au verbe le plaisir et le goût de la vie ». Tout le corps, les yeux, les oreilles, les mains, les pieds, les postures, participe à l'articulation de la parole. Ainsi, pour les Bambaras, parler, c'est faire sortir un élément de son corps : parler, c'est *accoucher*. Signalons que les Dogons attribuent aussi de telles fonctions aux organes du corps pour la production de la parole.

L'élément linguistique est aussi matériel que le corps qui le produit. D'une part, les sons primordiaux de la parole sont en relation avec les quatre éléments cosmiques : l'eau, la terre, le feu et l'air. D'autre part, la parole étant matérielle, il faut que les organes de son passage soient préparés à la recevoir : d'où tatouage de la bouche ou limage des dents qui sont symboles de la lumière et du jour et qui, une fois limées, s'identifient au chemin de la lumière. Ces rites de préparation de la bouche pour une parole sage, destinés surtout aux femmes, coïncident avec les rites d'incision ou s'identifient à eux. Voilà donc une preuve supplémentaire du fait que pour les Bambaras la maîtrise de la parole est une maîtrise du corps, que le langage n'est pas une abstraction mais participe à tout le système rituel de la société. Le langage est tellement corporel que les rites de flagellation, par exemple, symbolisant l'endurance de la douleur par le corps, sont chargés de représenter la maîtrise de l'organe de la parole. Nous ne pouvons pas ici élucider toutes les conséquences qu'une telle théorie du langage implique pour le rapport du sujet parlant à sa sexualité, au savoir en général et à son inclusion dans le réel.

L'homme mélanésien qui habite la Nouvelle-Guinée orientale et les principaux archipels parallèles aux côtes d'Australie partage aussi une représentation corporelle du fonctionnement du langage. M. Leenhardt (*Do Komo*, 1947) traduit la légende mélanésienne suivante sur l'origine du langage : « Le dieu Gomawe se promenait quand il rencontra deux personnages qui ne pouvaient répondre à ses questions ni même s'exprimer. Jugeant qu'ils avaient le corps vide, il s'en alla capturer deux rats dont il recueillit les entrailles. De retour auprès des deux hommes, il leur ouvrit le ventre et plaça dans l'intérieur les viscères du rat : intestin, cœur et foie. La plaie refermée, les deux hommes tout de suite parlèrent, mangèrent et furent à même d'acquérir des forces. » La conviction que c'est le corps qui « parle » est nettement attestée dans des expressions comme : « quel est ton ventre ? » pour dire « quelle est ta langue ? » ; ou « entrailles angoissées« pour « être désolé » ; ou « entrailles allant de côté » pour « hésiter ». Ce n'est pas l'esprit ou la tête qui seraient le centre émetteur du langage-idée. Au contraire, faire un compliment à un orateur, c'est l'appeler « tête creuse », ce qui implique sans doute que la rigueur de son discours est due au fait qu'il est un produit du ventre, des entrailles.

Pour les Dogons, écrit Calame-Griaule, « les divers éléments qui composent la parole se trouvent à l'état diffus dans le corps, en particulier sous forme d'eau. Lorsque l'homme parle, le verbe sort sous forme de vapeur, l'*eau* de la parole ayant été "chauffée" par le cœur». L'*air*, de même que la *terre* qui donne au mot sa signification (son poids) correspondant ainsi au squelette dans le corps, ou le *feu* déterminant les conditions psychologiques du sujet parlant, sont autant de composants du langage pour les Dogons. Son rapport au sexe est aussi clairement posé : la parole pour les Dogons est sexuée ; il y a des tons mâles (bas et descendants) et femelles (hauts et montants), mais les diverses modalités de la parole et même les différentes langues et dialectes peuvent être considérés comme appartenant à l'une ou à l'autre catégorie. La parole mâle contient plus de vent et de feu, la parole féminine plus d'eau et de terre. La théorie complexe de la parole chez les Dogons comporte aussi une notion qui met l'usage discursif en rapport étroit avec ce qu'on a pu appeler le psychisme : c'est la notion de *kikínu* qui désigne « le ton sur lequel la parole se manifeste et qui est précisément en rapport direct avec le psychisme ».

De telles conceptions corporelles du langage ne veulent pas dire qu'une attention particulière n'est pas portée à sa construction formelle. Les Bambaras voient le langage se générer en quelques stades : gestes, grognements, sons, et considèrent que l'homme aphone remonte à l'âge d'or de l'humanité. La langue primitive pour eux se compose de mots monosyllabiques faits d'une consonne et d'une voyelle. Les différents phonèmes sont spécifiés et chargés de fonctions sexuelles et sociales particulières, ils se combinent avec les *nombres* et divers éléments ou parties du corps, et forment ainsi une combinatoire cosmique réglée. Ainsi Zahan note que «E» pour les Bambaras est le premier son qui «nomme le moi et l'autre; il est le "je" et le "tu", analogue du désir corrélatif, au chiffre 1, au nom, et s'harmonise avec l'auriculaire». «I» est le «nerf» du langage, marque l'insistance, la poursuite, la recherche. Même chez les Mélanésiens, le langage est un milieu complexe et différencié : on le représente comme un contenant, un enclos fonctionnant, un système travaillant, dirions-nous aujourd'hui. Chez ce peuple, la «pensée», témoigne Leenhardt, est nommée par le mot *nexai* ou *nege* qui désigne un contenant viscéral (viscère en sac, estomac, vessie, matrice, cœur, fibres tissées d'un panier). Aujourd'hui on emploie le terme *tanexai* = être là ensemble, fibres ou contour; *tavinena* = être là, aller, entrailles.

Sans se contenter d'une classification des paroles, certaines tribus possèdent une théorie extrêmement raffinée et détaillée des corrélats *graphiques* de ces paroles. S'il est vrai, comme l'écrit Meillet, que «les hommes qui ont inventé et perfectionné l'écriture ont été de grands linguistes et ce sont eux qui ont créé la linguistique», nous retrouvons dans des civilisations anciennes et désormais disparues des systèmes graphiques qui témoignent d'une réflexion subtile, sinon d'une "science" du langage. Certaines de ces écritures, comme celle des Mayas, ne sont pas encore déchiffrées. D'autres, comme l'écriture de l'île de Pâques que A. Métraux considère comme un aide-mémoire pour les chantres, suscitent de nombreux commentaires parfois inconciliables. Barthel a pu constater que, disposant de 120 signes, ce système scriptural produit 1 500 à 2 000 combinaisons. Ces signes représentent des personnages, des têtes, des bras, des gestes, des animaux, des objets, des plantes aussi bien que des dessins géométriques, et fonctionnent comme des idéogrammes qui peuvent avoir plusieurs significations. Ainsi un même idéogramme signifie *étoile, soleil, feu*. Quelques signes sont des images : la femme est représentée par une fleur; ou des métaphores : un «personnage mangeant» représente une récitation de poème. Enfin, certains signes obtiennent une valeur phonétique, ce phénomène étant favorisé par le fait que dans les langues polynésiennes les homonymes abondent. Mais cette écriture, qui témoigne d'un état avancé de la « science » du langage, ne semble pas pouvoir marquer des phrases. Malgré les efforts de plusieurs savants, elle ne peut être encore considérée comme complètement déchiffrée.

L'écriture maya — un des monuments les plus intéressants et les plus secrets des anciennes civilisations — reste jusqu'à nos jours non déchiffrée. Les recherches se poursuivent dans deux directions : en postulant que les signes mayas sont phonétiques, ou en imaginant qu'ils sont des pictogrammes et des idéogrammes. Il semble de plus en plus qu'il s'agit d'une combinaison de ces deux types, mais le déchiffrement est loin d'être accompli.

Si la population maya hérite de la tradition ethnique et culturelle de ses prédécesseurs, les Olmèques qui habitaient le territoire du Mexique mille ans avant notre ère, les monuments archéologiques avec leur écriture et les manuscrits datent probablement des premières années de notre ère, jusqu'à l'interdiction de cette écriture par les colonisateurs espagnols et la destruction par eux de la plupart des manuscrits. L'usage de l'écri-

Ci-dessus : Exemple d'une combinaison de texte hiéroglyphique (en haut) avec des signes de chiffres (le point = un ; le tiret = cinq) et de pictogrammes (en bas) dans l'écriture maya (manuscrit de Dresde, p. xvi). L'illustration est empruntée à Istrine, *Origine et Développement de l'écriture*.

ture ayant été propre aux prêtres et lié aux cultes religieux, celle-ci a disparu avec la disparition de la religion maya, sans que la population en garde le secret. Les textes mayas représentent généralement des chroniques historiques tissées de dates et de chiffres. On suppose qu'ils reflètent une conception cyclique du temps d'après laquelle les événements reviennent, et par conséquent l'enregistrement de leur succession permettra de

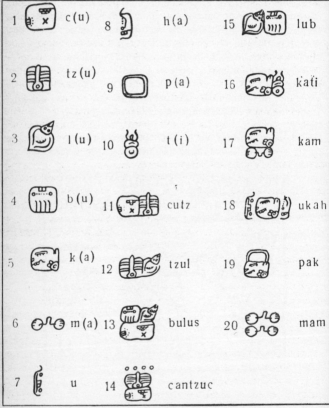

Ci-dessus : Quelques signes syllabiques mayas, déchiffrés par Knorosov (1-10) et les exemples de leur utilisation dans une écriture phonétique (11-20) — d'après l'hypothèse de l'auteur formulée en 1950.

prédire l'avenir. Le rythme du temps, la « symphonie du temps », c'est ce que voit dans l'écriture maya J. E. Tompson (*Maya Hieroglyphic Writing*, Washington, 1950).

Une théorie intéressante de l'écriture maya est proposée par le chercheur soviétique Youri B. Knorosov (*l'Écriture des Indiens mayas*, Moscou-Leningrad, 1963). Abandonnant l'hypothèse hiéroglyphique, celui-ci revient à l'hypothèse alphabétique de Diego de Landa, le premier déchiffreur des Mayas. Knorosov considère que l'écriture maya se compose de « complexes graphiques » dont chacun à son tour est composé de quelques (1-5) graphèmes : éléments graphiques liés en carré ou en rond, et faits de signes comme têtes d'homme, animaux, oiseaux, plantes et autres objets. Cette écriture ressemblerait à l'écriture égyptienne de l'Ancien Empire où les pictogrammes semblent être des indications pour le texte hiéroglyphique qu'ils accompagnent.

Dans un premier temps, Knorosov proposait de déchiffrer les signes comme des signes *syllabiques* combinés à des logogrammes phonétiques et sémantiques. Dès 1963, l'hypothèse de Knorosov est que ces signes sont plutôt *morphémiques*. Il est remarquable d'observer que, si cette hypothèse est fondée, il n'y aurait dans l'histoire que deux cas d'écriture *morphémographique* indépendante : l'écriture maya et l'écriture chinoise. Certains spécialistes, tel Istrine, considèrent cette hypothèse comme invraisemblable, vu le long développement de l'écriture chinoise antique avant son aboutissement morphographique dans l'écriture chinoise moderne, et aussi à cause de la différence entre la langue chinoise monosyllabique, favorisant la morphémographie, et la langue maya dans laquelle soixante pour cent des mots étaient composés de trois ou quatre morphèmes. Dans de telles conditions, l'existence d'une écriture morphographique exigerait donc une analyse complexe et difficile de la langue, qui pourtant n'est pas impossible dans une civilisation aussi extraordinaire que celle des Mayas. D'autant plus que la civilisation maya n'est pas sans évoquer certaines ressemblances avec les conceptions cosmogoniques chinoises : telles l'inclusion et la pulvérisation du « sujet » signifiant dans un cosmos morcelé et ordonné qui se refléterait parfaitement dans le tissu d'un sens disséminé sous les syllabes d'un système scriptural morphémique...

Chez les Dogons l'écriture présente des particularités autrement intéressantes. Elle comprend quatre étapes dont chacune, successivement, est plus complexe et plus parfaite que la précédente. Le premier stade est appelé « trace » ou *bumɔ* (de *bumɔ*, ramper ») et évoque la trace laissée sur la terre par le mouvement d'un objet. Il s'agit donc d'un dessin vague, parfois de segments de lignes non reliés entre eux, mais qui ébauchent la forme finale. Le deuxième stade est appelé « marque » ou *yàla* : il est plus détaillé que la trace, et parfois en pointillé « pour rappeler, écrit Calame-Griaule, qu'Amma [le créateur de la parole] a d'abord fait les "graines" des choses ». En troisième lieu vient le « schéma », *toʒu* qui est une représentation générale de l'objet. Et enfin le « dessin » achevé, *t'oȳ*. Ce processus à quatre stades, qui n'est pas une véritable écriture — les Dogons ne peuvent pas marquer des phrases —, ne s'applique pas uniquement au dessin lui-même, ou à la langue comme système de signification et de communication. Il concerne, comme le mot « parole » lui-même, divers aspects de la vie réelle : « la parole naissance des enfants en quatre stades », de même que « la parole de la force des choses créées par Amma », « la parole de

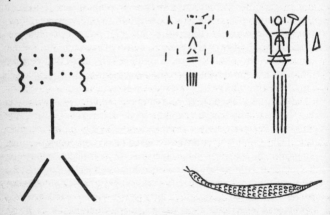

Exemples d'écriture dogon : A gauche, imposition des noms à l'enfant (premier stade du dessin). A droite en haut, premier et dernier stade de la « parole du tissage ». En bas, « parole de justice de Lébé-Sérou », symbolisée par le serpent. D'après G. Calame-Griaule, *Ethnologie et Langage, la parole chez les Dogons*, Gallimard.

l'imposition des noms à l'enfant», etc. On voit par conséquent que l'écriture marque la *formation* des mots (ou de la signification) mais aussi des choses; mots et choses *écrits* se trouvent intimement mêlés, faisant corps avec une même réalité en processus de différenciation et de classification. L'univers avec la parole en lui s'organise comme une immense combinatoire, comme un calcul universel chargé de valeurs mythologiques, morales, sociales, sans que le locuteur isole l'acte de signifier — son verbe — dans un ailleurs mental. Cette participation du langage au monde, à la nature, au corps, à la société — dont il est pourtant *pratiquement* différencié — et à leur systématisation complexe, constitue peut-être le trait fondamental de la conception du langage dans les sociétés dites «primitives».

2. Les Égyptiens : leur écriture

Les textes égyptiens s'occupent peu des problèmes du langage. Mais l'importance qu'ils attribuaient à l'écriture et le rôle magistral qu'elle jouait dans la société égyptienne sont la preuve la plus solide de la conception égyptienne du système de la langue.

L'écriture comme toutes les langues du monde était inventée, d'après les anciens Égyptiens, par le dieu Thot, l'ibis. Les scribes se représentaient, accroupis en train d'écrire devant une image de l'animal sacré de Thot, le babouin. Sur plusieurs documents on voit le dieu lui-même en train d'écrire, assisté par une ancienne déesse, Séshat, dont le nom signifie «celle qui écrit». Objet divinisé, entouré de vénération, l'écriture fut le métier sacré d'une caste de scribes qui occupaient les hauts rangs de la société égyptienne. Certaines statues représentent même des grands seigneurs qui se sont fait figurer dans la position de scribes. Le papyrus Lausing loue ainsi les qualités incomparables des scribes devant lesquelles toute autre profession paraît sans importance : «Passe le jour entier à écrire avec les doigts et, pendant la nuit, fais la lecture. Prends pour amis le rouleau de papyrus et la palette, car c'est plus agréable qu'on ne saurait l'imaginer. L'écriture, pour qui la connaît, est plus aventureuse qu'aucun autre métier, plus agréable que le pain et la bière, que les vêtements et les onguents.

Oui, c'est plus précieux qu'un héritage, en Égypte, ou qu'un tombeau, à l'Occident. »

Cette caste de scribes a dessiné, gravé ou peint un grand nombre d'hiéroglyphes sur lesquels aujourd'hui l'archéologie, l'ethnologie et la linguistique reconstituent l'histoire de la langue de l'ancienne Égypte. On situe, de nos jours, l'apparition de l'écriture hiéroglyphique vers la fin de la seconde civilisation énéolithique [1] (Négada II, Gerzéen), mais elle se développe surtout sous la Ire dynastie. Le nombre de ses signes est d'environ sept cent trente sous le Moyen Empire (2160-1580 avant notre ère) et la VIIIe dynastie (1580-1314 avant notre ère), mais deux cent vingt seulement ont été utilisés couramment, et quatre-vingts servaient pour l'écriture habituelle.

Le déchiffrement de ces hiéroglyphes, longtemps inaccessibles à la science occidentale, est dû à Jean-François Champollion (1790-1832). Avant lui, plusieurs savants ont essayé en vain de pénétrer les règles de cette écriture : le jésuite Athanasius Kircher a édité à Rome entre 1650 et 1654 une étude en quatre volumes où il proposait des traductions des hiéroglyphes ; son génie et ses intuitions, souvent très pénétrantes, ne lui ont pourtant pas permis de déchiffrer de façon correcte un seul signe. Le point de départ du travail de Champollion fut la pierre connue sous le nom de pierre de Rosette, couverte de trois types d'écriture : quatorze lignes d'hiéroglyphes égyptiens, trente-deux lignes d'écriture démotique et cinquante-quatre lignes d'écriture grecque. Champollion eut l'idée non seulement de comparer l'écriture compréhensible (la grecque) avec celle qui ne l'était pas (l'égyptienne), mais de trouver un axe sûr de correspondance entre les deux textes : cet axe c'étaient les noms propres de *Ptolemäus* et de *Cleôpatra* qui se laissaient distinguer dans le texte hiéroglyphique, car ils étaient isolés en cartouches. Cette méthode permit à Champollion d'établir les premières correspondances entre les signes égyptiens et les

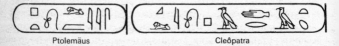

Ptolemäus   Cleôpatra

1. Civilisation énéolithique : le cuivre est déjà connu mais peu employé. On ignore l'alliage de ce métal avec l'étain (J.-G. Février, *Histoire de l'Écriture*, p. 120).

phonèmes. Après un long travail de déchiffrement des textes écrits sur les monuments de Dendérah, de Thèbes, d'Esné, d'Edfron, d'Ambas et de Philae, Champollion a pu établir la complexité du système scriptural égyptien, qui n'était pas seulement phonétique. Dans son livre *Précis du système hiéroglyphique des anciens Égyptiens* (1824), Champollion distingue trois sortes d'écriture : l'écriture *hiéroglyphique ;* l'écriture *hiératique*, « véritable *tachygraphie*, écrit-il, des hiéroglyphes, qui est celle des papyrus non hiéroglyphiques trouvés sur les momies » ; et enfin l'écriture *démotique* ou *épistolographique* qui est « celle de l'inscription intermédiaire de Rosette », distincte de la véritable écriture hiéroglyphique.

D'après Champollion, l'alphabet des caractères phonétiques est « la clé de l'écriture hiéroglyphique » ; « cet alphabet est le résultat d'une série de noms propres phonétiques, gravés sur les monuments de l'Égypte pendant un intervalle de près de cinq siècles, et sur divers points de la contrée… L'écriture phonétique fut donc en usage dans toutes les classes de la nation égyptienne, et elles l'employèrent longtemps comme un auxiliaire obligé des trois méthodes hiéroglyphiques ».

Les anciens Égyptiens distinguaient donc les sons et s'acheminaient vers une écriture phonétique. Pourtant, leurs « signes » sont loin d'être un alphabet. Ils sont utilisés de trois façons différentes :

1. Le signe désigne en même temps le mot et le concept : il est appelé alors « signe-mot » ou *logogramme*.

2. Le signe ne véhicule que des sons ; il s'appelle alors *phonogramme* et sert à écrire non seulement le nom de son modèle, mais aussi les consonnes qui forment ce nom. Ainsi, *pĕrí* signifie en ancien égyptien « maison ». Comme phonogramme, ce signe de maison sert à transcrire tous les mots dont les consonnes sont *p, r* et *í*.

3. Enfin, l'image peut évoquer une notion sans se rapporter à un mot précis et sans être prononçable ; elle est appelée alors un *déterminatif*. Comme *déterminatif*, le signe « maison » ne se prononce pas, mais s'ajoute aux mots désignant des édifices. Le *déterminatif* joue un rôle distinctif : il évite la confusion des mots qui ont les mêmes consonnes, en les rapportant à des classes précises.

Comme images, ces signes sont stylisés : ils reproduisent le

contour général ou un détail essentiel. D'autre part, faisant
partie d'un dessin mural ou sépulcral, ces images correspondent
à l'angle de vision du dessinateur — certains sont de face,
d'autre de profil, vus de haut ou vus de côté.

Quoique relativement stable, l'écriture égyptienne a subi des
modifications, surtout à l'époque gréco-romaine, en se simplifiant et en se diversifiant. On observe généralement une phonétisation des signes anciens, qui acquièrent donc une valeur
phonétique, essentiellement la valeur de la première consonne
qu'ils notaient auparavant.

Toutes ces remarques se rapportent à l'hiéroglyphie, écriture
monumentale que Champollion distinguait déjà de la *cursive*
dont la plus ancienne est l'écriture *hiératique*. Elle intervient
lorsque les scribes transportent l'écriture monumentale sur pa-
pier, schématisent les signes et allègent les détails. Les modifications principales sont l'allongement et l'amincissement du
signe-mot, l'introduction d'éléments diacritiques extérieurs aux
signes, l'apparition de ligatures. Ainsi on obtient un tracé rapide
presque ininterrompu, qui est toujours effectué de droite à
gauche.

Vers le VIIe siècle avant notre ère apparaît une seconde variante d'écriture cursive : la *démotique*, destinée en principe à
l'administration ; elle a reçu le nom d'écriture « populaire »,
démotique. Elle devint vite une écriture à usage commun, et
plusieurs textes littéraires ou religieux ont été écrits en démotique (le *Livre des Morts*, par exemple).

Comment toutes ces écritures égyptiennes si élaborées et si
appropriées aux divers besoins sociaux ont-elles pu disparaître ?
La question suscite de nombreux commentaires et hypothèses.
Le christianisme remplaçant la religion égyptienne est peut-être
une des raisons du déclin de la caste des scribes-prêtres, et par
conséquent de leur discours et de leur écriture hiéroglyphique.
Des raisons propres au développement et aux règles de cette
écriture même ont joué sans doute un rôle non moins important
dans cette disparition. L'écriture démotique se conserva
jusqu'au Ve siècle avant notre ère. Réservée à l'administration,
elle n'était donc pas évincée pour des raisons d'ordre religieux.
On suppose aujourd'hui que la phonétisation de cette écriture l'a
rendue trop difficile et inefficace, comparée à l'alphabet grec
dont la simplicité séduisait déjà les Égyptiens.

L'écriture égyptienne reste aujourd'hui le monument indispensable à déchiffrer pour qui veut connaître l'ancienne Égypte. Elle porte le témoignage d'une conception de la langue dans laquelle le concept et le son, le signifiant et le signifié, faisaient corps, étant comme fondus avec l'inscription-reproduction stylisée du réel. Dans ce fonctionnement des logogrammes, l'unité linguistique n'est pas distinguée de l'unité conceptuelle, et semble objectiver un corps unique. D'autre part, les phonogrammes égyptiens prouvent que, comme l'écrit R. Weil, « la notion de syllabe est complètement absente ». La voyelle n'est pas transcrite : l'Égyptien marque seulement « le squelette » des mots, le « squelette consonantique » d'après Cohen, comme si le réseau vocal d'un mot était aussi stylisé que son dessin, réduit à sa carcasse, à ses éléments différentiels les plus marqués : les consonnes. A l'intérieur du vocalisme, l'Égyptien continue à écrire, c'est-à-dire à trier et à systématiser. Enfin, l'emploi de déterminatifs qui ne se prononcent pas indique un processus de systématisation logique des signes linguistiques en diverses catégories, une esquisse de raisonnement grammatical.

Le rôle de la voix semble réduit dans l'écriture égyptienne, la voix y compte moins que les relations tracées et logiques. On peut en déduire que cette écriture se constituait plus comme une réflexion sur les modes de signifier que comme un système de transcription du vocalisme (comme le sera l'écriture phonétique). En Égypte, donc, l'écriture était, dans un sens, distincte du verbe, de l'échange vocal, donc social, et devait obligatoirement disparaître lorsque les conditions économiques changèrent : lorsque l'échange (la société commerciale) s'installa comme principe dominant, avec la civilisation grecque, envahissant le bassin méditerranéen.

3. La civilisation mésopotamienne : Sumériens et Akkadiens

La civilisation mésopotamienne a élaboré l'écriture dite *cunéiforme* sur la base de laquelle nous pouvons reconstruire aujourd'hui certains aspects de sa conception du fonctionnement du langage. Habitants du Proche-Orient ancien, les Sumériens et les Akkadiens se servaient d'une écriture qui représente des groupes de coins. Elle était gravée sur des tablettes d'argile dont la matière a sans doute influencé la forme des signes. On comptait 550 signes dont 250 à 300 étaient couramment utilisés. Certains de ces signes fonctionnaient comme des logogrammes, d'autres avaient une valeur phonétique représentant soit une voyelle *(a, e, i, u)*, soit une syllabe bilitère *(ab, ur ; ba, ru)*, soit une syllabe trilitère *(sul, dir)*.

Il en résultait plusieurs *polyphones* (chaque signe ayant quelques valeurs phonétiques : le même signe marque « eau » et « bras »), et plusieurs *homophones* (on compte 17 signes qui se lisent *si*). On ajoutait, pour remédier à cette confusion, des signes *muets* qui jouaient le rôle de *déterminatifs* (ils classaient les signes dans des catégories et dissipaient ainsi l'ambiguïté) et de *compléments phonétiques* (qui précisaient l'initiale et la finale du mot). Ce système a subi une évolution profonde qui l'a fait passer de l'idéographie à l'alphabétisme. A un premier stade les signes étaient purement idéographiques ; plus tard, plusieurs notions (ou mots) étaient représentées par le même signe-logogramme : l'homophonie commença ; enfin, des signes grammaticaux ont été introduits représentant un suffixe ou un infixe. Ainsi, le signe de pluralité ou de dualité se joint au logogramme pour indiquer le pluriel ou le duel, sans être prononcé.

Le sumérien était une langue vivante du IVe au IIe millénaire avant notre ère. Il persista comme langue secrète des Akkadiens. Il s'ensuivit un bilinguisme suméro-akkadien qui obligea à une véritable étude scientifique du sumérien. Des syllabaires et des lexiques ont été faits à cet usage, qui attestent les fondements d'une systématisation du langage. Plusieurs recueils de ce type ont existé, qui ressemblent aux dictionnaires d'aujourd'hui. Ainsi, dès 2 600 avant notre ère on trouve de tels répertoires lexicographiques appelés « science des listes » — tableaux-diagrammes de salaires, de livraisons, etc. — qui sont en même temps des énumérations et des classifications des signes *polysémantiques* (ainsi le signe de la « bouche » est identique avec celui de « dent », « parole », « parler », « crier ») et des *représentations complexes* (ainsi un œuf près d'un oiseau signifie « enfanter »). Les signes sont classés d'après le nombre de leurs traits : signes à 1, 2, 3 *n* traits horizontaux, à 1, 2, 3 *n* traits verticaux, à 1, 2, 3 *n* traits obliques. Il est remarquable que ces catalogues constituent des classes dans lesquelles sont groupés par exemple tous les mots contenant le même *sème* (trait minimal de signification) : *kus* (en cuir), *za* (en pierre), *bur* (vases) ; ou bien tous les mots qui dérivent d'un même signe : *rat*, *poisson*, etc. Ces classifications concernent uniquement les substantifs, et ne donnent pas des adjectifs ou des verbes. Des dictionnaires bilingues ont été faits sur ce principe, et l'on a même trouvé un lexique quadrilingue dans la bibliothèque de Rap'anu.

L'écriture et la science linguistique (philologie et lexicographie) mésopotamiennes se développaient donc de manière conjointe : la pratique de l'écriture exigeait des scribes une véritable science. Elle supposait non seulement une connaissance parfaite des procédés d'inscription, mais aussi une systématisation de la langue en catégories sémantiques qui étaient en même temps les catégories de tout le cosmos et de tout l'univers social : cataloguer la langue équivalait à cataloguer le réel. Mais l'usage de l'écriture avait aussi une application magique et religieuse ; or, loin de servir uniquement les prêtres, l'écriture joua un rôle économique et social parfaitement laïque. Cela ne diminua pas pour autant le respect et la vénération dans lesquels étaient tenus l'écriture et ceux qui s'en servaient : « Celui qui excellera dans la science de l'écriture brillera comme le Soleil », écrit un scribe. Le scribe était hautement apprécié dans la société sumérienne ; certains scribes devenaient de hauts dignitaires gouvernementaux. Tel Anam, roi d'Uruk, qui était d'abord archiviste, et qui faisait suivre son nom par le titre hybride « écrivain-pérator ». Les Akkadiens partageaient cette estime pour l'écriture qu'ils attribuaient aux sciences les plus secrètes : « J'ai appris, dit Assurbanipal, ce qu'a apporté aux hommes le sage Adapa, les précieuses connaissances cachées de toute la science écrite ; j'ai été initié aux [livres de] présages du ciel et de la terre, je m'y suis adonné dans la compagnie des savants ; je suis capable de discuter de la lécomancie ; je résous les divisions et les multiplications embrouillées qui détiennent l'entendement. J'ai réussi à lire l'ingénieux sumérien et l'obscur akkadien, difficile à bien comprendre. Je suis capable de déchiffrer le mot à mot des pierres inscrites d'avant le déluge, qui sont hermétiques, sourdes et emmêlées. »

Cette écriture si louée fut inventée vers 3 500 avant notre ère, et son procédé fut utilisé jusqu'à l'ère chrétienne, en devenant un graphisme international dont se servaient tous les peuples de l'Asie Antérieure; il fut adopté pour transcrire des langues comme le hittite, le hurite, l'uratréen, le perse, l'élamite, etc.

L'écriture cunéiforme prend ses origines dans le picto-gramme. Les premiers signes reproduisent sur des monuments les objets en verticale, et qu'on lisait dans des colonnes de droite à gauche. Lorsqu'on a commencé à écrire sur des palettes d'argile, l'écriture — remarque Cohen dans *la Grande Invention de l'écriture* (1958) — est devenue partiellement horizon-tale et on la lisait de gauche à droite. « Les objets représentés ne sont plus dans leur position naturelle (ainsi : jambe, pot, végétal couchés) : c'est que, dès lors, on n'avait plus de signes-choses, mais des signes-mots ou même des phonogrammes (signes-mots transférés, ou signes-parties de mots). »

L'évolution de ce système vers le phonétique dans la période akkadienne prouve que commençait à se former la conscience d'une alphabétisation du langage : d'une distinction de phonè-mes dans la chaîne parlée. Contrairement à l'écriture égyp-tienne, l'écriture cunéiforme marquait les voyelles *a, e, i, u,* mais aussi systématisait les syllabes : *mu, ma, mi ; ku, ka, ki ; ur, ar, ir.* Une distinction existait donc déjà entre voyelles et consonnes. Même avant la contribution akkadienne que d'au-cuns considèrent comme décisive pour la phonétisation de l'écriture cunéiforme, l'écriture sumérienne ancienne était pho-nographique dans une certaine mesure, d'après Cohen, puisqu'elle employait « le rébus à transfert ». Ainsi *gi(n)*, « être stable », est écrit par le signe du « roseau » qui se lit *gi.* Lorsque les Akkadiens ont trouvé une écriture qui ne correspondait pas à leur langue, ils s'en sont servis pour lui faire indiquer non plus des entités-mots, notions, objets, etc., mais des sons. Pour les Sumériens « eau » s'écrit ⟨signe⟩ et se lit *a.* L'Akkadien prend le signe pour *a*, mais ne le rapporte plus à « eau », car « eau » en akkadien se dit *mû.* La valeur du signe s'est ainsi détachée de sa matérialité : du réel qu'il marque, et du graphisme qui le mar-que. Le signifiant fut séparé du signifié, et cette séparation entraîna en même temps une séparation signifiant/graphisme : le signe sumérien ⟨signe⟩ « eau » — *a* fut remplacé dans l'akkadien par ⟨signe⟩ en cunéiforme qui se lit *a* mais dont le sens n'a plus rien à voir avec l'eau. C'est une hypothèse qui explique le passage à une écriture phonétique sinon alphabétique, dû à un processus de mentalisation et de brisure de la relation intime référent-signifiant-signifié, propre au pictogramme et à l'idéo-gramme.

Pourtant, l'écriture cunéiforme complexe ne devint jamais une écriture alphabétique et, malgré sa lourdeur apparente, ne fut jamais abandonnée au profit de systèmes scripturaux alpha-bétiques que connaissaient les populations des provinces akka-diennes, tel l'alphabet des Cananéens (XIVe siècle avant notre ère).

Cette connaissance du fonctionnement de la langue que nous trouvons dans les dictionnaires mésopotamiens d'une part, et dans l'écriture cunéiforme de l'autre, s'achemine déjà vers une abstraction qui extrait la chaîne signifiante de son enracinement dans une cosmogonie réelle et l'articule comme un objet auto-nome de dépendances internes (tels les marquages des différents phonèmes dans l'écriture, ou les classifications lexicographi-ques des dictionnaires), mais ceci reste implicite dans les prati-ques scripturales et philologiques. Explicitement, la théorie du langage des Akkadiens est mythique et religieuse : l'écriture, de même que la science, les arts, la construction des villes et des temples, est enseignée par un homme-amphibie, Oannès ou Oès, qui, avant de retourner à l'eau, a laissé un livre sur l'origine du monde et de la civilisation. Un texte de Sardanapale attribue l'origine de l'écriture au dieu Nabon, fils du grand dieu Mardouk et de la déesse Tachmetou.

4. La Chine : l'écriture comme science

Le fonctionnement de la langue chinoise est si étroitement lié à l'écriture chinoise, et en même temps la parole vocale si distincte d'elle, que, même si la linguistique moderne tient à séparer le parlé de l'écrit, on saurait difficilement comprendre l'un sans l'autre. C'est en effet un exemple unique dans l'his-toire, où phonétisme et écriture forment deux registres généralement indépendants, la *langue* se dégageant au croisement des deux. De sorte que la connaissance du langage en Chine est une connaissance de l'écriture : il n'y a presque pas de linguistique chinoise en tant que réflexion sur la parole vocale ; il y a des théories sur les emblèmes graphiques, et des classifications de ces emblèmes.

Le système phonique chinois est d'une complexité particulière. Dans le chinois actuel, chaque syllabe peut être prononcée sur quatre tons (huit tons dans la langue archaïque) qui modifient sa valeur. La langue est monosyllabique et abonde en homophones : ainsi *shi* prononcé sur le second ton peut signifier *dix, temps, nourriture, éclipse, enlever, pierre,* etc. Elle est en outre isolatrice, c'est-à-dire non agglutinative. Cette polyvalence phonétique se retrouve aussi au niveau morphologique et syntaxique : le mot chinois peut être employé comme nom, verbe, adjectif, sans que sa forme change. Seul son contexte — la fonction de ce mot dans l'ensemble du discours — attribue une valeur précise dans l'occurrence précise du mot concret. Demiéville remarque ainsi cette particularité de la langue chinoise :

« Les parties du discours n'existent pas en chinois du point de vue sémantique : il n'y a pas de mot chinois qui désigne toujours et nécessairement une chose, un procès, ou une qualité. Elles n'existent pas non plus, sous certaines réserves, du point de vue morphologique. Elles n'y existent que du point de vue fonctionnel. Si l'on peut dire que, dans tel ou tel contexte syntaxique, tel ou tel mot chinois est employé ici comme substantif, là comme verbe ou comme adjectif, c'est exclusivement en ce sens qu'il fonctionne comme sujet, attribut ou régime, comme prédicat ou comme déterminant. Cela paraît fort simple ; en fait, nous éprouvons toutes les peines du monde à nous abstraire du point de vue sémantique. Qu'un seul et même mot puisse signifier, sous une seule et même forme, tantôt un état de l'être ou une modalité du devenir, ailleurs une qualité, une circonstance et tout le reste, cela choque en nous des convictions héritées d'Aristote et des rhéteurs gréco-latins à travers des siècles de scolastique et qui, si je puis dire, nous tiennent aux entrailles. Il y a là pour nous quelque chose de scandaleux, de révoltant ; aussi voit-on constamment les parties du discours, après des évictions de principe, faire leur rentrée dans la grammaire chinoise par quelque porte détournée, qu'il s'agisse des auteurs occidentaux même les plus récents ou des spécialistes chinois contemporains, car si ceux-ci ont entrepris l'étude grammaticale de leur langue c'est sous une impulsion partie d'Occident, et ils éprouvent peut-être encore plus de peine que nous à se libérer, dans cette étude, du carcan des catégories européennes. Rares sont les savants qui ont montré assez de fermeté dans le jugement pour maintenir en toute occasion que les parties du discours, comme n'a cessé de le soutenir Henri Maspero, sont en chinois un mirage dont il faut nous débarrasser une fois pour toutes. La polyvalence grammaticale des mots est un fait absolu en chinois. »

Cette description de la langue chinoise implique plusieurs conséquences aussi bien en ce qui concerne le rapport langue-sens-réel que l'organisation interne (morphologique, sémantique, syntaxique) de la langue.

Dans la langue chinoise, les rapports habituellement établis entre référent-signifiant-signifié se trouvent modifiés. Comme si, sans se hiérarchiser, ces trois termes se confondaient, sens-son-chose fondus en un tracé — en un idéogramme — se disposent comme les acteurs fonctionnels d'un théâtre spatial. Car, comme l'écrit Granet (*la Pensée chinoise*, 1934), le mot chinois « est bien autre chose qu'un signe servant à noter un concept. Il ne correspond pas à une notion dont on tient à fixer, de façon aussi définie que possible, le degré d'abstraction et de généralité. Il évoque, en faisant d'abord apparaître la plus active d'entre elles, un complexe indéfini d'images particulières ». *N'étant pas un signe*, le mot chinois serait plutôt, pour Granet, un *emblème* auquel « on ne donne vie qu'à l'aide d'artifices grammaticaux ou syntaxiques ».

Tout en devenant le *representamen* de la *chose*, il ne la perd pas, mais ne fait que la transposer sur un plan où elle s'ordonne avec d'autres dans un système réglé : c'est ainsi que « langue » et « réel » sont une seule et même chose. Guillaume, dans sa terminologie psycho-systématique, indiquait ce fait comme il suit : « Tout le particulier qui s'introduit dans le mot chinois est, sitôt appréhendé, soumis à une tension singulisatrice dont l'effet est *une approche croissante du mot qu'on prononce et de la chose qu'il évoque*. Quand cet effet d'approche avoisine son maximum, le mot n'est pas loin de satisfaire à l'équation :

mot-chose… Le mot devenu alors dans l'esprit du locuteur la chose elle-même, par une subjective mais irrésistible impression d'identité, en emporte avec soi et toute la réalité et toute l'efficience. »

Cette soudure du *concept*, du *son* et de la *chose* dans la langue chinoise qui fait que la langue et le réel construisent un ensemble sans se poser face à face comme l'objet (le monde, le réel) et son miroir (le sujet, la langue), est matérialisé par et dans l'écriture chinoise : écriture idéographique, vieille de plus de trois mille ans, la seule qui n'a pas évolué vers l'alphabétisme (comme ce fut le cas de l'écriture égyptienne ou de l'écriture cunéiforme). La spécificité de cette écriture, qui empêche l'abstraction de l'idée et du son en dehors du tracé réel qui les unifie d'abord et distribue après leurs marques dans un calcul logique, est définie ainsi par Meillet : « Les signes sont phonétiques [?] en ceci que chacun représente non l'idée elle-même, mais l'idée en tant qu'elle est exprimée par un ensemble phonique [il faut rectifier : graphique] défini. Ils sont idéographiques en ceci que ce qui est exprimé, ce n'est pas le son considéré en tant que tel, mais le mot, c'est-à-dire l'association d'un sens et d'un son. Les signes sont — en partie au moins — d'anciennes représentations ou d'anciens symboles, mais qui n'ont pas, pour la plupart, de lien reconnaissable avec les idées indiquées par les mots qu'ils représentent. »

Comment l'écriture chinoise est-elle arrivée à l'état décrit par Meillet qu'on lui connaît actuellement ?

L'écriture chinoise la plus ancienne est généralement *pictographique ;* elle représente de façon schématique, stylisée et conventionnelle des objets concrets : plantes, animaux, mouvement du corps, instruments, etc. Ultérieurement, on a pu ajouter à ces pictogrammes des *symboles indirects* (dans la terminologie de Haloun) ou *indicatifs* (dans la terminologie de Karlgren), formés par substitution : ainsi le mot *fu*, « plein », est dérivé de l'ancien idéogramme de « jarre ». En troisième lieu, des combinaisons de deux ou plusieurs pictogrammes ont donné des signes complexes dits *complexes logiques* ou *complexes associatifs :* ainsi *hao*, verbe « aimer » et adjectif « bon », est une combinaison des signes « femme » et « enfant » ou « femelle » et « mâle ». Les sons qui correspondent aux deux composants disparaissent pour laisser la place à un troisième son, celui du terme écrit en juxtaposant les deux idéogrammes composants [1]. Enfin, une quatrième catégorie d'idéogrammes est appelée *symboles mutuellement interprétatifs :* ainsi Joseph Needham explique que *kao* 老 « examen », provient de *lao* 耂 « vieux » qui examine le jeune ; mais à l'origine les deux caractères exprimaient exactement la même chose, « aîné », et ont bifurqué après en spécialisant leur signification et leur sonorité.

Deux mille idéogrammes, appartenant aux catégories que nous avons mentionnées, sont actuellement en usage dans l'écriture moderne. Mais dès le deuxième millénaire, à cause de l'homophonie de la langue chinoise, plusieurs signes ont été empruntés pour indiquer le même son qu'ils indiquaient par leur destination originelle, mais avec une signification différente. Ainsi, la troisième personne du pronom personnel *chi* 其 signifie originellement « corbeille » et fut marquée 箕. Ce type de caractères est désigné sous le nom de *caractères empruntés*.

Une dernière catégorie de caractères sont les *déterminatifs-phonétiques* [1] : comme radicaux, ils s'ajoutent à un élément phonétique pour indiquer la catégorie sémantique à laquelle il appartient : Ainsi *t'ong* 同 « avec, ensemble », reste toujours élément phonique et se combine avec plusieurs radicaux muets qui fonctionnent comme des déterminatifs sémantiques :

jin 金 « métal » + 同 *t'ong* = *t'ong*, « cuivre », « bronze ».
xin 心 « cœur » + 同 *t'ong* = *t'ong*, « consterné », « insatisfait ».

Et ainsi de suite.

D'autres déterminatifs ne se prononcent pas, et fonctionnent uniquement comme des radicaux déterminatifs sémantiques. Ainsi, *shui* 水 « eau » se combinant avec des mots prononçables désigne qu'ils ont un sème en commun avec l'eau :

shui 水 « eau » + *mo* 末 « branche » = *mo* 沫 « écume ».
shui 水 « eau » + *lan* 闌 « fin » = *lan* 瀾 « vagues ».
shui 水 « eau » + *mei* 每 « chaque » = *hai* 海 « la mer ».

Etc.

Ainsi composés, les caractères chinois témoignent d'une réflexion sémantico-logique qui s'objective dans la constitution même des caractères : les marques s'adjoignent l'une à l'autre et

---

1. Nous suivons ici la description de J. Needham, *Science and Civilisation in China,* Cambridge, 1965, vol. I.

produisent les sens suivant les modes de leur combinaison, sans essayer de transcrire la prononciation qui, du coup, obtient une autonomie parfaite. Leibniz a comparé ce fonctionnement de l'écriture chinoise — écriture qui est une vraie analyse logique des unités signifiantes — à celui d'un système algébrique : « S'il y avait, écrit-il, [dans l'écriture chinoise] un certain nombre de caractères fondamentaux dont les autres ne fussent que des combinaisons », cette écriture ou systématisation linguistique « aurait quelques analogies avec l'analyse des pensées ». Needham compare ce fonctionnement combinatoire des caractères chinois à la combinatoire des molécules et des atomes : les caractères peuvent être considérés comme des molécules composées de par la permutation et la combinaison de deux cent quatorze atomes. En effet, il est possible de réduire tous les éléments phonétiques à des radicaux ou mieux, des marques de sèmes, dont l'application produit la molécule-sémantème (le mot). On trouve sept « atomes » au plus pour une « molécule », et un « atome » peut être répété trois fois au plus — comme pour la structure d'un cristal — dans un même sémantème.

Transposée en langage linguistique moderne, cette particularité de l'écriture chinoise veut dire qu'il est difficile, sinon impossible, d'attribuer les éléments-caractères de la langue-écriture chinoise à des catégories du discours à signification fixe. Chaque mot est « syntaxisé » : il a une construction spécifique, donc une syntaxe propre dont les composants obtiennent telle ou telle valeur, conformément à leur rôle syntaxique : c'est-à-dire qu'à la place de la morphologie, l'écriture chinoise (qui, comme toute écriture, est d'abord une *science du langage*, suggérait Meillet), met en place une *syntaxe*. Au niveau des ensembles plus grands, comme la phrase, le rôle du *contexte*, autrement dit des rapports *syntaxiques* des éléments constitutifs, est encore plus décisif : c'est le contexte syntaxique qui attribue une signification précise et concrète à chaque sémantème, sa valeur grammaticale en tant que nom, verbe, adjectif, etc. Aussi une analyse *distributionnelle*, répertoriant les occurrences syntaxiques concrètes de chaque sémantème, pourrait servir de point de départ pour une grammaire chinoise. La structure de la langue même semble suggérer une telle approche, dans la mesure où elle accentue l'importance de l'ordre syntaxique dans son organisation. Ainsi, on distingue des mots *pleins* à polyvalence grammaticale, et des mots *vides* à distribution réduite, apparaissant à des places fixes comme «les astres fixes d'un firmament mouvant» (Dobson). A partir de cette distinction et de l'analyse distributionnelle, on pourra établir que la phrase chinoise se compose de «mots» (un caractère), «mots composés» (deux caractères en alliance habituelle) et «syntagmes» (toute autre combinaison y compris avec certains mots vides).

C'est ainsi que l'écriture établit les lois propres à la langue chinoise; mais nous en trouvons la *théorie explicite* dans les réflexions philosophiques et les classifications scientifiques que les Chinois ont élaborées au cours des siècles.

L'élément linguistique-scriptural correspond à l'élément réel dont il est l'indication. On attribue l'invention de l'écriture à Fu-ji, ministre du premier souverain Huang-di : Fu-ji se serait inspiré des traces laissées par les oiseaux sur le sol. On suppose d'autre part qu'avant l'écriture proprement graphique, il y a eu

L'analogie entre les idéogrammes chinois et les représentations figuratives est attestée par ces dessins empruntés au grammairien Chang Yee. D'après Jacques Gernet dans *L'Écriture et la Psychologie des peuples* (Centre international de Synthèse, Éd. Armand Colin).

un système de marquage à base de cordes nouées et de tailles.
En tout cas, les débuts de l'écriture participent étroitement des
rites magiques : les écritures sont des talismans, et représentent
la maîtrise de l'univers par l'homme. Mais, *et c'est une particularité de la conception chinoise du langage écrit*, si l'écriture
a trait à la magie, elle est loin de s'arroger une sainteté, d'obtenir une valeur sacrée ; au contraire, l'écriture est le *synonyme* du
pouvoir politique et *gouvernemental* et se confond avec la fonction politique. Le prince gouverneur a pour mission primordiale
d'*ordonner* les choses en les *désignant* correctement, et c'est
par l'écriture qu'il réalise cette mission.

Le rapport entre l'objet et l'élément graphique est souvent
considéré dans les théories chinoises comme un rapport de
désignation. Ainsi, Confucius estime que le signe pour « chien »
大 est un parfait dessin de l'animal. On voit qu'il ne s'agit pas
là d'une *ressemblance réaliste* entre l'idéogramme et l'objet : le
« signe » est une figuration dépouillée qui ne fait qu'indiquer
l'objet auquel il se rapporte, sans avoir à le reproduire. Ce
rapport d'*indication* et non pas de *ressemblance* entre le gra-
phème et le référent est nettement exprimé par le terme *zhi* 指
« doigt » que les linguistes européens traduisent par « signe »,
« signifiant » ou « signifié », à notre avis imprudemment. Nous
le trouvons dans un texte *Sur le doigt et l'objet* de Kong-Souen
Long-Tseu, philosophe chinois appartenant à l'école « sophisti-
que » qui existait aux IVe-IIIe siècles avant notre ère.

« Tout objet [*wu*] est un doigt [*zhi*, " signifié " ?] mais le doigt
[" signifiant " ?] n'est pas le doigt [" signifié " ?]– S'il n'existe
pas dans le monde de doigt [" signifiant " ?], aucun objet ne peut
être appelé objet.

« Je dis que le doigt n'est pas le doigt ; s'il n'existe pas au
monde d'objet, peut-on parler de doigt ?... D'ailleurs le doigt est
ce qui joue un rôle commun dans le monde...

« S'il n'existe pas dans le monde de relation [chose-doigt :
wu-zhi] qui parlera de non-doigt ? [" non-signe " ?] ? S'il n'existe
pas au monde d'objet, qui parlera de doigt [" signe " ?] ? S'il n'y a
quelque doigt au monde et qu'il n'y ait pas de relation, qui parlera
de non-doigt ? Qui dira que *tout objet est un doigt ?* »

On se rapprocherait peut-être mieux du sens de ces réflexions
si, à la place de « signe », « signifiant », « signifié », l'on traduisait « dé-signation », « dé-signant », « dé-signé ».

Dans le même ordre d'idée, c'est-à-dire en considérant la langue comme désignation du réel, on a pu développer l'hypothèse que les idéogrammes chinois sont non seulement des désignations d'objets, mais des désignations de désignations, c'est-à-dire des dessins de *gestes*. Cette thèse est défendue par Tchang Tcheng-Ming *(l'Écriture chinoise et le Geste humain,* 1932).

Une première tentative de penser et de systématiser l'ensemble linguistique-scriptural comme un objet spécifique, nous est présentée par les dictionnaires chinois. Le premier d'entre eux, *Shuowen Jiezi* de Xu Shen, compte 514 radicaux. Durant les dynasties Ming et Ching, leur nombre a été réduit d'abord à 360, puis à 214, nombre qui est demeuré jusqu'à nos jours. Les six classes de caractères que nous avons mentionnées initialement ont été définies par les savants chinois eux-mêmes, et notamment par Lin-Xu et Xu Shen de la dynastie Han. Les six écritures *(liu shu)* ont donné leur nom à des dictionnaires comme Lin Shu gu (1237-1275). Voici la classification des caractères qu'il propose :

1. formes imagées (pictogrammes) ;
2. désignations de situations (symboles indirects) ;
3. rencontres d'idées (complexes associatifs) ;
4. significations transférables (symboles s'interprétant mutuellement) ;
5. emprunts (caractères phoniques empruntés) ;
6. image et son (déterminatifs-phonétiques).

Une évolution des pictogrammes (prédominant aux XVe-XIVe siècles avant notre ère) vers des déterminatifs-phonétiques (plus développés aux XIIIe-XIe siècles avant notre ère) est à observer. Cette phonétisation des caractères entraînant une confusion dans cette langue monosyllabique et homophone, les linguistes chinois procèdent à une analyse des sons et des caractères suivant le principe «couper et joindre», *fan-Gie*. Ainsi, la prononciation d'un caractère comme *kan* est expliquée comme étant composée de *k(uo)* + *(h) an*. La méthode apparaît vers 270 de notre ère avec Sun Yan, et Needham, après Nagasawa, suppose qu'elle est due à l'influence des savants sanscrits. Un important dictionnaire *Gie Yün* de Lu Fa-Yan, publié en 601, applique cette méthode.

La langue chinoise se simplifiant au cours des siècles, vers le

XI⁰ siècle de notre ère ce type de dictionnaires devient inutilisable. Alors, en 1067, Ci-Ma Quang composa une série de *tables* qui réorganisaient l'ancien système et l'accordaient à la nouvelle prononciation. Ce fut son dictionnaire *Lei Piou* que Needham considère comme l'exemple type de ces tabulations, à l'origine linguistiques, historiques et philosophiques, qui se trouvent à la base de la géométrie coordonnée : autrement dit, c'est de ce type de systématisation linguistique que prennent naissance une grande partie des mathématiques chinoises. A cette catégorie de dictionnaires-tables appartiennent Tong Zhi lüe de Zheng Giao (1150), Zhoug yan yin yün de Zhou De-qusej (1250).

La pensée européenne a eu accès assez tard au système linguistique et/ou scriptural des Chinois, de même qu'à leurs théorie et science du langage. On considère comme point de départ de la sinologie européenne moderne le livre de Louis Lecomte *Nouveaux Mémoires sur l'état présent de la Chine* (1696). L'établissement des jésuites en Chine au XVII⁰ siècle fut le canal le plus important de connaissance de la langue chinoise. A cette époque, l'Europe est séduite par l'écriture non alphabétique, et en premier lieu par les hiéroglyphes égyptiens connus avant l'écriture chinoise. Plusieurs ouvrages « démontraient » même l'origine égyptienne de l'écriture chinoise : Athanasius Kircher (*China Illustrata*, 1667) ; John Webb, Joseph de Guignes (*Mémoires dans lequel on prouve que les Chinois sont une colonie égyptienne*, 1760), etc. Quelques années plus tard de Pauw dissipa cette illusion, mais la vraie sinologie moderne ne commença qu'au XIX⁰ siècle, avec l'enseignement de J.-P. Abel Rémusat au Collège de France en 1815.

5. La linguistique indienne

En Inde, l'organisation du langage et de la réflexion qui s'y rapporte a pris une direction tout à fait différente de celles des civilisations mentionnées jusqu'à présent, et constitue peut-être la base la plus ancienne de l'abstraction linguistique moderne.

D'abord, l'écriture qui, dans d'autres cultures, était indissoluble de la langue à tel point que son fonctionnement même dispensait d'une théorie proprement linguistique de la signification, ne joue pour les Indiens qu'un rôle secondaire. On connaît fort peu la plus ancienne écriture de ces contrées, celle de Mohanjo-Daro (3000 avant notre ère); l'écriture brahmi (300 avant notre ère) est syllabique, mais contrairement à l'écriture égyptienne et, en partie, à l'écriture sumérienne, elle dissout les syllabes elles-mêmes et marque les phonèmes qui les composent.

Cette quasi-absence d'écriture au début, avec l'effort de mémoire que cela exigeait sans doute et, à la fin, cette phonétisation de l'écriture tardive sont très symptomatiques du fait que le langage tend à s'extraire de ce réel dont d'autres civilisations le distinguaient à peine, et que le fonctionnement linguistique s'est « mentalisé » comme un fonctionnement *signifiant*, avec un sujet qui est le lieu du sens. L'homme et son langage sont ainsi plantés comme un miroir qui réfléchit un dehors. Des théories hautement élaborées du sens, du symbolisme, du sujet, se sont alors développées, dans lesquelles la science moderne du langage retrouve lentement son point de départ.

Une troisième particularité de la conception du langage en Inde consiste dans le fait que les théories indiennes ont été construites à partir de la langue de la *littérature* védique, le sanscrit, langue dite « parfaite », dont les premiers témoignages datent de plus de mille ans avant notre ère. Cette langue a cessé d'être parlée au IIIe siècle avant notre ère et a été remplacée par le prakrit, ce qui a imposé le déchiffrement des textes poétiques (mythiques ou religieux) d'une langue morte : c'est ce déchiffrement de la poésie qu'on ne parlait plus qui a donné naissance à la grammaire de Pāṇini et à toute la linguistique indienne. Or, cette linguistique trouvait dans les textes qu'elle déchiffrait une conception de la parole, du sens et du sujet que les Rgveda avaient déjà élaborée. Ainsi, la linguistique s'inspirait des textes qu'elle déchiffrait et la science naissante se faisait l'interprète d'une théorie déjà existante, enregistrée par les textes sacrés. La phonétique et la grammaire indiennes se sont donc organisées en relation étroite avec la religion et le rituel védiques, et représentent la « strate » linguistique de cette religion.

En effet, la Parole *(vāc)* occupe une place privilégiée dans les hymnes védiques, qui témoignent (X, 71) que, sous l'égide de Brhaspati, le «maître de la parole sacrée», il fut «imparti des noms aux choses». Les Sages ont imposé la parole à la pensée «comme on clarifie les grains par le crible». L'obtention et l'usage de la parole sont un *sacrement (samskrta)* et/ou un acte qui a trait à l'acte sexuel : à certains la parole «a ouvert son corps comme à son mari une femme aux riches atours».

Mais les textes védiques procèdent déjà à une systématisation «scientifique» de la parole. L'hymne I, 164 du Rgveda (v. 45) dit que le discours «mesure quatre parties» dont «trois sont tenues secrètes, on ne les met point en branle», seule est connue la quatrième qui est la langue des hommes. Louis Renou *(Études védiques et paniniennes)*, commentant ce paragraphe, pense avec Geldner et Strauss, qu'il s'agit de la «partie transcendante du langage, ce qu'à date ultérieure on dénommera le *brahman* dont il est dit, comme de la *vāc*, que l'homme n'est en état d'en reconnaître qu'une minime partie». Nous avons ici un premier dédoublement du procès linguistique (signifiant), qui vise à saisir l'acte de la signification, et que le rationalisme occidental moderne cherche à retrouver en empruntant pour cela des voies diverses : l'«inconscient» (en psychanalyse), la «structure profonde» (en grammaire transformationnelle). En Inde, le *brahman*, «parole sacrée, mot magique» se dédoublait en : 1) mot matériel *(sábda brahman)* et dont l'*átman* est une manifestation ; et 2) mot transcendant *(parabrahman)*. Cette opposition se répercute dans les théories des philosophes du langage et produit la distinction *dhvani/sphota* sur laquelle nous reviendrons. Insistons une fois de plus ici sur le fait que la réflexion linguistique dépend directement de la conception religieuse dont témoignent les textes sacrés, et fait elle-même partie de ces textes, au moins à ses débuts. Ces textes sacrés se consacrent en grande partie au langage et à la signification, les lient étroitement au cycle de la sexualité et de la reproduction, et construisent ainsi une conception de l'homme comme procès infini de différenciation cosmique. Dans cet univers systématisé où chaque élément obtient une valeur symbolique, le langage — symbolisme premier — se voit accorder la place d'honneur. Sa science, la grammaire, est appelée «science suprême-purifiant de toutes les sciences», «la voie royale exempte de détours», et qui «vise à réaliser l'objet suprême de l'homme».

Parmi les grammaires les plus connues, il faut citer la célèbre grammaire de Pāṇini qui date, croit-on, d'environ quatre siècles avant notre ère. C'est un ouvrage en huit livres (*astadhyāhyi*) qui sont constitués de quatre mille *sūtra* ou maximes. Ce texte relativement récent réunit la masse des théories linguistiques précédentes, transmises oralement. La grammaire, traduite en europe par Böhtlingk (1815-1840) et dont Renou a fait une édition française, frappe par la précision de ses formulations qui se rapportent à l'organisation *phonique* aussi bien qu'à la *morphologie* de la langue *sanscrite*.

Notons d'abord, avec Renou, l'étroite relation entre la *grammaire* et le *rituel* en sanscrit. Ainsi, les cas grammaticaux ne portent pas de désignations spéciales, mais sont marqués par des indices numériques, *prathamā*. Ce type d'indication semble provenir d'un rituel où plusieurs notions (jours, rites, modes musicaux, etc.) étaient évoquées par des ordinaux. En revanche, les fonctions des cas par rapport au procès verbal, les *kàraka* (c'est-à-dire tout ce qui fait s'effectuer l'action verbale) sont indiqués par des noms d'aspect fortement individualisé parmi lesquels prédomine un groupe de dérivés de la racine *kr...*, *karman* = « action, rite ». Plusieurs autres exemples peuvent être donnés à l'appui de cette thèse de la dépendance directe de la grammaire par rapport au rituel, et de l'origine rituelle de la linguistique indienne, difficilement isolable de tout un ensemble religieux.

Dans cette relation incessante avec la récitation liturgique des textes sacrés, la grammaire indienne présente une théorie complexe de la matière *phonique* de la langue : des sons, de leur articulation, leur lien à la signification. La terminologie concernant ce niveau désigne que le son est conçu comme une matière assurant la réalité de cette vibration qu'est le sens de la parole. Ainsi, *aksara*, « syllabe », vient du texte religieux *naksarati*, « ce qui ne s'écoule pas », ou plutôt « base impérissable du discours ». Le phonème, *varna*, avait au début le sens de « coloration »... Les éléments phoniques ont été classés selon le mode et le point d'articulation des consonnes suivies des voyelles et des diphtongues, pour former cinq séries de corrélations appelées *vargas*. Une théorie subtile de l'articulation, liée à une signification religieuse et à une théorie complexe du corps humain, distinguait les différents mouvements des lèvres (ou-

verture, fermeture), de la langue contre les dents (constriction),
de la glotte, des poumons, de la résonance nasale, etc., comme
producteurs de phonèmes, déjà chargés (de par leur production
corporelle) d'un sens bien défini.

La théorie du sphota, construite à partir de telles bases, se
trouve d'abord chez Patañjali qui a vécu au début de l'ère
chrétienne et qui a écrit des commentaires sur les *sūtra* de
Pāṇini, de même que sur les *vārtika* de Kātyāyana. Cette théorie, extrêmement subtile et inhabituelle pour nos modes de
pensée, embarrasse les savants contemporains. Certains philosophes et grammairiens considèrent que le terme sphota désigne
un prototype du mot que le mot lui-même contient intrinsèque-
ment. Pour d'autres, il s'agit de la sonorité du mot dans sa
totalité et comme porteuse de sens indépendamment de la combinaison des lettres : le sphota ne serait pas exactement les sons
d'un mot dans l'ordre de ses lettres, mais les sons ou quelque
chose qui leur correspond, étant refondu dans un tout indivisible. Ainsi, lors de la prononciation, les sons viennent chacun à
leur tour, mais le sphota n'apparaît qu'à la fin de l'articulation
de tous les sons du mot, au moment où les sons de la totalité
morphologique sont émis avec le sens qui lui est inhérent.
Étymologiquement sphota signifie «éclatement, crevaison», et,
par conséquent, cela où le sens éclate, se répand, germe, s'engendre.

Pāṇini distinguait les sons du discours, *dhvani*, du sphota
qu'il concevait plutôt comme une *matrice* de lettres avec des
voyelles longues et brèves. Pour Patañjali le sphota semble être
fondamentalement une structure, série de consonnes et de
voyelles brèves et longues, ou comme on dit aujourd'hui et
comme l'interprète J. Brough, «une succession d'unités phonématiques» (le sphota pouvant d'ailleurs être représenté par
une seule lettre).

Chez Bhartrhari, linguiste postérieur à Pāṇini et à Patañjali et
dont les travaux, issus d'une réflexion sur l'école paninéenne,
se situent vers le vᵉ siècle, la théorie du sphota se développe et
change sensiblement. On a pu constater que, chez Bhartrhari, le
sphota devient «le fondement ontologique du langage». En
effet, le sphota n'est plus prononçable, il est ce qui sous-tend la
prononciation et le son de la parole, son surdéterminant
conceptuel ou signifiant, pourrions-nous dire, si cette théorie

n'était pas toute plongée dans la réalité et si elle n'insistait pas autant sur la matérialité réelle dont la pratique linguistique participe tout en la manifestant. Sans être un substantialiste — il ne se pose pas le problème de savoir si le sphota est une substance sonore ou non — Bhartrhari fait émerger sa théorie d'une réflexion sur le réel en mouvement, le sphota devenant l'*unité minimale* de cet univers infiniment divisible et à cause de cela transformable. Citons un long passage qui témoigne de ce réalisme transformateur :

« Les sons produisent une disposition dans l'ouïe seulement ou dans la parole seulement, ou dans les deux : telles sont les trois thèses entre lesquelles se partagent les partisans de la manifestation. La concentration mentale, un collyre, etc., [produisent] une disposition dans l'organe sensoriel seul ; tandis que pour percevoir un parfum, c'est une disposition dans l'objet [qui est requise]. Si la vue opère par contact, on considère que la lumière produit une disposition à la fois dans l'objet et dans l'organe ; le processus est le même pour le son. On considère [ici] que le son et le sphota sont perçus conjointement ; d'autres pensent que le son n'est pas perceptible, tandis que d'autres le supposent [doué d'une existence] indépendante. »

Le dédoublement son/signification (son/parole) et la dépendance étroite des deux dans un même *processus, acte, mouvement* dont le sphota est comme le germe ou l'atome, un atome de la mouvance à la fois phonique et significative, sont exprimés ainsi :

« Quand une parole est mise en lumière par des sons, sa forme propre est déterminée grâce à des idées [partielles] indescriptibles qui concourent à son appréhension. Quand l'idée, dont *le germe a été produit par les résonances*, arrive à la maturité avec le dernier son, la parole est déterminée. C'est l'incapacité de l'interlocuteur qui lui fait croire comme réellement existants les *éléments verbaux intermédiaires qui n'existent pas*. Ce ne sont en réalité que des moyens d'appréhension. L'apparence d'une différenciation affecte constamment la connaissance de la parole. La parole est étroitement liée à l'ordre de succession, et la connaissance prend appui sur l'objet à connaître. De même que l'appréhension des premiers nombres est un moyen de connaissance des autres nombres [supérieurs] quoiqu'ils en soient différents, de même aussi l'audition d'éléments verbaux autres

[que ceux que l'on veut connaître est un moyen pour la connaissance de ces derniers]. Ces [éléments verbaux] différents qui
sont chacun révélateurs des lettres, mots et phrases, tout en étant
absolument différents les uns des autres, mélangent pour ainsi
dire leurs pouvoirs. De même que, dans les premières perceptions que l'on a d'un objet de loin et dans l'obscurité, on l'altère
et on le détermine comme autre [que ce qu'il est], de même,
quand une phrase se révèle, les causes de sa manifestation
donnent d'abord à l'idée la forme d'une division en parties. De
même qu'il y a un ordre fixe de succession dans la transformation du lait et d'un germe, de même il y a *un ordre de succession
fixe* dans les idées des auditeurs. Même si c'étaient les idées
elles-mêmes qui avaient des parties, la division de leur forme
viendrait de l'ordre de succession des sons; mais plutôt elles
sont elles-mêmes sans parties, et la *fiction d'une division* en
parties est un moyen [de connaissance]. »

On peut relever dans cette réflexion du grammairien indien
quelques points importants :

1. Pour lui, le son (« le signifiant ») n'est pas une simple
extériorité du sens (« signifié »), mais le produit en *germe*. La
linguistique moderne commence à peine à méditer sur le rôle du
signifiant dans la constitution du sens.

2. La signification est un *procès*.

3. Par conséquent la morphologie (« éléments verbaux intermédiaires », dit Bhartrhari) n'existe pas, « la division en parties
(du discours) » est une fausse apparence.

4. La signification est une syntaxe ordonnée, « un ordre de
succession fixe ».

Insistons d'abord sur le souci *analytique* de division et de
systématisation de l'acte de la parole, qui s'accompagne pourtant d'une tendance théorique de *synthèse :* le linguiste cherche à
trouver le support conceptuel correspondant à la fois à la démarche analytique décomposant le système de la langue, et au
principe théorique qui voit dans cette langue un *procès*, de
l'ordre du procès réel de l'univers. Les *dhvani* sont les éléments
successifs de la chaîne sonore : ils se succèdent suivant un ordre
strict pour manifester le sphota qui n'est pas de la même nature
que les *dhvani*. Si les *dhvani* sont de l'ordre des « parties », le
sphota est ce à quoi la répartition permet la connaissance, à
savoir l'*action*. « Cette énergie qui a nom parole, a pour ainsi

dire la nature d'un œuf (d'abord indifférenciée et donnant naissance à un paon aux couleurs variées). Son déroulement se fait
successivement, partie par partie, à la manière d'une action
[d'un mouvement]. »

Cette action signifiante est, pour Bhartrhari, infiniment divisible : ses éléments minimaux ne sont pas des *phonèmes*. La
linguistique indienne va plus loin que notre phonologie européenne (en tenant compte même de notre notion de « mérisme »,
trait distinctif des phonèmes) et déclare qu'on ne saura s'arrêter
dans la division de la chaîne sonore en éléments toujours plus
petits dont les derniers seraient à tel point infimes qu'on pourrait
les nommer « indescriptibles », *anupàkhyeya*. L'atomisation de
la matière linguistique en effet n'a pas de fin : « S'il n'y a que des
mots dans une phrase et que des phonèmes dans un mot, alors
dans les phonèmes eux-mêmes il devrait y avoir une division en
partie de phonèmes comme [on a une division] en atomes. Et
comme les parties ne sont pas en contact [les unes avec les
autres], il ne saurait y avoir ni phonème ni mot. Si ces derniers
sont inexprimables [non existants : *avyapadesya*] à quoi d'autre
peut-on se référer ? » Pour remédier justement à « l'évanouisse-
ment métaphysique » (dirions-nous aujourd'hui) de la réalité et
surtout de la réalité linguistique, que produirait cette division à
l'infini de l'ensemble linguistique (phrase, mot, son), Bhartrhari
pose le sphota qui est autre chose que cette discontinuité tout en
étant révélé par elle. Le sphota est pour lui ce qui donne une
coexistence aux atomes discursifs, assure leur unité dans le mot et
la phrase. Dans le langage, le sphota est l'unité — à la fois sonore
et signifiante — de l'infiniment différencié. On remarquera la
dialectique qui se joue par et dans ce terme qui, du même coup,
devient le pivot par lequel le langage, conçu désormais comme
mouvement, rejoint le réel comme mutation. C'est dire qu'avec
le sphota le langage devient non seulement un procès, mais aussi
un acte, un mouvement et que le signifiant se glisse sous le
signifié pour former en action le sens ; mais qu'en plus cette
mouvance se donne comme le reflet de la mouvance du monde
réel : la signification, refusant de s'isoler, suit à distance le réel
continu-discontinu et en mutation constante.

Cette théorie du sphota trouve son pendant dans la théorie de
la *phrase*. Avant Bhartrhari, la grammaire indienne propose une
classification des parties du discours, en distinguant entre *nom*

et *verbe*. Plusieurs discussions entre grammairiens et philosophes se poursuivent au sujet de la pertinence de cette distinction ; deux points de vue se dégagent : le point de vue morphologique tenant de la distinction, et le point de vue théorique ou plutôt syntaxique tenant en principe de la non-distinction de ces catégories dont la différence n'apparaîtrait que suivant leur *fonction* à l'intérieur de l'énoncé. Pour sa part, et toujours dans une optique morphologique, Patañjali distinguait quatre catégories de mots : « Pour les mots, écrit-il, le mode d'application — *pravṛtti* — est quadruple : il y a les mots qui [s'appliquent] à une classe — *jātiśabda ;* ceux qui [s'appliquent] à une qualité — *guṇaśabda ;* ceux qui [s'appliquent] à une action — *kriyāśabda ;* et en quatrième lieu, ceux qui [s'appliquent] au hasard — *yadṛcchāśabda*. »

Bhartrhari abandonne ce point de vue morphologique et esquisse une théorie de la phrase qui, étant un procès, est la seule réalité complète du sens. Les mots ne signifient pas en dehors de la syntaxe phrastique. Autrement dit, la syntaxe n'est pas une simple transposition de la morphologie, les « termes » n'existent pas avant et sans les « relations » dans l'ensemble énoncé ; c'est la syntaxe qui donne sa réalité au sens. Une approche synthétique caractérise la théorie de Bhartrhari qui s'étend, au-delà du sphota, aux grandes unités du discours. Il s'oppose par conséquent à la distinction nom/verbe : chaque phrase est pour lui à la fois nom et verbe, même si les deux catégories ne sont pas manifestées. « Puisque l'objet est exprimé en tant qu'associé au fait d'être ou en tant que résidant dans le non-être, c'est la phrase qui est employée. Aucun objet de mot n'est connu sans qu'il soit associé à une action ; aussi, réel ou non, on ne le trouve pas [sans cela] dans la communication par la parole. On ne prend pas en considération une expression qui comporterait seulement une chose réelle [*sat*] sans qu'elle soit mise en relation avec l'expression d'une action : ''a existé, existe ou n'existe pas''. Si un sens est à exprimer par un verbe et s'appuie sur des moyens de réalisation, le besoin de complément [du verbe] ne cesse pas tant que l'on n'a pas exprimé les choses [qui sont les moyens de réalisation]. *L'action, du fait qu'elle est l'aspect principal du sens*, est ce que l'on distingue d'abord. Les compléments sont utilisés pour ce qui est à réaliser ; quant au résultat, c'est ce qui incite à l'action. »

Dans ce raisonnement, où l'on démêle difficilement ce qui se rapporte au langage et ce qui est généralement philosophique, on saisit que l'*action* dont il s'agit est l'autre nom de la *signifi-cation :* le terme dénote le sens comme processus, l'acte de langage est comme un engendrement du sens. Nous voyons se dessiner ici une conception de la signification qui ne trouve pas ses assises dans les mots isolés (noms, verbes, etc.), c'est-à-dire dans des *parties* (pour Bhartrhari « la division est une fiction »), mais dans la transformation de ces parties en un énoncé complet, dans le procès de la génération de cet énoncé qui se construit comme un vrai « arbre transformationnel » (nous modernisons à peine) et non pas comme un tout divisé en parties. Toujours en modernisant les théories indiennes, nous pouvons dire que la conception (critiquée par Bhartrhari) de Sabara est une théorie « structuraliste » : « L'action n'est rien, le langage n'exprime que des choses mises en relation. » Tandis que la conception de Bhartrhari est une conception « transfor-mationnelle » (voir p. 251) analytico-synthétique. Cette der-nière s'appuie une fois de plus sur la distinction que nous avons signalée au début entre : 1) un fonctionnement pré-sens où les éléments s'adjoignent de façon non successive et engendrent un procès qui aboutira à 2) une parole ordonnée, successive, li-néaire, communiquée, et qui seule possède un sens. « Le sens est établi par les interlocuteurs quand les facteurs de manifesta-tion ont été manifestés. La parole non manifestée est *connue* de façon successive et silencieuse ; mais c'est dans la parole non successive que la pensée demeure en s'y étendant pour ainsi dire... », conclut Bhartrhari.

Enfin, dans sa théorie de la signification, la linguistique indienne s'approche de ce que nous appelons aujourd'hui une *théorie de l'énonciation.* Elle pose comme éléments indispensa-bles pour l'engendrement du sens la fonction du sujet parlant, de son destinataire, de la situation locutoire, la position spatio-temporelle du sujet, etc. : « Le sens des paroles est distingué d'après le contexte verbal, le contexte de situation, le but visé, la convenance, selon l'espace et le temps, et non d'après la forme seule des paroles », remarque Bhartrhari. On voit que la grammaire indienne, loin d'être une simple systématisation d'un objet fermé, « en soi », la langue, dépasse amplement sa clôture, et le pense dans une relation du sujet et de son dehors, susceptible d'expliciter la signification. «Étant donné qu'un sens [un objet de mot] a tous les pouvoirs [c'est-à-dire toutes les fonctions possibles dans une phrase], il est déterminé tel que *le locuteur veut l'exprimer* [*vivaksita*] et avec telle fonction qu'il veut lui donner. Parfois on exprime une relation entre des sens très éloignés ; parfois ce qui est en contact est connu comme non en contact. Il y a séparation de sens conjoints et conjonction de sens séparés. Il y a unité de ce qui est multiple et multiplicité de ce qui est le contraire. Du fait qu'un sens peut être tout ou n'être rien, c'est la parole qui est déterminée comme seul fondement [de l'intention de celui qui parle], parce que ses pouvoirs sont complètement fixés. »

Nous n'avons esquissé ici que quelques aspects de cette science complexe de la signification qui fut élaborée en Inde, et dans laquelle le problème du langage prend une situation clé, une place de charnière. Indiquons au passage que la *logique* indienne, dans des études d'une importance considérable, s'attaque aussi aux règles de la construction linguistique, pour aboutir à des conclusions qui ont été élucidées de nos jours par J. F. Stall, et qui sont différentes de celles de la logique aristotélicienne.

6. L'alphabet phénicien

Fidèles à une attitude évolutionniste et européocentriste, certains linguistes considèrent que l'écriture alphabétique dont se servent aujourd'hui presque tous les pays, à l'exception de ceux de l'Extrême-Orient, est le résultat du « développement intellectuel » ou d'une évolution indispensable que n'ont pas pu atteindre les non-alphabétiques. Une telle conception, prenant comme point de départ la conscience linguistique que nous ont léguée les Grecs, est prisonnière d'une approche assez tardive du langage, érigée en norme et excluant ainsi toute autre appréhension du fonctionnement signifiant. Il nous semble plus rigoureux, sans parler d'une « évolution » de l'écriture et/ou de la conception du langage, de poser un principe de *différence* entre les types de conceptions du langage, marquées dans les types

d'écriture de même que dans les théories explicites elles-
mêmes.

Il est évident, en effet, qu'une écriture idéographique traduit
une conception du langage pour laquelle et dans laquelle la
chose, la notion et le vocable sont un ensemble soudé par la
marque du « caractère ». Mais dans ce système, le phonème
constitue un registre à part, laissant aux graphèmes la liberté de
reconstruire une systématisation logico-sémantique dans laquelle se reflète toute une cosmogonie. Comme si, à travers
cette langue-écriture, une communion s'installait entre le dehors
et la distance du langage, un *sacer* — un sacrement de l'homme/
écriture et du réel/cosmos. On dirait que les écritures idéographiques et hiéroglyphiques pratiquent le langage sans l'*entendre :* sans entendre son autonomie idéale et phonétique comme
séparée de ce qu'elle désigne. Est-ce donc une « langue » qu'elle
pratique au sens courant du terme ? ou une mise en ordre du
cosmos dont ce que nous appelons « langue », en l'isolant du
syncrétisme fondamental, n'est qu'un acteur du « sacrement » ?

En revanche, une tout autre pratique de la langue dissocie la
chaîne parlée de ce qu'elle marque, la conçoit comme allégée de
son opacité sémantique et cosmico-classificatoire, et l'*entend*
comme objet en soi pour analyser les éléments de cet objet —
les phonèmes — qui, par eux-mêmes, ne s'appliquent à aucun
objet ou phénomène réel. On aboutit ainsi à l'isolement du
phonème qui sera marqué par un signe approprié et constant : la
lettre ne désignera plus un sens ou un objet, n'aura même pas
cette fonction de rappel du procès signifiant qu'indiquait le
sphota indien, mais sera un élément de la chaîne sonore tout
court.

Comment expliquer ces différences dans la conception du
fonctionnement signifiant, qui s'objectivent par les différences
entre la lettre et l'idéogramme ? L'écriture égyptienne, qui es-
quissa, comme nous l'avons vu, une évolution qui la rappro-
chait d'une analyse-marquage de la substance phonique de la
langue, quasi indépendante du référent et du signifié, n'a pas
produit un alphabétisme. L'écriture chinoise reste encore plus
loin de cette procédure. C'est dans le monde syro-palestinien et
plus particulièrement chez les Phéniciens, qu'une notation purement phonétique des langues s'est produite au moyen d'un
nombre limité de signes, sans doute syllabiques, qui ont donné

plus tard le modèle de l'alphabet marquant chaque phonème. On peut supposer, avec Cohen, que cette phonétisation de l'écriture aboutissant à un alphabet «peut avoir correspondu aussi à un état social permettant à la fois une certaine autonomie des individus», un affaiblissement des États centralisés et une émancipation de l'individu «en regard des prêtres et des rois», menant à la formation d'une conscience individuelle. Une telle explication socio-historique, qui met en rapport l'émancipation de l'individu avec l'émancipation du signifiant, et par conséquent l'atome-sujet avec l'atome-lettre, est formulée par Needham. Sans affirmer qu'il s'agit ici d'un rapport de cause à effet, on peut observer en effet que le type d'écriture idéogrammatique s'accompagne souvent d'un mode de production dit «asiatique» (grandes collectivités productrices et interdépendantes, gérées directement par un organisme central, sans unités isolées citadines et «démocratiques» au sens grec du terme); au niveau de la pensée scientifique ces sociétés développent une logique dialectique corrélative, anti-substantielle (telle la logique de la science chinoise). Au contraire, l'alphabétisme grec a comme corrélat, au niveau sociologique, des unités de production isolées et fermées sur elles-mêmes, un développement de la conscience individuelle dans l'idéologie, une logique de non-contradiction dans la science (la logique aristotélicienne).

On considère en général l'écriture phénicienne comme l'ancêtre de l'alphabétisme moderne. Dans cette écriture, on distingue un *alphabet phénicien archaïque* et une écriture phénicienne sensiblement différente de la première. Les documents les plus anciens qui attestent l'alphabet phonétique archaïque datent des XIIIᵉ-XIᵉ siècles avant notre ère et ont été trouvés dans les inscriptions de la ville de Byblos qui fut un carrefour de populations et un pont entre la Syrie et l'Égypte. Sans qu'on puisse préciser exactement la date de l'apparition de cette écriture, on peut constater qu'elle n'est pas idéogrammatique et ne possède pas de caractères déterminatifs. Elle marque la chaîne sonore qu'elle décompose en éléments minimaux. Toute la question sur laquelle discutent les savants est de savoir si ces éléments minimaux sont des *syllabes* ou des *sons*, c'est-à-dire des *consonnes* qui suggèrent plus ou moins approximativement la voyelle précédente. D'après Meillet, Pedersen, et même Weil, l'écriture phénicienne est *syllabique*: elle se borne «à noter la syllabe, c'est-à-dire une réalité toujours prononçable et facile à isoler », même si elle « n'a noté de la syllabe que la consonne, élément essentiel pour indiquer le sens, en laissant suppléer la voyelle par le lecteur » (Meillet).

Février va plus loin en affirmant que l'écriture phénicienne ne sépare pas seulement des syllabes, mais isole des *consonnes* et se constitue ainsi comme un « véritable alphabet consonantique ». Pourtant, Février précise que cet alphabet phénicien « n'est pas ce que nous avons coutume d'appeler alphabet, c'est-à-dire une écriture analysant chaque mot en ses éléments phonétiques constitutifs, consonnes et voyelles, affectant un signe spécial à chacun de ces éléments, aussi bien aux voyelles qu'aux consonnes ». L'alphabet phénicien en effet ne dégage que « le squelette consonantique du mot » et n'est jamais arrivé à un alphabétisme plein, que les Grecs ont employé semble-t-il d'emblée et spontanément. S'il reconnaît que l'écriture phénicienne est phonétique, Février remarque qu'elle est « incomplètement phonétique » : « C'est une écriture qui a banni les idéogrammes, mais qui, au fond, reste à quelque degré idéographique, puisqu'elle ne note que la racine, sans tenir compte de la vocalisation qu'elle peut recevoir. » Cette remarque s'explique à la lumière des particularités des langues sémitiques qui ont conservé jusqu'à nos jours un alphabet consonantique. La racine d'un mot, dans ces langues, c'est-à-dire son élément constant qui porte le sens global et ne dépend pas de la fonction syntaxique, est représentée par les consonnes de ce mot. La racine QTL, porteur du sème « tuer » en hébreu, peut se prononcer QeTóL, « tuer », QôTéL, « tuant », QâTúL, « tué », QâTaLun, « nous avons tué ». On comprend donc comment une écriture peut fonctionner efficacement, sans créer des confusions, en marquant uniquement la racine consonantique décomposée en ses éléments composants. Ce type d'écriture marquant la clé du mot semble d'autre part, écrit Février, « plus près de l'idéographie primitive que le syllabisme vers lequel tendent par exemple les diverses écritures cunéiformes ».

Plusieurs branches d'écriture sémitiques se sont développées à partir de l'« alphabet » phénicien, qui s'est diffusé parmi les peuples environnants : l'alphabet paléo-hébraïque, l'écriture samaritaine, etc. Le bassin méditerranéen — Grèce, Chypre, Malte, Sardaigne, Afrique du Nord — ayant été colonisé par les

Phéniciens, a subi l'influence de leur écriture (un des résultats en est l'écriture punique de Carthage).

Une dernière question concernant l'alphabet phénicien appelle l'attention des spécialistes : d'où provient la forme de ces caractères, leur nom et leur ordre dans le classement de l'alphabet ? On suppose que le rangement des caractères en alphabet est dû à des raisons pédagogiques et que « c'est la ressemblance graphique des caractères qui a déterminé l'ordre qui leur a été assigné » (Février). Quant à la forme des « lettres » - consonnes, elle évoque l'image de l'objet dont le nom commence par le son que la lettre marque. Ainsi *alef* ⋉ signifie en hébreu « bœuf », et sa forme la plus vieille, trouvée sur les inscriptions d'Ahiram, semble reproduire une tête de bœuf avec ses cornes. La lettre donc peut avoir été empruntée à une écriture idéographique, et son appellation est peut-être due, d'après l'hypothèse de Gardiner, à une méthode *acrophonique :* « Les Sémites donnaient à l'idéogramme emprunté l'appellation qui lui correspondait dans leur langue et gardaient le premier son de cette appellation comme valeur désormais alphabétique du signe. »

7. Les Hébreux : la Bible et la Kabbale

L'antiquité hébraïque n'a pas développé une théorie et encore moins une science du langage qu'on puisse comparer à celles de l'Inde ou de la Chine. Mais la présence du langage est sensible dans les pages de la Bible ; elle se mêle aux moments les plus décisifs de l'histoire d'Israël, et semble parfois fournir l'arrière-plan dont les événements historiques et religieux sont la manifestation.

La *Création*, telle que la présente la Bible, s'accompagne d'un acte verbal, si elle ne s'identifie pas à lui : « Or Dieu, voulant tirer cette matière informe des ténèbres où elle était ensevelie, *dit :* Que la lumière faite. Et la lumière faite... Il donna à la lumière le *nom* de jour, et aux ténèbres le *nom* de nuit... » (*Genèse*, I, 3-5.) *Nommer* est un acte divin, arbitraire, mais *nécessaire* (« véritable ») et obligatoire pour l'homme : « Le Seigneur Dieu ayant donc aussi formé de la terre tous les animaux, et de l'eau tous les oiseaux du ciel, il les amena devant Adam, afin qu'il vît comment il les appellerait ; et le nom qu'Adam donna à chacun des animaux est son nom véritable, et celui qu'il porte encore aujourd'hui. Adam appela donc d'un nom qui leur convenait tant les animaux domestiques que les oiseaux du ciel et les bêtes sauvages de la terre… » (*Genèse*, II, 19-20.)

L'intérêt de la pensée hébraïque pour la langue se manifeste aussi dans la recherche d'une *motivation* des noms : on la trouve dans une prétendue *étymologie*. Ainsi : « On l'appela *femme* parce qu'elle avait été prise de l'homme » (*Genèse*, II, 23), « …et le nomma Moïse parce que, disait-elle je l'ai tiré de l'eau » (*Exode*, II 10).

La langue, conçue comme fond commun, unitaire, unifiant et créateur, est distinguée *des langages* dont la pluralité se présente comme une punition. Ce thème d'une langue *universelle* et des langages multiples qui la manifestent mais aussi l'occultent et embrouillent sa pureté, thème que certaines tendances de la science linguistique jusqu'à nos jours ne cessent de laïciser, de broder et de préciser, se trouve magistralement représenté par la séquence mythique de la Tour de Babel. Après le Déluge et avant de se séparer, les enfants de Noé se proposent de commencer la construction d'une ville et d'une tour, avec l'ambition d'« aller jusqu'au ciel » et de « rendre leur nom célèbre à tous les siècles ». Dieu ne peut pas permettre ce discours qui se veut hors temps et hors lieu, et qui permet à l'homme de s'égaler à la puissance divine. « Or, le Seigneur irrité de ce dessein plein d'orgueil, descendit en quelque sorte du haut du ciel, pour voir la ville et la tour que les enfants d'Adam bâtissaient sur la terre, et il dit : Ils ne font tous maintenant qu'un seul peuple, et ils ont tous la *même langue ;* et ayant commencé de faire cet ouvrage, ils ne quitteront point leur dessein qu'ils ne l'aient entièrement achevé. Venez donc, descendons en ce lieu, et confondons-y tellement leur langage qu'ils ne s'entendent plus les uns les autres. Dieu exécuta sur-le-champ ce qu'il avait pensé ; il *confondit leur langage*, et les obligea de se séparer. C'était en cette manière que le Seigneur les dispersa de ce lieu dans tous les pays du monde, et qu'ils cessèrent de bâtir cette ville et cette tour. Et c'est pour cette raison que cette ville fut appelée Babel, c'est-à-dire *confusion*, parce que c'est là que fut confondu le langage de toute la terre, et le Seigneur les dispersa enfin dans toutes les régions du monde. » (*Genèse*, XI, 5-11.)

Un autre mythe biblique, concernant cette fois l'*écriture*, est lié au nom de Moïse. Pour que Moïse puisse aider son peuple, il lui faut une *puissance linguistique :* la Bible semble considérer la possession du langage comme une possession du pouvoir spirituel et étatique. Or Moïse, de son propre aveu, « n'a jamais eu la facilité de parler », et c'est surtout la présence de Dieu qui est l'obstacle principal à sa parole : « depuis même que vous avez commencé à parler à votre serviteur — dit Moïse à Dieu — j'ai la langue moins libre et plus embarrassée que je ne l'avais auparavant » (*Exode,* IV-10). Pour aider son serviteur à retrouver l'usage de la langue, qui équivaut ici à une pratique du pouvoir, le Seigneur intervient à deux reprises.

D'abord, il donne à Moïse une verge miraculeuse qui « devait faire éclater la puissance de Dieu » (IV, 20). Plus tard, pour sceller l'alliance entre les Israélites et le Seigneur, Moïse « écrivit toutes les ordonnances du Seigneur » (XXIV, 4). Mais c'est Dieu lui-même qui finit par inscrire ses lois. « Le Seigneur ayant achevé de parler de cette sorte sur la montagne du Sinaï, donna à Moïse les deux tables du témoignage qui étaient de pierre et écrites du doigt de Dieu » (*Exode,* XXXI, 18). Le texte biblique précise bien que ces tables « étaient l'ouvrage du Seigneur, comme l'écriture qui était gravée sur ces tables était aussi de la main de Dieu, qui y avait lui-même écrit ses dix commandements, et les y avait écrits deux fois pour en marquer l'importance, et pour faire mieux sentir la nécessité qu'il y avait de les observer » (*Exode,* XXXII, 16).

Ces récits cachent une conception précise du langage et de l'écriture. La langue semble représenter, pour la pensée judaïque, une essence sur-réelle, extra-subjective, puissante et active dont le statut s'égale à celui de Dieu. Instance d'autorité et d'inhibition pour le sujet parlant (Moïse), cette *langue* rend difficile la pratique de la *parole* par ce sujet. La parole se déroule sur le fond inaccessible de l'essence langagière divine. Il existe deux moyens pour rompre ce barrage et pour accéder au savoir de la langue, à sa pratique maîtrisée, et, par là, au pouvoir *réel* (terrestre, social). Le premier est le déclenchement d'une chaîne symbolique, c'est-à-dire d'une juxtaposition d'éléments verbaux (mots) qui désignent, par une sorte de tabou, un seul référent dont la réalité est ainsi censurée et innommée, et par conséquent prend, en dernière instance, le nom de Dieu. Tel peut être le sens du « miracle » de la *verge* « se transformant » en *serpent* qui, à son tour, touché à la *queue,* redevient *verge.* (Insistons sur l'implication sexuelle, phallique, de cet enchaînement de symboles.) Le second moyen qui décale le sujet de la parole et lui fait entrevoir le fonctionnement de [ses] lois internes [« divines »], c'cst la mutation de la parole en écriture. Une écriture qui n'est qu'une transcription de la parole divine, ou encore une écriture du doigt de Dieu, mais en tout cas une copie, un double d'une parole existant déjà sans cette écriture, elle-même dédoublée sur les deux tables et leurs deux faces comme pour indiquer son caractère de calque, de répétition, de copie. Sa fonction est de rendre stable, durable et obligatoire la parole de Dieu, d'être sa loi.

S'approprier l'écriture équivaut à *incarner,* au sens strict du mot, le langage, c'est-à-dire à donner corps à la Langue divine en l'absorbant dans le corps humain, en l'introjectant dans la chair. L'écriture dans la Bible s'avale et se mange : pour qu'elle devienne *loi* il lui faut s'inscrire dans la chair, être assimilée par le corps humain [social] : « "Toi, fils d'homme, écoute ce que je te dis, ne sois pas rebelle à ton tour. Ouvre la bouche, mange ce que je vais te donner." Je regardai, je vis se tendre une main qui tenait le rouleau d'un livre. Ce rouleau fut déployé devant moi, était écrit au recto et au verso, n'était que lamentations, plaintes et gémissements. "Fils d'homme, mange ceci, mange ce livre, tu parleras à la race d'Israël." J'ouvris la bouche, il me le fit manger. "Fils d'homme, nourris-toi, rassasie-toi de ce livre." Je le mangeai. Dans ma bouche il fut doux comme du miel. »

Le rapport de l'écriture au réel, de même qu'à la réalité phonique et morphologique du langage, n'est pas pensé. Il semble coupé, et réintroduit a posteriori comme un rapport de domination du réel par l'écriture. Car l'écriture est surtout l'exercice d'une essence légiférante, paternelle et autoritaire, conçue comme un *modèle* sur lequel le réel doit se régler [les *consignes* de Dieu], se former. C'est sous l'emprise de cette loi-modèle du langage de Dieu, et tenant lieu du réel qui manque, qu'il devient possible de déployer la série phantasmatique des enchaînements signifiants (non réels), tel le « miracle » de la *verge*; de même que d'installer l'écriture comme loi, règle, copie de Dieu avec son manque, une écriture devenant ainsi l'explication du manque divin puisqu'elle est sa compensation. Nous sommes ici en face d'une conception théologique monothéiste du langage.

Plusieurs siècles plus tard, un courant de la mystique juive a pu lier plus profondément son expérience au langage et à son inscription : la Kabbale. Elle s'est répandue principalement au Sud de la France et en Espagne entre 1200 et le début du XIV° siècle, et se trouve exposée avec le plus d'ampleur dans le *Zohar* aussi bien que dans le livre *Bahir* qui se présente comme une série de sentences sur les versets de la Bible. Au croisement de la pensée chrétienne, et des religions arabe et indienne, la Kabbale fait des *lettres* de l'alphabet hébreu un objet privilégié de méditation et de concentration, ouvrant vers l'extase, libérant le sujet et lui permettant la communication avec Dieu. Ces lettres en elles-mêmes n'ont pas de signification précise. Non corporelles, abstraites, prises dans une logique formelle et jouant l'une par rapport à l'autre comme des notes d'une musique, les lettres possèdent une valeur *numérique*. La science de cette valeur est dite *gematria*. Chaque lettre peut être mise en rapport avec un membre du corps, de sorte que l'atteinte à la lettre entraîne une déformation du membre en question. Le kabbaliste prophétique se rapproche des pratiques des yogas indiens, de ses techniques respiratoires et de sa maîtrise du corps liées à une prononciation sacrale des divers phonèmes. «Ce sont les lettres qui ont pénétré dans sa pensée et son imagination, qui l'influencent par leur mouvement et qui concentrent sa pensée sur des thèmes différents, bien qu'il ne s'en aperçoive pas», peut-on lire dans le livre du kabbaliste Abulafia, *Portes de la Justice*.

Dans les théories linguistiques européennes du XVI° au XVIII° siècle, fortement marquées par la théologie et ses dérivés, l'hébreu sera la langue fascinatrice, origine commune et chiffre universel. On trouve chez Fabre d'Olivet l'apothéose de cette apologie de la langue hébraïque dont la véritable lecture permettrait, d'après l'auteur, une compréhension authentique de la Bible qu'il traduit sous le titre de *Sepner* ou *la Cosmogonie de Moïse* (cf. *la Langue hébraïque restituée et le Véritable Sens des mots hébreux*, 1815). Il considère que si l'hébreu n'est pas la langue-mère de l'humanité, comme l'ont cru beaucoup de ses prédécesseurs inspirés du récit biblique, au moins ses principes grammaticaux peuvent « le plus sûrement conduire à cette origine [de la parole] et en dévoiler les mystères ». En s'opposant à la thèse de William Jones qui distinguait trois types fondamentaux de langues : le tatare, l'indien et l'arabe, Fabre d'Olivet propose la trichotomie chinois-indien-hébreu. Et dans l'esprit comparatiste de son siècle, voici comment il décrit les mérites de l'hébreu : « J'ai dit que le chinois, isolé dès sa naissance, parti des plus simples perceptions des sens, était arrivé de développements en développements aux plus hautes conceptions de l'intelligence ; c'est tout le contraire de l'hébreu : cet idiome formé d'une langue parvenue à sa plus haute perfection, entièrement composée d'expressions universelles, intelligibles, abstraites, livré en cet état à un peuple robuste, mais ignorant, est tombé entre ces mains de dégénérescence en dégénérescence et de restriction en restriction, jusqu'à ses éléments les plus matériels ; tout ce qui était esprit y est devenu substance ; tout ce qui était intelligible est devenu sensible ; tout ce qui était universel est devenu particulier. » Ces réflexions, dans lesquelles la prétention scientifique recouvre une spéculation idéologique qui s'est souvent greffée sur l'étude du langage, sont typiques, surtout en ce qui concerne les langues des grandes religions.

8. La Grèce logique

En posant les bases du raisonnement moderne, la philosophie grecque a donné aussi les principes fondamentaux d'après lesquels le langage a pu être pensé jusqu'à nos jours. En effet, si la linguistique de ces dernières années et la théorie de la signification en général s'écartent de plus en plus des notions traditionnelles qui ont dominé la réflexion classique du langage, ce n'est qu'un phénomène tout récent et encore peu assuré. Des siècles durant, les principes mis au point par les Grecs ont guidé les théories et les systématisations linguistiques en Europe. Et même si chaque époque et chaque tendance déchiffraient à leur façon les modèles légués par les Grecs, les conceptualisations

fondamentales du langage, de même que les classifications de
base, sont restées constantes.

Les Grecs sont les premiers — après les Phéniciens qu'ils
considèrent comme leurs maîtres en la matière — qui aient
utilisé une écriture *alphabétique*. En empruntant aux Phéniciens
leur alphabet consonantique et en l'accommodant aux caractéristiques de la langue grecque (dont les radicaux ne sont pas
consonantiques comme dans les langues sémitiques), ils ont été
obligés d'introduire des marques pour les voyelles. Chaque
lettre a reçu un nom (alpha, bêta, gamma, etc.), la lettre marquant le phonème initial de son nom : β - βετα.

Cette analyse du signifiant en ses composants minimaux n'est
pas un phénomène isolé dans la démarche de la connaissance
grecque.

Les philosophes matérialistes avant Socrate, dans leurs théories du monde physique, divisent infiniment la « substance primordiale et infinie » pour en isoler des *éléments* qui sont les
corrélats des *lettres* du langage, quand ils ne se confondent pas
explicitement avec elles. Ce qu'Empédocle (Vᵉ siècle avant
notre ère) dénomme *éléments*, Anaxagore (500-428 avant notre
ère), *homéomères*, Leucippe (Vᵉ siècle avant notre ère) et Démocrite (Vᵉ siècle avant notre ère), *atomes*, et ce qu'on appellera plus tard στοιχείόν, sont — dans un seul et même processus
de connaissance — le correspondant matériel aux *lettres* de
l'acte signifiant. La division infinie des choses aboutissait donc
chez les présocratiques à une masse de particules, une *semence*
qui les contenait toutes en germe : Anaxagore parlait de
σπέρματα, et Démocrite voyait les grandes masses de l'univers
comme une πανσπερμία. Ces théories physiques pénétraient la
pratique du langage chez certains présocratiques (seuls Parménide et Empédocle parmi les philosophes grecs étaient des
poètes ; Lucrèce ajouta plus tard son nom à cette liste), de même
que la *théorie* du langage, encore en formation chez les présocratiques : Aristote considérait Empédocle comme l'inventeur
de la rhétorique. Ces matérialistes grecs dont Lucrèce exposera
plus tard les théories considéraient nettement les lettres comme
des atomes phoniques, comme des éléments matériels du même
ordre que la substance matérielle. Démocrite fut le premier à
employer les lettres de l'alphabet comme des exemples pour
illustrer ses démonstrations atomistiques. De même Épicure

(341-270 avant notre ère) soutenait que les choses pouvaient être décomposées en éléments infimes et invisibles, conditions de l'engendrement et de la mort, assimilables aux lettres de l'alphabet. La preuve que l'idée de la correspondance sinon de l'adéquation entre les éléments corporels (atomes) et les éléments de la chaîne parlée (lettres) fut courante en Grèce, est donnée par une remarque de Posidonius, selon laquelle les premiers atomistes auraient été les Phéniciens, les inventeurs de l'alphabet.

Or, malgré les matérialistes — derniers défenseurs de la solidarité du langage avec le réel (Héraclite, 576-480 avant notre ère, soutenait que les qualités des choses se reflétaient dans leur phonétisme, tandis que Démocrite pensait que cette correspondance était due à une convention sociale) — le type même d'écriture phonétique, de même que, sans doute, les besoins économiques et idéologiques de la société grecque, suggéraient et ont fini par imposer une conception du langage comme idéalité réfléchissant un dehors, sans autre lien avec lui que *conceptuel*.

En effet, l'écriture phonétique témoigne d'une conception analytique de la substance phonique du langage. Non seulement ce qu'on appellera plus tard le «signifiant» est distingué du référent et du signifié, mais il est divisé en éléments constituants (phonèmes) classés eux-mêmes en deux catégories : voyelles et consonnes. La pensée grecque est donc à l'écoute du langage comme système formel, distinct d'un dehors qu'il signifie (le réel), constituant lui-même un domaine propre, un objet de connaissance particulier, sans se confondre avec son dehors matériel. Nous voyons ici s'accomplir pleinement le processus de séparation du langage d'avec le réel, que nous avons pu constater en parcourant les théories linguistiques des civilisations précédentes.

Le langage n'est plus une force cosmique que l'écriture ordonne en ordonnant en *même temps* le cosmos. Le Grec l'extrait de la gangue unie et ordonnée dans laquelle d'autres mêlaient le réel, le langage et ceux qui le maniaient; il l'entend comme autonome, et par le même geste s'entend comme sujet autonome. Le langage est d'abord une *sonorité*. Comme on a pu le remarquer, dès la tradition homérique, *penser* est décrit comme *parler,* et localisé dans le cœur, mais surtout dans les poumons, φήν, φενός, qu'on considérait comme un diaphragme. En partant de cette conception de la pensée comme *parole vocale,* on aboutira à la notion de λόγος comme équivalent de *ratio* (raison) et d'*oratio* (oraison). S'il est un vocalisme, le langage est en même temps propre à un sujet, il est une faculté vocale subjective authentifiée par le nom propre de l'individu qui parle. L'*Iliade* (I, 250) chante « Nestor au doux langage, l'orateur sonore de Pylos. De sa bouche les accents coulent plus doux que le miel… ». Système *phonique* contrôlé par le *sujet,* le langage est pour ainsi dire un système secondaire qui n'est pas sans influencer le réel, mais qui est loin de s'égaler à la force matérielle. Le Grec se pense comme un sujet existant hors de son langage, comme un adulte possesseur d'un réel distinct de celui des mots, à la réalité desquels ne croient que les enfants. Exemple, cette phrase d'Énée à Péléide : « Ne compte pas m'effrayer avec des mots, comme si j'étais un enfant… On ne nous verra pas revenir du combat ayant réglé notre combat tout bonnement, avec des mots enfantins… » (*Iliade,* XX, 200-215.)

Les principales manifestations de cet accomplissement de la séparation réel-langage sont : l'écriture alphabétique et la théorie phonétique platonicienne et post-platonicienne ; la constitution de la grammaire comme « art de bien écrire » ou science du langage comme système formel ; les discussions et les propositions concernant le rapport du langage à la réalité (déjà connues en Inde, elles parviennent en Grèce à leur forme la plus achevée).

Le célèbre dialogue de Platon (429-347 avant notre ère), *le Cratyle,* témoigne de ces discussions philosophiques qui, considérant comme admise la séparation réel/langage, s'efforcent d'établir les modalités du rapport entre les deux termes. Ce dialogue, fort différent des autres écrits de Platon, et qui présente deux faces souvent contradictoires de la conception socratique du langage (l'une défendue devant Cratyle, l'autre soutenue devant Hermogène, visiblement disciple d'Héraclite), nous livre une conception du langage oscillante, se remettant en question elle-même, et comme incapable d'énoncer quoi que ce soit de scientifique sur la langue : car, dès qu'on touche à la langue, on est la proie d'une « inspiration » irrationnelle. Platon semble répondre aux conceptions des sophistes pour lesquels le langage n'énonce rien de fixé et de stable, étant en plein mouvement lui-même : Parménide (VIᵉ siècle avant notre ère) soutenait en effet que le langage — fluidité insaisissable — apparaît au moment de la dissolution de la réalité immuable, et par conséquent ne peut pas exprimer le réel. Platon répond avec aisance à ses conceptions dans la première partie du *Cratyle*, en avouant toutefois la difficulté qu'il éprouve à expliquer le langage des poètes comme Homère (392-393). Il est plus embarrassé lorsque le disciple d'Héraclite lui propose une théorie d'après laquelle le monde lui-même est en pleine mouvance et en contradiction, et, par conséquent, la mouvance de la langue ne fait que correspondre à la mobilité réelle (440 a-d).

Si l'on peut dégager des *problèmes centraux* dans cette forme peu légiférante de dialogue, nous insisterons sur deux d'entre eux : d'abord, la position platonicienne dans la polémique sur le caractère θέσει (conventionnel) ou φύσει (naturel) du langage : les noms sont-ils donnés aux choses par un contrat social, ou au contraire découlent-ils de la nature des choses ? Ensuite, et par conséquent, la systématisation platonicienne des éléments et parties du langage.

Platon opte pour le caractère φύσει du langage, mais en donnant une signification plus précise à ce terme dont il y avait quatre interprétations dans les discussions précédentes. Il concilie les deux thèses en postulant que le langage est bien une *création* humaine (et, dans ce sens, conventionnelle) qui découle pourtant de l'essence des choses qu'elle représente (et dans ce sens cette création est naturelle) et, en raison de ce fait, devient une obligation, une loi pour la société. Le *nom*, νόμος, pour Platon signifie *loi, coutume, usage*.

Parler, c'est bien se distinguer des choses en les *exprimant*, en leur donnant des noms. *Nommer* devient l'*acte* différentiel qui *donne lieu* à la parole, car il *situe* cette parole (avec son sujet) face aux choses : « Or nommer, n'est-ce pas une partie de l'action de parler ? Car en nommant, n'est-ce pas ? on parle… Nommer est donc un acte, si parler était bien un acte qui se rapporte aux choses ?… »

Le *nom* distinct de la chose « est un *instrument* qui sert à instruire, et à distinguer la réalité comme la navette fait le tissu ». « Un bon tisserand se servira donc comme il faut de la navette, et ''comme il faut'' veut dire : de façon propre au tissage; un bon instructeur, comme il faut du nom, et "comme il faut" signifie : de façon propre à instruire. »

Le langage a donc une fonction *didactique,* il est un instrument de la *connaissance.* Le nom lui-même est déjà une connaissance de la chose : « quand on sait les noms, on sait aussi les choses », dit Cratyle (435 d), « il est impossible de parler faux » (429 d). Mais Socrate distingue cette « connaissance toute faite » (μαθεῖν) des choses par les noms, de la recherche personnelle philosophique de la vérité.

Le nom n'en est pas moins un révélateur de l'essence des choses, car il leur ressemble. Le rapport nom/chose est un rapport de *semblance,* voire d'imitation : « Ainsi, le nom est, semble-t-il, une façon de mimer par la voix ce que l'on mime et nomme, quand on se sert de la voix pour nommer ce qu'on mime. » Le nom est un simulacre par la *voix,* différent du simulacre par le son et la couleur : « au moyen de leurs lettres et de leurs syllabes, l'auteur se saisit de leur être [des choses], de manière à en *imiter l'essence* » (424 a). Le nom donc « semble posséder une certaine *justesse naturelle,* et il n'appartient pas à tout le monde de savoir l'appliquer comme il faut à n'importe quel objet » (391 a). Pour démontrer cette justesse naturelle des mots, Platon procède à une étude « étymologique » de divers types de mots : noms propres, mots composés ou décomposés par Platon, mots « primitifs » indécomposables pour Platon. Souvent douteuse, cette étymologie démontre le postulat platonicien : le mot est une expression du *sens* dont l'objet nommé est chargé.

On s'aperçoit que dans la conception platonicienne, non seulement le langage est extrait du réel qu'il nomme et considéré comme un objet à part qui est *à créer,* mais aussi que le signifié lui-même est isolé du signifiant, et, plus encore, placé comme existant *avant* lui. Le signifié précède le signifiant; distinct du référent et comme l'oubliant, il s'étale en un domaine dominateur et privilégié : le domaine de l'*idée.* Créer des mots consistera à trouver une écorce phonique pour cette idée « déjà là ». *Le langage sera surtout un signifié qu'il s'agira d'organiser logiquement ou grammaticalement.*

On a pu observer que certaines théories modernes, telles les positions de Cassirer (*Philosophie des Symbolischen Formen, I, Die*

Sprache, Berlin, 1923), suivent les postulats platoniciens et continuent à privilégier le *sens* en omettant le *signifiant* dans l'organisation du langage. Le mot, pour de telles théories, est un symbole conceptuel... Sur un tel fond, on appréciera encore plus le rôle de Saussure qui a mis l'accent sur la *forme* du signe, et a ouvert ainsi la voie à une étude du signifiant en même temps qu'à une analyse réellement syntaxique (relations formelles) du langage.

Pour Platon donc, c'est le *législateur* qui établit le *nom* en connaissant la *forme* ou la matrice *idéale* de la *chose*. « Ce n'est pas au premier venu qu'il appartient d'établir le nom, mais à un faiseur de nom ; et celui-là, semble-t-il, est le législateur, c'est-à-dire l'artisan qui se rencontre le plus rarement chez les humains » (389 a). Le nom imposé par le législateur ne s'applique pas directement à la chose, mais à travers un intermédiaire : *sa forme* ou *son idée*. « Le nom qui est naturellement approprié à chaque objet, notre législateur ne doit-il pas savoir l'imposer aux sons et aux syllabes, et avoir les yeux fixés sur ce qui est le nom en soi, pour créer et établir tous les noms, s'il veut faire autorité en cette matière ? » (389 d.) Et encore : « Tant qu'il imprimera la forme de nom requise par chaque objet à des syllabes de n'importe quelle nature, ne sera-t-il aussi bon législateur, chez nous ou partout ailleurs ? » (390 a)... Deux restrictions freinent pourtant la loi du législateur. D'une part, c'est au *dialecticien,* c'est-à-dire à celui qui connaît l'art d'interroger et de répondre, qu'appartient de juger le travail du législateur. D'autre part, quelque *naturel* que puisse être un nom, « la convention en quelque manière, et l'usage doivent nécessairement contribuer à la représention de ce que nous avons dans l'esprit en parlant » (435 a).

Comment Platon systématise-t-il le langage ainsi créé ?

Dans l'ensemble linguistique il distingue une couche sonore qu'il divise en *éléments* — στοιχεĩα. Aristote (384-322 avant notre ère) définira plus tard le στοιχεĩον ainsi : « *Élément* se dit du premier composant immanent d'un être et spécifiquement indivisible en d'autres espèces : par exemple, les éléments du mot sont les parties dont est composé le mot et en lesquelles on le divise ultimement, parties qu'on ne peut plus diviser en d'autres éléments d'une espèce différente de la leur ; mais si on les divisait, leurs parties seraient de même espèce comme une particule d'eau est de l'eau, tandis qu'une partie de la syllabe n'est pas une syllabe…» «L'élément de chaque être est son principe constitutif et immanent» (*Métaphysique,* Δ 3). Le terme στοιχεῖον désigne aussi les quatre éléments d'Empédocle, de même que les termes, axiomes, postulats et hypothèses de la géométrie, et toute proposition mathématique.

A lire le développement platonicien sur les éléments phonétiques, le lecteur moderne s'aperçoit que, loin d'être purement formelle, la théorie phonétique de Platon découle de sa théorie du sens, qu'elle est d'abord sémantique : «Puisque c'est avec des syllabes et des lettres que se fait *l'imitation de l'essence,* le procédé le plus juste n'est-il pas de distinguer d'abord les éléments (στοιχεῖα)? Ainsi font ceux qui s'attaquent aux rythmes; ils commencent par distinguer la *valeur* des *éléments,* puis celle des syllabes, et c'est alors mais alors seulement, qu'ils abordent l'étude des rythmes.»

Si Platon admet l'existence d'un sens avant le langage (l'*essence*), il ne précise pas nettement si le signifiant joue un rôle dans la constitution de ce sens. Par endroits il admet que «le même sens s'exprime par telles ou telles syllabes, peu importe; qu'une lettre soit ajoutée ou retranchée, cela non plus n'a aucune importance, tant que domine l'essence de l'objet manifestée dans le nom» (393 d, cf. aussi 394 a, b); ailleurs il rappelle que «l'addition et la suppression de lettres altèrent profondément le sens des noms, si bien qu'avec des changements minuscules on leur fait parfois signifier le contraire» (417 d).

Le terme d'*élément,* synonyme de lettre, recouvre dans *le Cratyle* la notion de *phonème :* il s'agit bien de l'élément minimal de la chaîne sonore. Platon distingue : les voyelles, les consonnes et une troisième catégorie, «ceux qui, sans être des voyelles, ne sont pourtant pas des muettes» (424 c). Les éléments forment les *syllabes* au-delà desquelles on peut retrouver le rythme de l'énoncé (424 b).

Si chez Platon les concepts de *lettre* et de *phonème* ne sont pas distingués, plus tard les savants vont parler de *figura,* forme écrite de la lettre, et de sa *potestas* ou valeur phonique (cf. Diogène Laërce VII, 56; Priscien I, 2, 3-1, 3, 8).

Chez Platon les syllabes forment les *noms* et les *verbes* avec lesquels se constitue «un grand et bel ensemble, comme l'être vivant reproduit par la peinture; ici, c'est le discours que nous constituerons, par l'art des noms et par la rhétorique, bref, par l'art approprié» (425 a).

Nous voyons s'énoncer ici la *grammaire*, γραμματική, l'art d'écrire, sans doute d'origine scolaire et pratiquée par Socrate en tant qu'*étude des lettres* comme éléments des mots et de leur valeur phonétique, mais aussi déjà comme une étude des *parties du discours*. La première distinction grammaticale fut visiblement celle des *noms* et des *verbes* : ὄνομα et ῥῆμα (cf. Laërce III, 25). Platon est le premier à l'établir de façon définitive. Quant aux adjectifs, généralement apparentés aux noms, Platon les considère comme des ῥήματα lorsqu'ils sont employés comme prédicats.

Ainsi se constitue la *théorie platonicienne du discours*, théorie philosophique dans laquelle se mêlent des considérations linguistiques (concernant la systématisation des catégories linguistiques) et logiques (concernant les lois du sens et de la signification), sans que ces distinctions soient purement linguistiques ou purement logiques dans l'acception nette et tranchée de ces termes aujourd'hui (cf. G. Steinthal, *Geschichte des Sprachwissenschaft bei den Griechen und Römern...*, Berlin, 1863).

Séparant le réel du symbole, Platon crée l'aire de l'Idée, et c'est là où se meut sa théorie qu'Aristote définira plus tard comme étant d'*ordre logique* : «S'il sépara ainsi du monde sensible l'Un et les Nombres, contrairement aux Pythagoriciens, et s'il introduisit les Idées, ce fut en raison de ses recherches d'ordre logique» (*Métaphysique*, A 6 987 B 32). Aristote pense à cette philosophie du concept que Socrate fut le premier à pratiquer : il n'envisageait pas les choses du point de vue des faits (ἔργα), mais du point de vue des notions et des définitions (λόγοι). C'est cette méthode des λόγοι que Platon applique aussi à son analyse du langage, du discours, du λόγος.

La théorie détaillée de ce discours-logos se trouve chez un autre philosophe grec, Aristote, dispersée dans la masse de ses écrits, ou concentrée dans sa *Poétique*. Le logos, pour Aristote, est une énonciation, une formule, une explication, un discours explicatif ou un concept. *Logique* devient synonyme de concept, de signification et de règles de vérité. Tout recours à la substance du langage et aux spécificités de sa formation est omis : «Le langage n'est pas envisagé du point de vue des faits, disait Aristote, mais du point de vue des notions et des définitions. » Le rapport logos/chose est posé ainsi : « Il y a seulement quiddité des choses dont l'énonciation est une définition » *(Métaphysique* Z 4 1030 a 7)*; ou encore : « La définition étant une énonciation, et toute énonciation ayant des parties ; d'autre part, l'énonciation étant à la chose dans le même rapport que la partie de l'énonciation à la partie de la chose, la question se pose dès lors de savoir si l'énonciation des parties doit être, ou non, présente dans l'énonciation du tout… » (Z 10 1034 B 20), et enfin : « Une énonciation (λόγος) fausse est celle qui, en tant que fausse, exprime ce qui n'est pas » *(Métaphysique, Δ* 29 1024 B 26). Le logos [ici peut-être dans le sens d'« acte signifiant »] est aussi la *cause* des choses, force motrice, équivalent de la matière : « En un sens, par cause nous entendons la substance formelle (οὐσία) ou quiddité (en effet, la raison d'être d'une chose se ramène en définitive à la notion — λόγος — de cette chose, et la raison d'être première est cause et principe) ; en un autre sens encore, la cause est la *matière* ou le substrat ; en un troisième sens, c'est le principe d'où part le mouvement ; en un quatrième, enfin, qui est l'opposé du troisième, la cause, c'est la cause finale ou le bien (car le bien est la fin de toute génération et de tout mouvement) » *(Métaphysique, A* 3 983 25).

Même si l'on considère avec Steinthal qu'avant la période d'Alexandrie il n'y avait pas en Grèce de véritable grammaire, c'est-à-dire une étude des propriétés concrètes de l'organisation spécifiquement linguistique, on constate qu'Aristote a déjà formulé quelques distinctions importantes de *catégories de discours* et leurs définitions. Il sépare les *noms* (avec trois genres) des *verbes* qui ont la propriété majeure de pouvoir exprimer le *temps,* et des *conjonctions* (σύνδεσμοι). Il fut le premier à établir la différence entre le sens d'un mot et le sens d'une proposition : le mot *remplace* ou *désigne* (σημαίνει) quelque chose, la proposition *affirme* ou *dénie* un prédicat à son sujet, ou bien dit si le sujet existe ou non.

Voici, à titre d'exemple, quelques réflexions aristotéliciennes sur les parties du discours, telles qu'elles se présentent dans la *Poétique* (1456 b) :

« Or ce qui concerne la pensée doit trouver place dans les traités consacrés à la rhétorique ; car c'est plutôt propre à cette recherche. *Appartient à la pensée tout ce qui doit être établi par le langage*. Les parties en sont : démontrer, réfuter, émouvoir les passions comme la pitié, la crainte, la colère et toutes les passions de ce genre, et de plus agrandir et abaisser...

« Car quelle serait l'œuvre propre du personnage parlant si sa pensée était manifeste et ne résultait pas de son langage ?

« L'*élocution* se ramène tout entière aux parties suivantes : la lettre, la syllabe, la conjonction, l'article, le nom, le verbe, le cas, la locution (λόγος).

« La *lettre* est un son indivisible, non pas n'importe lequel, mais celui d'un son composé ; car les bêtes aussi émettent des sons indivisibles mais je ne donne à aucun d'eux le nom de lettre (στοιχεῖον).

« La lettre comprend la voyelle, la demi-voyelle et la muette. Est voyelle la lettre qui a un son audible sans qu'il y ait rapprochement de la langue des lèvres ; est demi-voyelle la lettre qui a un son audible avec ce rapprochement, par exemple : le Σ et le P [ce sont les liquides] ; est muette la lettre qui, comportant ce rapprochement, n'a par elle-même aucun son, mais devient audible accompagnée des lettres qui ont un son, par exemple : le Γ et le Δ.

« Ces lettres diffèrent suivant les formes que prend la bouche et suivant l'endroit où elles se produisent...

« La *syllabe* est un son dépourvu de signification, composé d'une muette et d'une lettre qui a un son...

« La *conjonction* est un mot dépourvu de signification, qui n'empêche ni n'amène la composition, à l'aide de plusieurs sons, d'une seule expression significative...

« L'*article* est un mot dépourvu de signification qui indique le commencement, la fin ou la division de la phrase...

« Le *nom* est un composé de sons significatif, sans idée de temps, et dont aucune partie n'est significative par elle-même ;

« Le *verbe* est un composé de sons significatif, avec idée de temps, et dont aucune partie n'est significative par elle-même, comme dans les noms...

« Le *cas* affecte le nom ou le verbe et il indique le rapport "de", "à" et autres semblables, ou bien l'unité ou la pluralité, par exemple "hommes" et "homme", ou bien les modes d'expression du personnage qui parle, par exemple l'interroga-

tion ou l'ordre ; car " a-t-il marché ", " marche " sont des cas du
verbe suivant cette distinction.

« La *locution* (λόγος) est un composé de sons significatif dont
plusieurs parties ont un sens par elles-mêmes (car toutes les
locutions ne se composent pas de verbes et de noms, mais par
exemple dans la définition de l'homme, il peut y avoir locution
sans verbe ; elle devra cependant toujours contenir une partie
significative). Exemple de partie significative par elle-même :
"Cléon" dans "Cléon marche". La locution peut être une des
deux manières, en désignant une seule chose ou étant composée
de plusieurs parties liées ensemble ; c'est ainsi que l'*Iliade* est
une par la liaison de ses parties et la définition de l'homme l'est
parce qu'elle désigne une seule chose... »

Aristote étudie plus loin les types de noms : noms simples,
noms composés, de même que le transport à une chose d'un
nom qui en désigne une autre : métaphore, métonymie, etc.

Ce sont les stoïciens, disciples de Zénon de Cittium (308-264
avant notre ère) qui élaborent une théorie complète du discours
se présentant comme une grammaire détaillée sans être pour
autant distincte de la philosophie et de la logique. Réfléchissant
sur le processus symbolique, les Stoïciens ont établi la première
distinction nette entre *signifiant* et *signifié* (τὸ σήμαινον/τὸ
σημαινόμενον), entre signification et forme, entre intérieur et
extérieur. Ils se sont penchés aussi sur des problèmes de phonétique et sur le rapport du phonétique avec l'écriture. Analysant
les parties du discours, ils les nomment στοίχεῖα plutôt que
μέρη (parties), qu'ils trouvent aussi bien dans le monde physique que dans le langage (cf. R. H. Robins, *Ancient and Medieval Grammatical Theory in Europe,* 1951). Nous n'aborderons
pas ici la logique des stoïciens qui occupe une partie essentielle
de leur théorie du langage ; indiquons cependant quelques-unes
de leurs systématisations purement linguistiques. Ils distinguaient quatre parties du discours :

1. *noms* qui signifient des qualités (les stoïciens distinguaient, on le sait, les catégories suivantes : qualité, état, relation, substance) et se divisent en noms *communs* et noms *propres ;*

2. *verbes* en tant que prédicats (comme les définit Platon) : le
verbe est incomplet sans sujet ; il exprime quatre temps : présent
continu, présent accompli, passé continu, passé accompli ;

3. *conjonctions* (σύνδεσμοι) ;

4. ἄρορα — qui comprennent les pronoms personnels de même que les pronoms relatifs et l'article.

Les stoïciens distinguaient aussi les modalités (ou catégories grammaticales secondaires) suivantes : *le nombre, le genre, la voix, le mode, le temps, le cas* dont ils ont été les premiers à fixer la théorie (Aristote, comme nous l'avons vu, parlait aussi de *cas*, mais comprenait sous ce terme les dérivations, les flexions verbales, etc.).

C'est Alexandrie, centre de livres et de déchiffrement de vieux textes, qui a vu se développer une véritable *grammaire* comme étude spécialisée, directement orientée vers le langage en tant qu'objet organisé en soi, en coupant les ponts qui l'attachaient à la philosophie et à la logique. La Grèce décadente, au bord de sa chute et au paroxysme de ses raffinements mentalistes, engendre les grammairiens : savants méticuleux, quoique, selon Wackernagel, « sans grande hauteur intellectuelle », professeurs consciencieux qui enseignaient aux jeunes générations l'idiome désormais difficile d'Homère, classificateurs assidus de la langue comme forme abstraite. Les plus célèbres d'entre eux furent Philétas de Cos, éducateur du fils de Ptolémée ; Aristarque, commentateur d'Homère ; Cartès de Mallos qui, s'installant à Rome, transmit aux Romains la science de la grammaire. Le plus connu de ces enseignants de la grammaire fut Dionys de Thrace (170-90 avant notre ère) dont Fr. Thurot dans son Introduction (1784) à l'*Hermès ou Recherche philosophique sur la grammaire universelle,* de James Harris, 2e éd. 1765, nous dit qu'il était un « disciple d'Aristarque ; après avoir enseigné la grammaire à Rhodes, où Théophraste surnommé Tyrannion… avait étudié sous lui, vint donner à Rome des leçons de son art, sous le premier consulat de Pompée ».

Pour Dyonis de Thrace la grammaire est plutôt un *art :* il la définit comme « le savoir empirique du langage des poètes et des prosateurs ». Sa phonétique présente une théorie des lettres et des syllabes. Sa *morphologie* distingue déjà *huit* parties du discours : *nom, verbe, participe, article, pronom, préposition, adverbe, conjonction.* Sa syntaxe nous manque. C'est Apollonius Dyscole (IIe siècle de notre ère) qui a élaboré la première syntaxe, en étudiant la langue grecque : cette syntaxe se présente comme une étude plutôt philosophique que linguistique.

Résumons. D'abord indistinct de l'atomisme général et confondu dans une vaste cosmogonie naturaliste ; ensuite isolé — non sans ambiguïté — en tant que logique, théorie des notions et des définitions, systématisation du signifié ; enfin abstrait de la philosophie pour se constituer comme *grammaire*, c'est-à-dire science normative d'un objet particulier, c'est en passant par ces différentes étapes que le langage s'est séparé du réel et que s'est constituée la « linguistique » grecque dont les théoriciens modernes ont repris le geste pour le préciser.

9. Rome : transmission de la grammaire grecque

Les grammairiens alexandrins, lors de leur séjour à Rome, ont transmis aux Romains le savoir grec de la langue : aussi bien les théories d'ordre philosophique que la grammaire. Aussi voit-on Suétone (v. 75-v. 160) dans son ouvrage *De Grammaticis et de Rhetoribus* désigner les premiers auteurs latins, grammairiens et philosophes, comme des *semigraeci*.

Les historiens signalent surtout l'apport de Cratès de Mallos (168 avant notre ère) qui, envoyé à Rome comme ambassadeur du roi Attalos, fut professeur de grammaire et créa ainsi l'école des grammairiens romains parmi lesquels les plus célèbres étaient Varron (Ier siècle avant notre ère), Quintilien (Ier siècle avant notre ère), Donat (350 de notre ère) et Priscien (500 de notre ère).

Les érudits romains, préoccupés surtout d'élaborer une rhétorique, dans le domaine strictement linguistique, ont limité leurs efforts à transposer les théories et les classifications grecques pour les besoins de la langue latine, sans chercher à élaborer des propositions originales sur le langage. Cette transposition s'est faite parfois de façon purement mécanique : la langue grecque étant considérée comme modèle universel de la langue en général, il fallait à tout prix découvrir ses catégories dans la langue latine. On voit donc que l'idée prédominante dans l'étude du langage à Rome était celle de l'universalité des catégories logiques, préétablies d'après la langue grecque et immuables dans les autres langues. Il en découlait, sur le plan pratique, peu d'intérêt pour les langues étrangères qui pourtant abondaient dans l'empire romain. César avait besoin d'interprètes en Gaule, Ovide avait écrit un poème en langue gète, Aelius Stilo avait entrepris une étude des langues italiques, mais ce ne furent que des cas isolés dans les usages latins, et qui n'ont pas franchi le seuil des doctrines linguistiques elles-mêmes.

C'est Varron qui, le premier des grammairiens latins, a élaboré la théorie la plus complète du langage, dans son ouvrage *De lingua latina,* dédié à Cicéron.

En ce qui concerne les problèmes généraux du rapport du langage à la réalité, Varron prend parti dans la discussion, transmise elle aussi par les Grecs, sur le caractère « naturel » ou « conventionnel » du langage. A Rome, cette controverse est connue sous le nom de querelle entre *analogistes* et *anomalistes*. Les analogistes considéraient que le domaine non linguistique se reflétait dans le domaine grammatical, tandis que les anomalistes soutenaient la thèse inverse : pour eux, il existe une différence nette entre les catégories réelles et les catégories grammaticales. Varron essaie de concilier les deux thèses : pour lui, la langue exprime la régularité du monde, mais elle-même possède des irrégularités. Une théorie *normative* du langage, elle aussi héritée des Grecs, s'esquisse ainsi. Il s'agirait de faire une grammaire qui postule les règles d'un usage linguistique considéré comme *correct* (c'est-à-dire en général conforme aux catégories logico-grammaticales grecques), plutôt que de faire de cette grammaire une étude *descriptive* découvrant les particularités de chaque nouvelle langue ou nouveau style qu'elle aborde. Rappelons dans cette controverse entre analogistes et anomalistes la position de César. Car l'empereur s'intéressait au langage, et ce fait est sans doute une des preuves supplémentaires de l'autorité et de l'importance des études linguistiques à Rome. César est l'auteur d'une *Analogie* dans laquelle il défend le principe de la régularité grammaticale; contre le langage irrégulier, César propose certaines modifications des catégories linguistiques.

Les intérêts principaux de Varron sont d'ordre *grammatical* — il analyse et systématise d'abord la grammaire comme étude du langage, ensuite les catégories linguistiques elles-mêmes. Il nous reste aujourd'hui les livres V à X de son ouvrage *De lingua latina* (rédigé de 47 à 45) en vingt-cinq volumes (d'après saint Jérôme), aussi bien que quatre cent cinquante fragments de traités divers. Varron définit la grammaire ainsi : « La grammaire prend sa source dans l'alphabet ; l'alphabet se représente sous forme de lettres, les lettres s'assemblent en syllabes ; une réunion de syllabes donne un groupe sonore interprétable ; les groupes sonores interprétables s'assemblent en parties du discours, par leur somme les parties du discours forment le discours ; c'est dans le discours que s'épanouit le bien parler ; on s'entraîne au bien parler pour éviter les fautes. » Varron considère la grammaire comme la base de toute science, et justifie cette place privilégiée par une étymologie inventée de toutes pièces : grammaire viendrait de « *verum boare* », *clamer la vérité*. Épousant les principes des stoïciens selon lesquels la langue n'est pas conventionnelle, mais naturelle, donc non pas analogique, mais anomalique, Varron la systématise en suivant les acquisitions des grammairiens qui l'ont précédé.

La première branche de la grammaire que Varron distingue est celle qui rechercherait le rapport des *mots* aux *choses*. Il l'appelle *étymologie* et se livre à des recherches étymologiques dont la valeur scientifique apparaît aujourd'hui comme inexistante. Il vise à trouver les « mots d'origine », les éléments de base indispensables à toute langue et qui doivent exprimer les quatre catégories philosophiques de Pythagore : le corps, l'espace, le temps et l'action. Une fois de plus fidèle aux conceptions grecques du langage, le grammairien romain systématise le langage d'après les coordonnées d'un système d'*idées* (système conceptuel, philosophique), en le subordonnant à ce système. Autrement dit, c'est une systématisation des *signifiés* d'après une certaine doctrine philosophique qui préside à la classification linguistique, le *signifiant* étant oublié. Peut-être pourrait-on dire que les grammairiens grecs et romains, ayant *entendu* le *signifiant* (la preuve : leur écriture phonétique), l'ont censuré pour le *comprendre* comme un *signifié* : pour en faire la manifestation d'une *idée* qui le transcende.

Voici deux exemples d'analyse « sémantique » chez Varron : le premier constituant un « champ sémantique », le second se donnant comme une « étymologie » :

« Mais partout où s'étendra la famille d'un mot, où elle

poussera ses racines en dehors de son propre domaine, nous la poursuivrons. Car souvent les racines d'un arbre en bordure se propagent sous la récolte du voisin. Aussi, parlant du lieu, je ne m'égarerai pas si de *ager* (champ) je passe à *agrarius homo* (villageois) et à *agricola* (laboureur). »

« *Terra* est ainsi appelée, écrit Aelius, du fait qu'on la foule *(teritur)*. C'est pourquoi dans les *Livres des Augures* on trouve *tera* écrit avec un seul R. Aussi le terrain qui, près d'une ville, est laissé à l'usage collectif des colons s'appelle-t-il *teritorium* parce qu'on le foule *(teritur)* beaucoup... Le soleil *(sol)* est ainsi nommé parce que les Sabins l'ont appelé ainsi, ou bien parce qu'il est le seul *(solus)* à briller au point que de ce dieu *(deus)* émane la lumière du jour *(dies)*. »

La deuxième partie de la grammaire de Varron devait s'occuper de la formation et des flexions des mots : c'est la *morphologie*. Il distingue des *mots variables* et des *mots invariables,* et les classe en quatre catégories : *noms, verbes, participes, conjonctions* et *adverbes.* Il étudie également les flexions des noms et pose des *catégories secondaires* pour examiner les autres parties du discours. Ainsi pour le *verbe,* la *voix* et le *temps* (présent, passé et futur). En appliquant le système des cas grecs à la langue latine, Varron traduit les termes grecs qui désignent ces cas : un d'eux, αιτιατική signifiait le cas de ce sur quoi on agit, ou l'objet ; mais Varron a cru que le mot grec était αἰτιάομαι qui signifie *accuser,* et l'a traduit par *casus accusativus.* Voici comment Varron répartissait les parties du discours :

nominatus	1. *vocabula* (noms communs)
	2. *nomina* (noms propres)
articuli	3. *provocabula* (pronoms et adjectifs interrogatifs, indéfinis)
	4. *pronomina* (autres pronoms)
	5. *dicandi* ou *pars quae habet tempora* (verbes)
	6. *adminiculandi* ou *pars quae habet neutrum* (invariables)
	7. *inugendi* ou *pars in qua est utrumque* (participes).

Enfin, la troisième partie de l'étude du langage devait être une *syntaxe*, s'occupant des rapports des mots dans la phrase. Cette partie ne nous est pas parvenue.

Un autre grammairien latin, Quintilien, qui a vécu au Ier siècle et fut l'auteur de l'*Institutio Oratoria* (nous y reviendrons plus loin), est resté célèbre pour avoir examiné la catégorie du *cas*. A la place des six cas grecs il proposa sept cas latins, tenant compte ainsi de la différence de sens entre l'*ablatif* et le *datif* en latin. Il estimait que la différence de sens entre les cas pouvait correspondre à une différence de « structure » entre les langues en question. Or Quintilien semble avoir fait une erreur que Priscien a plus tard corrigée : il a réduit le cas à une seule de ses acceptions en oubliant qu'un cas peut en avoir plusieurs et qu'il peut exprimer ainsi des variations de modalités sans qu'il soit nécessaire d'introduire un nouveau cas.

A côté de ces constructions proprement linguistiques, Rome a connu la plus grande somme matérialiste de l'Antiquité, rassemblement de toutes les théories matérialistes léguées par la Grèce. Ce fut le *De natura rerum* de Lucrèce (91-57 avant notre ère) qui, sous la forme d'un poème héritant de la tradition d'Empédocle et d'Épicure, renoue, en les exposant, avec les théories atomistes et en général matérialistes de Leucippe, Démocrite, Épicure. Dans cette œuvre, fait capital pour notre propos, le poète latin développe explicitement une *conception atomiste* du fonctionnement signifiant. D'abord, le langage n'est pas pour lui une convention ; pour Lucrèce comme pour Épicure, les facteurs de la formation du langage sont la *nature* et le *besoin :* la parole n'est pas un mérite du sujet humain, elle est une loi de la nature que les animaux possèdent aussi à leur façon :

« Quant aux divers sons du langage, c'est la nature qui pousse les hommes à les émettre, et c'est le besoin qui fit naître les noms des choses...

« Penser alors qu'un homme ait pu donner à chaque chose son nom, et que les autres aient appris de lui les premiers éléments du langage, c'est vraiment folie. Si celui-là a pu désigner chaque objet par son nom, émettre les divers sons du langage, pourquoi supposer que d'autres n'auraient pu le faire en même temps que lui ? En outre, si les autres n'avaient pas également usé entre eux de la parole, d'où la notion de son utilité lui est-elle venue ? De qui a-t-il reçu le premier privilège de savoir ce qu'il voulait faire et d'en avoir la claire vision ? De même un seul homme ne pouvait contraindre toute une multitude et, domptant sa résistance, la faire consentir à apprendre les noms de chaque objet ; et d'autre part trouver un moyen d'enseigner, de persuader à des sourds ce qu'il est besoin de faire, n'est pas non plus chose facile : jamais ils ne s'y fussent prêtés ; jamais ils n'auraient souffert plus d'un temps qu'on leur écorchât les oreilles des sons d'une voix inconnue.

« Enfin qu'y a-t-il là de si étrange que le genre humain, en possession de la voix et de la langue, ait désigné suivant des impressions diverses les objets par des noms divers ? Les troupeaux privés de la parole et même les espèces sauvages poussent bien des cris différents, suivant que la crainte, la douleur ou la joie les pénètrent ; comme il est aisé de s'en convaincre par des exemples familiers. » (V, 1028-1058.)

Si le langage n'est nullement une donnée ou une convention susceptible d'interprétations superstitieuses, que Lucrèce combat, mais au contraire une propriété *naturelle,* obéissant aux *besoins* d'une communauté humaine, sa composition reflète la composition atomistique de la matière. Avec cette différence que les atomes qui font les choses sont beaucoup plus nombreux, et que pour la formation des mots l'*ordre* est d'une importance capitale. « Car les mêmes atomes qui forment le ciel, la mer, les terres, les fleuves, le soleil forment également les moissons, les arbres, les êtres vivants ; mais les mélanges, l'ordre des combinaisons, les mouvements diffèrent. Ainsi, à tout endroit de nos vers même, tu vois une multitude de lettres communes à une multitude de mots, et pourtant il te faut bien reconnaître que vers et mots diffèrent et par le sens et par le son. Tel est le pouvoir des lettres par le seul changement de leur ordre. Quant aux principes des choses, ils mettent en œuvre bien plus de moyens pour créer les êtres les plus variés. » (I, 823-829.)

On voit que la réflexion sur la construction linguistique fait partie d'une théorie de la connaissance matérialiste pour laquelle le langage reflète la réalité, et par conséquent doit nécessairement se composer d'éléments équivalents à ceux que la science de la nature isole comme éléments minimaux de l'ordre naturel : les atomes. Lucrèce explique la pensée par des *simulacres* composés d'atomes : la pensée reflète donc le dehors par des simulacres qui se composent d'atomes de la même façon que ce dehors lui-même. Le *langage* est conçu comme une matérialité sonore : Lucrèce envisage les mots comme un assemblage de *sons*-atomes réels dont le matérialiste n'a qu'à décrire le façonnement par la bouche, la langue et les lèvres, de même que la propension physique dans l'espace de la communication. Aucune analyse du sens, à travers l'*idée* et les catégories idéales que la Grèce élabore avec et après Platon, n'est présentée : Lucrèce revient au matérialisme pré-platonicien.

Insistons surtout sur le fait que l'adoption du *langage poétique* pour un exposé théorique *révèle* la conception du langage chez Lucrèce. Des études détaillées ont pu démontrer comment l'organisation *signifiante* du poème devient la preuve de la théorie linguistique de Lucrèce pour lequel, nous l'avons vu, les lettres sont des atomes matériels, et les atomes des lettres : car la fonction poétique rend possible une manifestation nette de la correspondance entre la chose matérielle et la substance phonique du langage. Ainsi, « en changeant leur position, les mêmes atomes produisent le *feu* et le *bois, ignes* et *lignum,* comme les deux mots *ligna* et *ignis,* tout en ayant les mêmes sons, se distinguent par leur sens à force d'ordonner différemment ces sons », écrit Lucrèce (I, 907). Suivant ce principe, Lucrèce démontre implicitement dans ses vers l'« étymologie » des mots — *materuum nomen* est composé des atomes signifiants de *mater* et *terra :*

> « Linguitur ut merito *mater*uum nomen adepta
> *terra* sit, e *terra* quoniam sunt cuncta creata. »(V, 795.)
> « Quare etiam atque etiam : *materuum* nomen adepta
> *terra* tenet marito, quoniam genus ipsa creavit. » (V, 821.)

Il y a donc une théorie du langage *implicite* dans la pratique de la langue chez Lucrèce, et probablement dans tout ce qu'on appelle « poésie » : il construit les mots comme si les lettres (sons) étaient en même temps les atomes d'une substance qu'il suffit de prélever d'un objet matériel pour créer un nouvel assemblage, à la fois objet et nom. Les mots ne sont pas des entités indécomposables (la science moderne l'a démontré à son tour ; voir la première partie de cet ouvrage) tenues par leur sens, mais des assemblages d'atomes signifiants, phoniques et scripturaux, qui volent de mot en mot, créant ainsi des rapports insoupçonnés, inconscients, parmi les éléments du discours ; et cette mise en relation des éléments signifiants constitue une *infrastructure signifiante* de la langue qui se fond avec les éléments en relation ordonnée du monde matériel. Grammont écrivait à propos de tels phénomènes dans le langage poétique : « Il est reconnu que les poètes dignes de ce nom possèdent un sentiment délicat et pénétrant de la valeur impressive des mots et des sons qui les composent ; pour communiquer cette valeur à ceux qui lisent, il leur arrive souvent de représenter autour du mot principal des phonèmes qui le caractérisent, en sorte que ce mot devient en somme le générateur du vers tout entier dans lequel il figure… » *(Traité de phonétique*, 1933 ; cf. à ce sujet Saussure, *les Anagrammes.)*

Après ce sursaut matérialiste dans la conception du langage, essayant de le ramener à une cosmogonie matérialiste globale, le déclin de Rome, comme le déclin de la Grèce, donna lieu à une abondante spéculation formelle sur le langage étudié comme objet en soi pour les buts de l'enseignement. Quelques siècles après Lucrèce, donc, l'étude du langage a connu une nouvelle gloire. Un des grammairiens romains tardifs, Donat (IVᵉ siècle de notre ère) a écrit un ouvrage devenu célèbre au Moyen Age, *De partibus orationis Ars Minor*. A cette époque, Rome décadente, pareille à Alexandrie et remuée par le christianisme, se met aux études érudites des auteurs de son âge d'or : Cicéron, Virgile, favorisant ainsi les études grammaticales à but didactique et pédagogique. Donat procède à une description minutieuse des lettres, qui devient un véritable traité de phonétique. Il donne aussi une énumération des fautes courantes qu'il trouve chez ses élèves, de même qu'une liste des tournures stylistiques des auteurs classiques.

L'étude de la langue latine est déjà suffisamment avancée pour que les savants puissent la distinguer de la langue grecque après l'avoir assimilée à elle. Macrobius (IVᵉ siècle de notre ère) procède à la première étude comparée du grec et du latin.

Mais c'est chez Priscien *(Institutiones grammaticae)* que la grammaire latine trouve son apogée. Grammairien latin de Constantinople, il a entrepris, sur la commande du consul Julien, l'adaptation au latin des enseignements des grammairiens grecs. Son but n'était que de mettre en latin les préceptes d'Appolonius et d'Hérodien, tout en utilisant l'acquis des premiers grammairiens latins. Mais le résultat de son travail fut beaucoup plus considérable.

L'importance historique de Priscien consiste dans le fait qu'il fut le premier en Europe à élaborer une *syntaxe*. Cette conception de la syntaxe, exposée dans les livres XVII et XVIII de ses *Institu-*

tiones, s'inspire des théories logiques des Grecs et s'élabore dans une perspective logique. Pour Priscien, la syntaxe étudie « l'arrangement qui vise à l'obtention d'une oraison parfaite ». Comme le remarque J.-Cl. Chevalier *(la Notion de complément chez les grammairiens*, 1968), c'est une « étude des formes et de leur ordre, dans une perspective logique, puisque la notion d'*Oratio perfecta* est une notion logique ».

Les deux livres de syntaxe de Priscien s'ajoutent à seize livres de morphologie. Rien que ce fait prouve que Priscien reconnaît une *morphologie* distincte et indépendante de la syntaxe : les mots peuvent donc avoir une forme particulière qui suffit à leur donner un sens, indépendamment des relations dans lesquelles ils se trouvent à l'intérieur de la phrase.

Tout en considérant le mot comme une unité indivisible, Priscien esquisse une « syntaxe » du mot en le décomposant en parties signifiantes, le tout étant le résultat de ces parties : vires = vir (cf. 1, R. H. Robins, *Ancient and Mediaeval Grammatical Theory in Europe*, Londres, 1951), et remarque qu'il s'agit là d'une véritable théorie des *morphèmes*. En suivant Dyonis de Thrace, Priscien distingue huit parties du discours qui se différencient par leur sens.

Or, pour que le sens de l'ensemble énoncé soit clair, il faut que chaque forme ait une fonction (syntaxique) précise dans le contexte, surtout quand il s'agit de formes (genre, nombre, cas, temps) qui n'obtiennent leur sens plein que dans le contexte (ainsi les personnels dont le genre n'est pas marqué : *me ipsum* et *me ipsam*). Dans de tels cas de « significations différentes, la construction est tout à fait nécessaire pour les rendre claires ». Un exemple : *amet* employé seul est impératif ; accompagné d'un adverbe *(utinam)*, le mot est optatif ; avec une conjonction, il est subjonctif. En dernier lieu, et après la reconnaissance de sa fonction syntaxique, le terme doit être rapporté à l'étude des formes : « Toute construction, en effet, que les Grecs appellent syntaxe, doit être ramenée à l'intellection de la forme. »

L'idée de Priscien est donc d'équilibrer les apports de la morphologie et de la syntaxe dans l'étude grammaticale, car la véritable compréhension de l'énoncé dépend aussi bien des catégories morphologiques de ses parties que de leur fonction syntaxique. « Ce ne sont donc pas plus les formes que les mots qui ont de l'importance dans la répartition de ces mots que leur

signification [signification ici veut dire *rôle dans la phrase*].»
Ainsi, même si les deux livres syntaxiques suivent l'ordre des
chapitres morphologiques (article, pronom, nom, verbe), l'auteur signale de nombreux cas de passage — *substitution* — d'une catégorie morphologique à une autre, en raison de
la fonction syntaxique qui lui attribue implicitement un morphème supplémentaire : «Il faut savoir que, dans certaines parties du discours, on peut entendre d'autres parties : ainsi, si je
dis *Ajax,* je sous-entends du même chef ''un'' grâce au nombre
singulier ; si je dis *Anchisiades,* j'entends le génitif singulier du
primitif et le nominatif singulier de *filius ;* si je dis *divinitus,*
j'entends un nom avec la préposition *ex (ex diis);* si je dis
fortior, j'entends *magis* et le primitif au positif. Les exemples
sont innombrables et il serait faux de supposer une ellipse
comme de *filius* à *Anchisiades.*» On remarquera que cette analyse en *substitution* est proche des théories distributionnelles des
grammaires américaines modernes (cf. p. 235 et suivantes).

Si la morphologie est complétée par la syntaxe et la syntaxe
ne fait que s'ajouter à la morphologie, cet ensemble ne tient que
dans la mesure où il est soumis à la *logique.* La logique, donc,
soude et détermine la grammaire, obéissant ainsi à la tradition
grecque qui a posé le langage (et ses catégories) en position
d'expression de la pensée (et de ses catégories) transcendante.
Deux concepts logiques, au demeurant vagues, sont nécessaires
à la réflexion linguistique de Priscien : celui d'*oraison parfaite*
(discours à sens plein et se suffisant à lui-même) et d'*oraison
imparfaite* (assemblage de mots ayant besoin d'être complété
pour avoir un sens plein : «Si je dis : *accusat, videt, insimulat,*
ces verbes sont imparfaits et ont besoin qu'on leur adjoigne des
cas obliques pour la perfection du sens»), et celui de *transitivité*
(il y a construction *intransitive* lorsque le sens concerne la
personne parlante, *transitive* lorsque l'action passe sur une autre
personne, et *absolue* lorsque le verbe n'a pas besoin de cas
oblique).

Une dernière remarque concernant les théories de Priscien.
Comme l'écrit Chevalier, Priscien «semble d'abord distinguer
entre les constructions inhérentes à la catégorie du mot recteur et
les catégories inhérentes au sens du mot. Il définit ainsi deux
types de relations». De telles conceptions chez Priscien permettraient de voir en lui le précurseur de certaines théories

modernes du langage, telles les propositions distributionnelles
et génératives (cf. p. 240 et 251). Nous donnerons ici l'exemple
"génératif" cité par Chevalier : « Le nominatif est adjoint au
génitif quand il exprime une chose possédée et un possesseur :
nous mettrons au nominatif la chose possédée et au génitif le
possesseur, comme *Hector filius Priami*... On peut "interpréter" cette tournure en adjoignant un verbe qui signifie la possession ; la chose possédée troque alors son nominatif contre un
accusatif, le possesseur son génitif contre un nominatif, sous la
pression de la nature du verbe, puisque intransitivement elle
exige le nominatif et transitivement l'accusatif : "*Quid est enin
filius Priami ?* " ; en employant la méthode d' "interprétation",
nous disons : "*Hoc est Hectorem filium Priamus possidet.* " »

D'une part, cette "interprétation" nous donne à penser que
Priscien — tout en acceptant comme incontestable la thèse de la
langue en tant que système *logique* — a bien dû constater la
différence et l'inadéquation qui subsistent entre les catégories
logiques (qui restent toujours les mêmes) et la construction
linguistique (qui, elle, varie) : c'est précisément dans cet écart
entre les catégories logiques et la construction linguistique que
peut prendre place l'interprétation de Priscien, « interprétation »
qui n'est pas autre chose qu'une description des divers constituants signifiants correspondant à un même signifié. Mais cette
inadéquation ne semble pas mettre en cause la validité du
schéma logique pour l'analyse de la langue, et elle ne mène pas
l'auteur à une théorie selon laquelle le signifiant modifierait à
son tour le signifié logique... D'autre part, il est frappant de
constater à quel point le principe d'interprétation de Priscien,
avec sa clarté et ses limites, évoque la grammaire transformationnelle moderne : en effet, les modèles de Priscien, tout
comme ceux de Chomsky, reposent sur le principe d'un découpage de la pensée en catégories stables, susceptibles de revêtir
des expressions linguistiques différentes, mais qui peuvent
s'interpréter l'une par l'autre ou se transformer l'une en l'autre.
La grammaire de Port-Royal sera la première après Priscien et
Sanctius à définir nettement les postulats de ces catégories
relationnelles logiques qui sous-tendent les catégories linguistiques.

La grammaire de Priscien est devenue le modèle de tous les
grammairiens du Moyen Age. Les érudits français se sont effor-

cés d'obéir à ses postulats et de penser la langue française d'après les modèles de Priscien considérés comme omnivalents, même s'ils se sont révélés avec le temps incapables de saisir les langues nouvelles.

10. La grammaire arabe

Parmi les grandes acquisitions de la réflexion sur le langage au Moyen Age, une place importante incombe à la grammaire arabe. On entendra ici par grammaire arabe les réflexions linguistiques des peuples qui, durant le Moyen Age, sont restés sous la domination du califat.

Tous les spécialistes de la culture arabe s'accordent pour reconnaître l'importance attribuée dans la civilisation arabe à la langue. « La sagesse des Romains est dans leur cerveau, la sagesse des Indiens dans leur fantaisie, celle des Grecs dans leur âme, celle des Arabes dans leur langue », dit un proverbe arabe. Plusieurs penseurs arabes, de tout temps, ont exalté la valeur de la langue, et il semble bien que cette exaltation soit conçue à la fois comme un devoir *national* et une exigence *religieuse*. Le livre sacré de l'islām, le Coran, est un monument écrit de la langue qu'il faut savoir déchiffrer et prononcer correctement pour accéder à ses enseignements.

On a souvent voulu interpréter les théories linguistiques arabes comme des emprunts aux Grecs et aux Indiens, et en effet de nombreux exemples témoignent dans ce sens : nous trouvons chez les Arabes les mêmes disputes entre les partisans du caractère *naturel* et les partisans du caractère *conventionnel* de la langue, et les mêmes catégories logiques, aristotéliciennes, que celles que nous avons trouvées chez les Grecs ; d'autre part, la division des sons en huit groupes d'après les procédés d'articulation — *mahàrig* — correspond aux huit *stana* de Pānini. Toutefois, il est désormais admis que, s'il y a des emprunts grecs ou indiens dans les théories linguistiques arabes, ils concernent en général la logique, mais que la grammaire en est totalement indépendante.

Dès le second siècle de l'islām, on trouve les premiers centres linguistiques arabes à Basra et un peu plus tard à Kūfa. Abu l- Aswad al-Du'ali (mort en 688 ou 718) est considéré comme le fondateur de la grammaire arabe.

La théorie linguistique arabe se distingue par une réflexion subtile sur le phonétisme de la langue. On divisait les sons en *šadid* et *rahw*, d'une part, *safir, takir* et *qalquala*, de l'autre. Cette théorie phonétique était étroitement liée à une théorie de la musique : le grand Halīl al-Farahidi (probablement 718-791) fut non seulement un phonéticien et un grammairien érudit, mais aussi un éminent théoricien de la musique. Un terme comme *haraka*, mouvement employé en phonétique, vient de la musique. D'autre part, grands anatomistes, les Arabes, tel Sība-wayhi, ont été les premiers à donner des descriptions précises de l'appareil vocal, auxquelles ils joignaient des descriptions physiques du mouvement de l'air. Leur analyse du système linguistique était si fine qu'ils pouvaient différencier déjà — sans doute les premiers — l'élément *signifié*, l'élément *phonique (hart)* et l'élément *graphique (alāma)* de la langue. Distinguant aussi les voyelles des consonnes, ils identifiaient la notion de voyelle avec celle de *syllabe*. Les consonnes furent considérées comme l'*essence* de la langue, les voyelles comme des *accidents*. Des sous-classes subtiles de sons, rangées entre les voyelles et les consonnes, complétaient la classification phonétique des Arabes, telle la classe *huruf-al-qalquala*, des sons légers.

Cet intérêt pour la composition phonique de la langue est le corollaire, sinon l'expression, d'un intérêt très accentué pour son système scriptural. En effet, c'est un trait spécifique de la civilisation arabe d'interroger la religion dans et à travers les textes écrits. Les exégèses du Coran, texte sacré d'une écriture sacrée, s'accompagnent d'une explication mystique de la valeur de chaque élément graphique : de la lettre. On a voulu expliquer cette prépondérance accordée à l'écriture dans la civilisation arabe par la nécessité économique et politique dans laquelle se trouvait l'empire arabe d'imposer sa langue, sa religion et sa culture aux peuples envahis. Sans réduire la spécificité d'une conception de l'écriture à des raisons sociologiques, il faut sans doute accepter les deux interprétations (économique et religieuse), et attirer l'attention sur le développement artistique et *ornemental* du système scriptural arabe.

En effet, les premiers spécimens d'écriture arabe datent environ du IVᵉ siècle de notre ère et sont des emprunts de signes
graphiques aux peuples voisins, sans aucune recherche ornementale ; ils notent souvent avec confusion les sons fondamentaux du langage. Le souci d'embellir les signes graphiques
apparaît dès la constitution de l'État omeyyade. Cette écriture

Caractère ornemental de l'écriture arabe. De haut en bas : écriture coufique se
développant sur un décor floral indépendant ; écriture coufique à bordure géométrique ; écriture ornementale anthropomorphe sur un objet de cuivre.
D'après Janine Sourdel-Thomine, *L'Écriture et la Psychologie des peuples*,
(Centre international de Synthèse, Éd. Armand Colin).

appelée « çoufique omeyyade », si régulière et soignée, servait à fixer toutes les œuvres des souverains dès le calife Abdal-Malik. Dans les sociétés conquises par l'empire arabe, on se met à apprendre la langue, et l'écriture arabe devient avec le Coran l'objet d'une sacralisation. On n'écrit plus seulement pour fixer une parole : l'écriture est un exercice lié à la pratique de la religion, elle est un art, et chaque peuple met son style ornemental propre dans l'exécution de ces graphies. Ainsi, à côté des types de graphies utilitaires, on assiste à une floraison d'*écritures décoratives*. A côté de la calligraphie proprement dite, on remarque des adjonctions et des prolongements géométriques, floraux, d'éléments zoologiques, anthropomorphiques, etc. Après une période d'essor, cette écriture décorative (à partir du XIIe siècle) commence à redevenir plus sobre pour disparaître à la fin du Moyen Age avec le déclin de l'islām comme religion conquérante. Pourtant, les tendances décoratives persistent jusque dans l'écriture arabe moderne, et son rôle reste important dans un monde où c'est l'écriture qui matérialise l'unité ethnique des peuples parlant des dialectes divers.

Mais revenons à la théorie linguistique des Arabes.

La lexicologie en fut une branche prépondérante. On connaît les études d'Isa as-Sagafi (mort en 766), grand lecteur du Coran et auteur de soixante-dix travaux dans le domaine de la grammaire.

C'est chez Halīl que les études phonétiques, lexicologiques et sémantiques prennent une forme ordonnée et achevée. Il fut l'inventeur de la métrique arabe et de ses règles ; il ne nous reste que les vers qui accompagnaient ces règles. Halīl composa le premier dictionnaire arabe, le *Livre Ayna,* dans lequel les mots sont rangés non pas par ordre alphabétique, mais d'après un principe phonético-physiologique reproduisant l'ordre dans lequel les grammaires indiennes rangeaient les sons : gutturales, palatales, etc. La classification des matières suit le principe grec de distinction entre *théorie* et *pratique*. Dans la classe *théorie* sont rangées : les sciences de la nature (alchimie, médecine), les sciences mathématiques et la science de Dieu. La grammaire est placée après la théologie musulmane et avant la jurisprudence, la poésie et l'histoire.

L'élève de Halīl, Sībawayhi, conduit à son sommet la grammaire arabe, dont son ouvrage *Al-Kitāb* est la première grande systématisation.

On a pu signaler le manque d'une théorie grammaticale de la phrase chez ces grammairiens arabes. S'ils distinguent une phrase nominale d'une phrase verbale, ils n'ont pas les concepts de *sujet* et de *prédicat*. Dans la phrase nominale ils indiquent ce qui est pour nous un sujet par le terme *mubtada*, « celui par qui on commence », et dans la phrase verbale par le terme *fa'il*, « agent ». Signalons qu'aujourd'hui encore le terme de « sujet » est absent de la terminologie grammaticale arabe. C'est un des nombreux symptômes qui marquent la spécificité de la grammaire arabe, laquelle s'est tenue à l'écart de la logique aristotélicienne, n'a pas voulu subordonner l'analyse de la langue à ses catégories, et reste étroitement liée aux théories propres à l'islām. Le concept de *qiyās*, analogie, a pu mener les grammairiens arabes à organiser la langue arabe dans un système harmonieux où tout a une motivation. Les spécialistes, cependant, ne peuvent pas ne pas remarquer que la grammaire arabe est plus empirique que la grammaire grecque, et plus liée à des considérations ontologico-religieuses. Halīl, Sībawayhi et toute la génération suivante de grammairiens arabes n'ont pas travaillé en philosophes, mais en lecteurs du Coran et en analystes de ce qui, dans la langue, pouvait correspondre à son enseignement.

Le centre de Kūfa, après celui de Basra, fut plus nettement consacré à des lectures coraniques. Le grand grammairien de Kūfa fut Al-Farra, inventeur d'une nouvelle terminologie dont la méthode originale consiste à organiser le raisonnement grammatical en citant des vers.

L'école de Basra aura un développement illustre dans la génération qui succèdera à Sībawayhi. C'est à Bagdad que vont se fixer ces nouveaux philologues.

L'école de Bagdad, vers le XIᵉ siècle, présente une véritable floraison de théoriciens et de grammairiens qui marquent un progrès considérable dans l'étude du langage. Nous ne pourrons citer que quelques noms : Al-Mubarrad a pu faire du *Kitāb* de Sībawayhi un livre fondamental pour toute étude de la langue ; le lexicographe Ta'lab fut l'admirateur de grandes controverses grammaticales, etc. Un travail important dans la voie d'une systématisation de la langue arabe est effectué par Osman Ibn Ğinnī (941-1002), auteur du livre *Sirr sinā at āl'-i' rab, le Secret de l'Art* [du langage], dans lequel il définit l'essence et la

fonction des lettres en elles-mêmes et par rapport aux autres
lettres d'un mot, de même que de *Hasa'is (Particularités)* où il
expose les principes de la grammaire. De la fin de cette période
date l'œuvre d'Ibn Mālik (né en Espagne en 1206, mort à
Damas en 1274), auteur de *Alfiyya* (publié en français par
Sylvestre de Sacy, *l'Alfiyya ou la Quintessence de la grammaire
arabe*, 1833) : poème didactique en mille vers sur la grammaire.
Mālik y expose une théorie morphologique distinguant trois
parties du discours : nom, verbe, particule ; mais son attention
principale est orientée vers l'étude des flexions, *israb*, qui
constitue déjà une introduction à la syntaxe.

Entre-temps, et avec ces divers grammairiens, l'Espagne devient une des scènes importantes de l'élaboration grammaticale
arabe. Mais après Ibn Ğinnī la recherche manque d'originalité,
et se contente de répéter et d'orchestrer les sources. Notons que
le seul objet de ces recherches a toujours été la langue arabe dite
authentique ou du *désert,* telle qu'elle est enregistrée dans la
poésie bédouine et dans le Coran, mais jamais la poésie et la
prose ultérieures.

Les grammairiens européens, avec Raymond Lulle (1235-
1309), mais aussi J.-C. Scaliger, s'intéresseront aux acquisitions des grammairiens arabes. On estime aujourd'hui que les
notions de *racine* et de *flexion* sont empruntées aux grammaires
arabes.

11. Les spéculations médiévales

Deux phénomènes nous semblent marquer la conception médiévale du langage.

Le premier est le réveil de l'intérêt linguistique pour les
langues « barbares », intérêt qui se manifeste dans l'élaboration
d'*alphabets* pour ces langues, aussi bien que de *traités* plaidant
pour leur droit d'existence, de *traductions* des Écritures, voire
de *grammaires* proposant les premières lois de leur construction.

Le second est le développement, sur le fond du christianisme, de la tradition gréco-latine (platonicienne et néo-platonicienne) dans la théorie grammaticale. Il en résulte une conception du langage en tant que *système de signification* : ce sont les *modes de signifier* qui deviennent l'objet de la spéculation médiévale, préparant ainsi la logique de Port-Royal et annonçant les débats modernes sur le signe. La langue signifie le monde en le réfléchissant (comme le miroir : *speculum*) par le sens : quelles sont les modalités de cette « spéculation », voilà le problème théorique de la grammaire du Moyen Age.

Entre le IIe et le IVe siècle, les peuples barbares commencent à inventer leur écriture. Ce sont des créations autonomes, mêlées d'emprunts à l'écriture latine (ou grecque) ; ces graphismes sont *alphabétiques* : telle l'*ogamique* pour les Celtes, la *runique* pour les Germains.

Les runes sont des caractères taillés dans le bois, chacun ayant un trait vertical auquel s'ajoutent des traits horizontaux. Dans le vieil alphabet germain on les répartit en trois groupes de huit lettres chacun ; l'alphabet scandinave en est une variante plus récente. Les runes ont été étroitement liées aux pratiques divinatoires et à des rites magiques.

Au VIe siècle apparaît l'alphabet gothique, à base d'écriture grecque et runique : c'est l'évêque Wulfila (311-384), traducteur des Évangiles en langue goth, qui en est le créateur.

L'écriture *ogamique,* répandue en Irlande méridionale et en pays de Galles, date probablement du IVe siècle, et représente une série d'entailles dont chaque groupe, qui est une lettre, se différencie des autres par le nombre des traits et par leur direction.

Les Slaves produisent leur alphabet au Xe siècle. Il est dû aux frères Cyrille (827-869) et Méthode (mort 885), moines byzantins d'origine slave qui ont été chargés de mission évangélique en Moravie en 864. En effet, les Slaves de Moravie, pour échapper à la domination allemande et catholique, se sont adressés à l'empereur byzantin pour lui demander une évangélisation orthodoxe en langue *slave*. Pour prêcher dans la langue du peuple slave, les deux frères avaient besoin de traduire l'Évangile. Il se sont servis pour créer l'alphabet slave, dit *glagolitique,* d'une ancienne écriture trouvée chez les Khazars, de même que de l'écriture greque. L'écriture *cyrillique* est une simplification postérieure de la *glagolitique*.

Cette période d'invention scripturale, qui s'étend à tous les peuples d'Europe, témoigne de deux faits importants qui caractérisent leur rapport au langage. D'abord, il commence à se former une conscience de la langue comme attribut national, expression d'une ethnie et garante de son indépendance politique. Dans cette perspective certains théoriciens de l'époque ont eu même l'audace de s'opposer au postulat de la sainteté des trois langues : l'hébreu, le grec et le latin, et d'exiger la reconnaissance de plein droit de leur propre langue. Ainsi l'écrivain bulgare du IXᵉ siècle, Khrabre, écrit dans son discours *Des lettres :* « Les Hellènes n'avaient pas de lettres pour leur langue, mais écrivaient leur discours avec des lettres phéniciennes... Or, les livres slaves, c'est saint Constantin dit Cyrille qui les a créés tout seul en peu d'années : ils [les inventeurs de l'alphabet grec] étaient nombreux, sept personnes qui mirent beaucoup de temps pour créer leurs lettres, et soixante-dix personnes pour traduire [les saintes Écritures de l'hébreu en grec]. Les lettres slaves sont plus saintes et plus honorables, car un homme saint les a créées, tandis que ce sont des Hellènes païens qui ont créé les lettres grecques.

« Si l'on demande aux lettrés grecs : "Qui a créé vos lettres et traduit vos livres ou à quelle époque ?", ils sont rares à le savoir. Or, si l'on demande aux élèves apprenant l'alphabet slave : "Qui a créé votre alphabet et traduit vos livres ?", tous le savent et tous répondront : "Saint Constantin le Philosophe dit Cyrille, c'est lui qui a créé l'alphabet et traduit les livres, avec son frère Méthode..." »

D'autre part, et sur le plan purement linguistique, ces alphabets sont la preuve d'une analyse minutieuse de la chaîne sonore en éléments minimaux, analyse qui parfois s'accompagne d'une théorie phonétique explicite annonçant la phonologie moderne. Tel est l'ouvrage sur le phonétisme islandais, l'*Edda* de Suorri Sturluson (1179-1241), dont Pedersen (*the Discovery of Language,* 1924, trad. angl. 1931) écrit qu'il est « sous forme d'une proposition de réforme de l'orthographe, un excellent morceau de phonétique, une description de la prononciation en vieux norrois, qui est hautement instructif pour nous aujourd'hui ».

Quant aux spéculations grammaticales proprement dites, elles concernent principalement la langue *latine,* et les essais de grammaticalisation des autres langues ne commencent qu'à la fin du Moyen Age pour ne se réaliser effectivement que pendant la Renaissance. Tout le long du Moyen Age, les érudits commentent les textes de Donat et de Priscien, ou déchiffrent la *Vulgate*. Parmi les grammaires latines, citons celle de l'Anglais Aelfric, abbé d'Eynsham, qui date de l'an 1000; le résumé en hexamètres de la grammaire latine par Pierre Hélie (1150) de l'université de Paris, qui soutient qu'il y a autant de systèmes grammaticaux que de langues; et le célèbre ouvrage d'Alexandre de Villedieu, *Doctrinale puerorum* (1200) écrit aussi en hexamètres.

Cette dernière grammaire est exemplaire dans la mesure où elle adapte l'enseignement grammatical aux règles logiques, et accentue ainsi ce chemin qui, de Priscien à Port-Royal, consacrera la subordination de l'étude linguistique aux principes logiques. Dans une telle optique logique, il est nécessaire que le grammairien privilégie, dans son étude, la description des *rapports* entre les termes. Il s'agit essentiellement de l'*ordre des mots* et de la *forme des mots*. L'ordre détermine la valeur logique. Ainsi: «La construction intransitive exige que le nominatif soit support du verbe.» Quand une négation intervient, elle se place devant le verbe. Si la place détermine la valeur logique, les formes invariables n'en ont pas moins d'importance. De Villedieu en reconnaît deux sur lesquelles s'appuie la signification phrastique: le *nom* et le *verbe*.

Les rapports nom-verbe, rapports dits *de rection,* donnent lieu à une description des six cas envisagés sur le plan de leur signification et non pas comme un jeu formel grammatical. C'est une véritable *sémantique* qui s'édifie sur le fond de cette conception du parallélisme grammaire-logique. La syntaxe est basée sur le concept de *régime :* c'est le rapport qui s'établit entre le principe actif, le recteur, et le principe passif, le régi, remarque Chevalier. L'analyse syntaxique n'envisage pas d'unités plus larges que celles du couple binaire nom/verbe… L'influence du *Doctrinale* de De Villedieu fut considérable jusqu'au XVIe siècle.

Les grammaires *spéculatives* du Moyen Age concevaient l'étude du langage comme un miroir *(speculum),* nous l'avons dit, qui reflète la vérité du monde directement inaccessible. C'est donc par la recherche de cette « *senefiance* » cachée que

ces études sont devenues plus tard des traités de *modi signifi-*
candi. Une de leurs visées principales est de délimiter la tâche
de la grammaire en la distinguant de celle de la logique. La
différence entre les deux est établie ainsi : la logique tend à
distinguer le vrai du faux, la grammaire saisit les formes
concrètes que prend la pensée dans le langage, autrement dit le
rapport sémantique du contenu à la forme. Quelle est l'organisation de ce système du langage chargé de déterminer les
concepts de la pensée (ou de les exprimer) ? Il est axé sur deux
points d'appui : le *nom* et le *verbe,* l'un exprimant la stabilité,
l'autre exprimant le mouvement. Le verbe joue le rôle principal,
primordial dans la phrase. Pour Hélie, il est comme le général
des troupes : « Le verbe régit la phrase : régir, c'est entraîner
avec soi un autre mot du discours à l'intérieur d'une construction pour la perfection de cette construction. » Le nom et le
verbe ensemble forment donc la phrase qui est une notion
complexe et, comme telle, objet de la *syntaxe*. Il s'agit évidemment d'une syntaxe toute subordonnée à la morphologie : mi-
mant la conception aristotélicienne de la *substance* et de ses
accidents, la grammaire logique pose le langage comme une
conjonction de *mots déclinables,* et la syntaxe n'est que l'étude
de cette déclinaison.

   La théorie des *modi significandi* à proprement parler postule
l'existence de la chose avec ses propriétés *(modi essendi)* qui
causent, comme leur effet, leur propre intellection ou compréhension *(modi intelligendi)*. Ce dernier mode est suivi d'un
revêtement de la compréhension idéale par une enveloppe rationnelle, *le signe,* donnant lieu au *modus significandi*. Voici
comment le définit Siger de Courtrai dans *Summa modorum*
significandi (1300) : « Le mode de signifier actif est une *ratio*
donnée à la forme matérielle par l'intellect, en sorte que telle
forme matérielle signifie tel mode d'être. Le mode de signifier
passif est le mode d'être lui-même signifié par la forme matérielle, grâce à l'opération du mode de signification actif, ou bien
mode de signifié rapporté à la chose elle-même. » L'auteur
donne l'exemple suivant : un objet, par exemple un ouvrage de
menuiserie de couleur rouge qui orne un cabaret, frappe l'intelligence, et l'homme le désigne par la parole : « panneau rouge ».
L'intelligence confère à ce mot une certaine fonction, celle de
désigner ce qu'elle vise formellement ; le mot *(dictio)* exprimé

au moyen de la parole *(vox)*, n'indique que ce point de vue du désignateur. A la parole-voix est indissolublement liée la signification, car l'intelligence accorde un sens au signe verbal qui exprime une partie de l'être. Le rouge du panneau, dans les conditions où il est placé, grâce à l'intervention de l'intellect, est significatif du produit vermeil qu'est le vin. Cet élément d'ordre intentionnel qui enveloppe le mot est appelé par les grammairiens *modus significandi...* (Cf. Q. Wallerand, *les Œuvres de Siger de Courtrai,* Louvain, 1913.)

Établissant ainsi le rapport voix-concept comme étant le noyau du mode de signifier de la parole, Siger de Courtrai fonde une théorie du signe discursif.

Le mode de signifier se divise en : 1) *absolutus* et *respectivus* qui fondent la syntaxe ; 2) *essentialis* (général et spécial) et *accidentalis.* Avec leurs combinaisons s'obtiennent les parties du discours et leurs modalités.

Les théories médiévales concernant le signe et la signification sont peu étudiées et peu connues aujourd'hui. Ce manque d'information, dû partiellement à la complexité des textes, mais peut-être surtout à leur relation étroite avec la théologie chrétienne (telles les thèses de saint Augustin), nous prive probablement des travaux les plus riches que l'Occident ait produits sur le processus de la signification, avant que ne les censure le formalisme qui s'imposera avec l'avènement de la bourgeoisie (cf. le chapitre suivant).

Aujourd'hui, la *sémiotique* hérite de la tradition linguistique scientifique, mais aussi de l'immense travail théorique et philosophique sur le signe et la signification qui s'est accumulé avec les siècles. Elle reprend et réinterprète les concepts de *modes de signification,* de *signifiance* (dans les travaux de Jakobson, Benveniste, Lacan), etc. En détachant ces concepts de leur fondement théologique, le problème se pose d'accéder aujourd'hui — après des siècles d'oubli ou d'étroit positivisme — à cette zone complexe où s'élabore la signification, pour en dégager les modes, les types, les procédés. Les livres de *grammatica speculativa* et *modi significandi* du Moyen Age, à condition d'être réinterprétés (sinon renversés et mis sur une base matérialiste), peuvent être considérés, dans ce domaine, comme des précurseurs.

Citons parmi les autres « modistes » Albert le Grand (1240), Thomas d'Erfurt (1350), etc.

Les développements de ces théoriciens n'ont pas transformé radicalement les propositions de Donat et de Priscien concernant la grammaire. Ils ont seulement apporté une vision *logique* plus profonde du langage, et la *sémantique* qui en a résulté a préparé, au fond, une voie d'étude de la construction linguistique comme un ensemble formel.

Certains de ces traités de *grammatica speculativa* et de *modi significandi* sont devenus des sémantiques hautement élaborées, telle la combinatoire sémantique de Lulle qui devait être reprise plus tard par Leibniz dans sa *Caractéristique universelle*. On sait que Lulle, avant de devenir franciscain, passa sa jeunesse à la cour de Jacques d'Aragon, et semble avoir été en contact avec les méthodes kabbalistiques d'Abulafia. En tout cas, son ouvrage s'en ressent, ne serait-ce que par la définition qu'on y trouve de son art : *combiner les noms exprimant les idées les plus abstraites et les plus générales d'après les procédés mécaniques, afin de juger par là de la justesse des propositions et de découvrir des vérités nouvelles*. Son intérêt pour les langues orientales et son souci de les diffuser sont aussi très significatifs.

Nous ne pouvons pas parler des théories linguistiques du Moyen Age sans rappeler le fond philosophique sur lequel elles se déroulaient, c'est-à-dire la célèbre discussion entre *réalistes* et *nominalistes* qui a marqué cette époque.

Les réalistes, représentés par John Duns Scot (1266-1308), soutenaient la thèse de Platon et de saint Augustin de la réalité de l'être infini dont les choses ne sont que l'extériorisation. Quant aux mots, ils sont en rapport intrinsèque avec l'idée ou le concept, et le concept existe dès qu'il y a un mot.

Les nominalistes, représentés par Guillaume d'Occam (vers 1300 à 1350 environ), mais aussi par Abélard et saint Thomas, tenaient à l'existence réelle des choses particulières, et considéraient que l'universel n'existe que dans l'âme des sujets connaissants. Sur le plan du langage, ils mettaient en doute l'équivalence de l'idée et du mot. Les mots correspondent aux individus ; dans la phrase : « L'homme court », ce n'est pas le mot *(suppositio materialis)* ni l'espèce humaine *(suppositio simplex)*, mais la personne concrète individuelle qui court : cette supposition est appelée *suppositio personnalis*. C'est sur elle que l'occamisme construit sa doctrine du rôle des *mots* ou *termes* dans le discours, d'où le nom de cette doctrine : *nominalisme* ou *terminalisme*.

La fin du Moyen Age est marquée aussi par un nouvel élément dans la conception du langage. A la défense des langues nationales qu'on observait dès le Xᵉ siècle s'ajoute le souci d'élaborer des grammaires appropriées à leurs spécificités. Telle fut la première grammaire française de Walter de Bibbesworth, *l'Aprise de la langue française* du XIVᵉ siècle, et le *Leys d'amour* (1323-1356), code de la poésie des troubadours, et dont une des parties est une grammaire de la langue d'oc. En 1400 fut composé par plusieurs clercs connaisseurs le *Donat français*, grammaire complète du français de l'époque. A ces faits s'ajoute, comme le remarque G. Mounin (*Histoire de la linguistique des origines au XXᵉ siècle*, 1967), une nouvelle conception *historique* du langage, même si elle est loin de prendre la forme philologique ou comparativiste que lui connaîtra plus tard le XIXᵉ siècle. Ainsi chez Dante (1265-1321), *De vulgari eloquentia,* la défense de la langue nationale s'accompagne d'une attaque contre le latin considéré comme langue artificielle. En revanche, le poète constate la parenté de l'*italien,* de l'*espagnol* et du *provençal* et affirme — le premier — leur origine commune. L'apologie de la langue vulgaire, chez Dante, est en fait une apologie non seulement de l'italien parlé contre le latin, mais encore une apologie d'un fond linguistique primitif, logique ou naturel, en tout cas universel, que les siècles futurs voudront dégager et préserver. Voici comment Dante lui-même le définit (la traduction française est de 1856), et l'on relèvera déjà, dans ces propos, les accents des cartésiens et des encyclopédistes :

« Par la langue vulgaire, nous entendons le langage auquel leurs guides forment les enfants, à l'heure où ils distinguent les mots et, plus brièvement, celui que, sans aucune règle, nous nous approprions en imitant notre nourrice. Il y a ensuite un langage de seconde formation, que les Romains ont appelé grammaire : langage possédé par eux, par les Grecs et autres peuples ; un petit nombre seul y arrive, parce qu'un grand labeur de temps et d'études se consume nécessairement pour réglementer et philosopher une langue.

« Le plus noble des deux langages, c'est la langue vulgaire,

soit parce qu'elle fut la première interprète du genre humain,
soit parce qu'elle domine par tout notre globe, quoiqu'elle se
partage en syntaxe et en vocabulaire différents, soit enfin parce
qu'elle nous est naturelle...

« Il a fallu que l'homme, pour communiquer ses conceptions
à ses semblables, eût un signe tout à fait rationnel et sensible ;
rationnel, parce qu'il avait quelque chose à recevoir de la raison
et à lui transmettre ; sensible, parce que l'intelligence, dans
notre espèce, ne peut se communiquer, excepté par l'intermédiaire des sens. Or, ce signe, c'est notre sujet propre, le langage
vulgaire ; sensible par sa nature comme son, et rationnel par sa
signification interne comme idée... »

Ainsi, au Moyen Age finissant, les bases du latin comme
langue mère sont ébranlées et l'intérêt se déplace vers les langues nationales, dans lesquelles on continuera à chercher un
fond commun, naturel ou universel, une langue vulgaire et
fondamentale. Parallèlement, l'enseignement de ces nouvelles
langues ouvrira de nouvelles perspectives et suscitera de nouvelles conceptions linguistiques pendant la Renaissance.

12. Humanistes et grammairiens de la Renaissance

La Renaissance oriente définitivement l'intérêt linguistique
vers l'étude des langues modernes. Le latin continue à être le
moule d'après lequel tous les autres idiomes sont pensés, mais il
est loin d'être seul, et de plus la théorie qui en est établie subit
des modifications considérables pour pouvoir s'accorder aux
spécificités des langues vulgaires.

L'étude de ces langues vulgaires est justifiée, comme chez
Dante, par leur origine et leur fond logique communs. Joachim
Du Bellay (1521-1560) dans sa *Défense et Illustration de la
langue française,* après avoir attribué la Tour de Babel à l'in-
constance humaine, constate que les différentes langues « ne
sont nées d'elles mesmes en façon d'herbes, racines et arbres :
les unes infirmes, et débiles en leurs espèces ; les autres saines,

et robustes, et plus aptes à porter le faiz des conceptions humaines», pour déclarer: «Cela (ce me semble) est une grande rayson, pourquoy on ne doit ainsi louer une Langue, et blâmer l'autre: veu qu'elles viennent toutes d'une mesme source et origine: c'est la fantaisie des hommes; et ont été formées d'un mesme jugement, à une mesme fin: c'est pour signifier entre nous les conceptions, et intelligence de l'esprit.» Cette vocation logique de toute langue justifie donc ce que Du Bellay voulait démontrer «que la Langue Française n'est si pauvre que beaucoup l'estiment» et sa recommandation «d'amplifier la langue française par l'imitation des anciens auteurs grecs et romains».

L'élargissement du champ linguistique amène nécessairement une accentuation de la conception *historique* qui se faisait jour déjà vers la fin du Moyen Age. Ainsi les ouvrages de G. Postel, *De Originibus seu de Hibraicae linguae et gentis antiquitate, atque variarum linguarum affinitate* (Paris, 1538), et de G.-B. Baliander, *De ratione communi omnium linguarum et litterarum commentarius* (Zurich, 1548), où l'auteur étudie douze langues pour trouver une seule origine commune: l'hébreu. Plusieurs théories fantaisistes naissent de cette ouverture des frontières linguistiques: Giambullari *(Il Gello,* 1546) «prouve» que le florentin descend de l'étrusque qui est né de l'hébreu; Johannes Becanus *(Origines Antwerpinae,* 1569) «démontre» que le flamand est la langue mère de toutes les langues, etc. Certaines de ces excursions linguistiques ont pour but de démontrer la valeur de la langue vulgaire dont traite l'auteur, en la comparant aux mérites des langues indiscutablement parfaites comme le grec ou le latin. Tel est le cas, par exemple, d'Henri Estienne *(Traité de la conformité du français avec le grec,* 1569). Dans une perspective plus comparativiste, et en établissant des classements typologiques des termes, Joseph-Just Scaliger, fils du grammairien, écrit *Diatriba de europearum linguis* (1599). En outre, l'orientation de l'étude grammaticale vers des langues comme l'hébreu ou vers les langues modernes confronte le savant à des particularités linguistiques (absence de cas, ordre des mots, etc.) dont l'explication devait modifier sensiblement le raisonnement linguistique lui-même.

Un autre trait spécifique de la conception linguistique de la Renaissance fut sans doute l'intérêt pour la *rhétorique* et toute *pratique de langage* originale, élaborée et puissante, qui puisse s'égaler aux lettres classiques, voire les surpasser. Autrement dit, le langage dans la tradition humaniste n'est pas considéré uniquement comme un objet d'érudition, mais comme ayant une vie réelle, bruyante et colorée, devenant ainsi la véritable chair dans laquelle se *pratique* la liberté corporelle et intellectuelle de l'homme de la Renaissance. Évoquons ici le rire de Rabelais (1494-1553) pour l'érudition scolastique des « sorbonnards », et sa fascination pour le langage populaire, désobéissant aux règles des grammairiens pour offrir sa scène aux récits oniriques, aux calembours, aux farces, aux jeux de mots, aux discours forains, au rire du carnaval... Érasme (1467-1536), avec son *Éloge de la Folie* et toute son époque, se mettant à l'écoute du « discours fou », sont un symptôme majeur de cette conviction, déjà affermie, que le fonctionnement du langage offre une complexité que ne soupçonnaient pas les codes de la logique et de la scolastique médiévale.

Mais ce qui marque sans doute le plus profondément la *conception* du langage, c'est que pendant la Renaissance il devient — et cela de façon maintenant généralisée — objet d'*enseignement*. Nous avons noté qu'à une période et dans certaines civilisations le langage, indifférencié du corps et de la nature, était l'objet d'une cosmogonie générale. Il est devenu par la suite objet d'*étude* spécifié et distancé du dehors qu'il représente. En même temps, et principalement chez les Grecs, on s'est mis à *enseigner* le langage : à en inculquer les normes à ceux qui en avaient l'usage. Dans la dialectique de ce processus entre *objet à enseigner* et *méthode enseignante*, cette dernière finit par modeler ce qu'elle s'était proposé initialement de connaître. Les nécessités didactiques, dictées elles-mêmes par un monde en pleine évolution économique bourgeoise, à savoir : clarté, systématisation, efficacité, etc., finissent par l'emporter : elles freinent les spéculations médiévales et surdéterminent une reformulation de la science gréco-romaine du langage.

Les besoins pédagogiques exposés par Érasme, qui se méfiait du raisonnement et favorisait l'*usage* et les *structures formelles* comme principe de base des éducateurs, orientent l'étude du langage vers un *empirisme* : on s'attache aux faits, à l'usage, et l'on s'occupe fort peu de théorie. « Aucune discipline n'exige moins de raison et plus d'observation que la grammaire », écrit

G. Valla. «On ne doit pas rendre raison de tout», insiste Lebrixa. Mais du même coup, les procédés pédagogiques, tels que les tableaux, les inventaires, les simplifications, etc., introduisent à un *formalisme* qui ne tardera pas à se manifester.

Les débuts du XVIᵉ siècle sont marqués par quelques ouvrages grammaticaux de ce type: Vives (1492-1540), disciple d'Érasme, *De disciplinis libri XII;* Despautère, *Syntaxis* (1513); Érasme, *De octo orationis partium constructione* (1521), etc. La langue française devient déjà objet privilégié des grammairiens, comme le témoignent les ouvrages *Principes en Françoys, Nature des verbes,* etc. (vers 1500). En 1529, Simon de Colines et Lefèvre d'Étaples publient *Grammatographia* dont ils livrent le but ainsi : «De même que grâce à ces descriptions générales du monde qu'on appelle cosmographies, n'importe qui très rapidement apprend à connaître le monde entier, tandis qu'en parcourant les livres il ne serait pas certain d'y arriver, même en y consacrant énormément de temps, de la même façon, cette *Grammatographia* nous permettra de voir toute la grammaire en peu de temps.»

Un trait important de ces grammaires empiristes du début du XVIᵉ siècle : elles sont principalement des *morphologies.* Elles étudient les termes de la proposition : nom, verbe, etc., mais, remarque Chevalier, ces mots sont étudiés «en situation» et la grammaire établit soigneusement les *coordonnées formelles* de cette situation. L'ordre des mots, les rapports de rection (terme régi, terme recteur, rection unique, rection double, etc.) finissent par établir de véritables *structures* phrastiques auxquelles, pourtant, on cherche immédiatement l'équivalent en relations logiques.

Bien entendu, nous ne pourrons pas, ici, dans le cadre de cet exposé rapide, nous arrêter à tous les ouvrages importants des grammairiens de la Renaissance. Cette tâche qui relève de l'érudition, mais est incontestablement d'une importance capitale pour l'élaboration d'une épistémologie de la linguistique qui reste à faire, n'entre pas dans le cadre de ce travail dont la visée limitée est d'esquisser en général les moments principaux de la mutation de la conception du langage. Aussi nous arrêterons-nous à quelques grammairiens seulement dont les travaux, en somme sans différences frappantes entre eux, préparent tout de même la coupure marquante dans l'étude du langage que fut la grammaire de Port-Royal au XVIIe siècle. On remarquera, dans les lignes qui suivent, comment une conception *morphologique* de la langue évolue vers une *syntaxe*.

Jacques Dubois, dit Sylvius, considéré comme un Donat français, est l'auteur d'une grammaire dite *Isagôge — Grammatica latino-gallica*. Dans cet ouvrage latino-français il s'emploie à transposer les catégories de la morphologie latine en français. Pour cela, il découpe les énoncés non seulement en mots, mais aussi en des *segments* plus grands dont il cherche les correspondants d'une langue à l'autre. On peut en déduire qu'il y a, pour Sylvius, un fond d'universaux logiques communs à toutes les langues et qui sous-tend les diverses constructions de chaque langue. Dans les schémas logiques ainsi établis, Sylvius applique la méthode aristotélicienne (exposée dans l'*Organon*) de hiérarchisation des parties du discours : plus importante est la partie qui possède plus de modes d'être signifiés (ainsi, le nom et le verbe par rapport à la préposition et à la conjonction). Dans le cadre de ces segments équivalents en latin et en français, Sylvius souligne les *signes* qui constituent, qui soudent l'ensemble : article, pronom, préposition. Établissant ainsi une équivalence *fonctionnelle* — qui est en même temps *logique* — entre les termes d'un segment dans le français et les termes du même segment dans le latin, Sylvius *maintient la déclinaison* en français : « Chez nous, comme chez les Hébreux, de qui nous l'avons empruntée, la déclinaison est particulièrement facile ; pour avoir le pluriel, il suffit d'ajouter un S au singulier et de connaître les articles, dont le nombre est très limité, et que nous avons quêtés parmi les pronoms et les propositions. » Voulant établir à tout prix l'équivalence avec la grammaire latine — par souci d'équivalence logique entre les deux langues — Sylvius continue à employer la notion de *déclinaison* pour décrire la grammaire française, tout en soulignant la différence entre celle-ci et la grammaire latine : il est amené ainsi à valoriser le rôle de la *préposition* et surtout de l'*article* comme agent de ce système français de déclinaison.

Avant d'aborder l'œuvre de celui qui, en continuant l'effort de Sylvius, finit par imposer une attitude théorique et systématique sérieuse dans l'étude du langage, remédiant ainsi aux défauts de l'empirisme, mentionnons la grammaire publiée en Angleterre par Palsgrave, *l'Esclarcissement de la langue fran-*

coyse (1530). Cet ouvrage hérite de la tradition d'auteurs comme Linacre *(De emendata structura)*, Érasme, Gaza, et vise à définir les lois d'agencement d'une langue qui est encore loin d'être stabilisée.

Mais c'est bien l'œuvre de J.-C. Scaliger, *De causis linguae latinae* (1540), qui marque la seconde moitié du XVIᵉ siècle. Quoique consacré à la seule langue latine, cet ouvrage dépasse son époque, et s'inscrit parmi les plus beaux exemples de rigueur linguistique de son temps. Comme l'indique le titre, il s'agira pour le grammairien de découvrir les causes *(logiques)* de l'organisation linguistique qu'il se donne pour tâche de systématiser. Comme tous les humanistes, il tiendra surtout à l'usage et se fiera aux données et aux faits; mais il ne se souciera pas moins de la raison qui sous-tend et détermine ces faits. Au contraire, tout son travail aura comme visée théorique principale de démontrer le bien-fondé, la *ratio* qui précède et commande la forme linguistique. « Le vocable est le signe des notions qui sont dans l'âme », cette définition traduit bien cette conception du langage, selon Scaliger, qui représente des concepts innés, diront plus tard les cartésiens.

S'il maintient que « la grammaire est la science qui permet de parler conformément à l'*usage* », Scaliger n'insiste pas moins sur le fait que « même si le grammairien accorde de l'importance au signifié [*significatum*] qui est une sorte de forme [*forma*], il ne le fait pas pour son propre compte, mais pour transmettre le résultat à celui dont le métier est de rechercher la vérité ». Il s'agit bien du logicien et du philosophe, et l'on comprend que pour Scaliger comme pour toute la tradition grammaticale, l'étude de la langue n'est pas une fin en soi, et n'a pas d'autonomie, mais fait partie d'une théorie de la connaissance à laquelle elle est subordonnée. Mais ce geste de Scaliger s'accompagne d'un autre qui essaie de cerner le champ de la grammaire, en insistant d'abord sur le fait qu'elle n'est pas un art, mais une *science*. Tout en l'immergeant implicitement dans une procédure logique, il la différencie de la science logique en excluant de la grammaire la science du jugement. Il la différencie aussi de la rhétorique et de l'interprétation des auteurs, pour la construire enfin comme une grammaire normative, correction du langage, à deux volets : étude des éléments composants (morphologie) et de leur organisation (syntaxe).

Comment se construit plus précisément cette grammaire ainsi
conçue ? « Le vocable, écrit Scaliger, comporte trois modifications : l'octroi d'une forme, la composition et la vérité. La
vérité, c'est l'adéquation de l'énoncé à la chose dont il est le
signe ; la composition, c'est la conjonction des éléments selon
les propositions correspondantes ; la forme se donne par création
[*creatio*] et par dérivation [*figuratio*][1]. » Il serait logique, donc,
qu'il y ait trois types d'explications [*rationes*] dans la grammaire : « la première relative à la forme, la seconde à la signification, la troisième à la construction ».

Un souci constant de systématisation, inspiré de la logique
d'Aristote, préside à l'ouvrage. Il faut que l'analyse commence
par les *parties* pour arriver à la composition du *tout ;* cette
méthode est meilleure « parce qu'elle suit l'ordre de la nature ;
elle est meilleure parce qu'elle met en valeur la supériorité
d'esprit du maître [*tradentis*] et parce qu'il faut avoir disposé
tous les éléments dans un ordre bien établi avant d'appeler
l'esprit à travailler dessus ».

Dans cet ordre d'idées Scaliger divise les éléments linguistiques en catégories : d'abord ceux qui composent le mot (ils
peuvent être simples comme les lettres, et composés comme les
syllabes), ensuite il pense visiblement à une unité discursive
supérieure au mot, la phrase et ses sous-ensembles, car il distingue à l'intérieur de cette unité supérieure des *noms* et des
verbes. « Mais je ne peux pas vous montrer quels éléments
s'agglutinent pour former ce qu'on appelle un nom : il s'agit
d'éléments que l'on classe dans un genre en suivant pour ainsi
dire une donnée universelle. » On voit que Scaliger renonce à
analyser les parties du discours en fonction de leur rôle et de leur
position, mais les différencie d'après leur portée logique (« donnée universelle »).

Or, et c'est ici une brèche dans laquelle s'installera le raisonnement syntaxique sous-jacent à la morphologie, si la donnée
logique est aisément définissable, il n'en est pas de même pour
la donnée linguistique qui d'ailleurs ne couvre pas toujours cette
catégorie logique (cette cause) initialement admise comme déterminante. Dans le décalage ainsi établi s'installera l'analyse

1. Nous tenons à remercier M. J. Stefanini de nous avoir procuré la traduction française inédite du texte si difficile de J.-C. Scaliger.

des *substitutions*, des *modifications*, des *transitions*, dans lesquelles s'esquissera plus nettement que chez les grammairiens
précédents une syntaxe encore toute mêlée à la morphologie dite
ici étymologie, science des dérivations, déclinaisons, conjugaisons. De telles analyses témoignent de l'intérêt de Scaliger pour
une étude des fonctions des termes dans l'ensemble linguistique, contre la définition morphologique préalable et toute faite :
«Comme la science parfaite ne se contente pas d'une seule
définition mais exige également la connaissance des modalités
que revêt l'objet [*affectus*], nous verrons ce que les anciens
auteurs ont dit des modalités de chacun des éléments et ce que,
de notre part, nous en pensons.» Ou bien : «Nul n'est moins
favorisé par la chance que le grammairien amateur de définition.»

L'ordre que suit l'exposé de Scaliger est l'ordre hiérarchique
des grammairiens de la Renaissance :

1. Le *son* : Il découpe les phonèmes en leurs constituants :
Z = C + D, et suit la mutation des lettres (voyelles et consonnes) lors du passage du grec au latin et au cours de l'évolution
de la langue latine.

2. Le *nom* : Défini d'abord sémantiquement, dans sa *cause*
logique, il est «signe de la réalité permanente», «comme s'il
constituait par lui-même cause de la connaissance». Comparé
ensuite aux autres parties du discours, tel le pronom, il finit par
se révéler complètement à la lumière de ses modifications :
espèce, genre, nombre, figure, personne et cas. Le problème du
cas donne lieu à des considérations d'ordre déjà syntaxique,
concernant les problèmes de rection et le rôle fonctionnel du
nom — distingué de sa charge sémantique — dans l'ensemble
linguistique.

3. Le *verbe* serait «le signe d'une réalité envisagée du point
de vue du temps». L'ensemble des verbes se divise en deux
groupes : les uns désignent l'action, les autres la passion, les
deux groupes pouvant d'ailleurs se substituer l'un à l'autre pour
exprimer le même signifié. Scaliger étudie le temps, les modes,
les personnes et le nombre du verbe. Il constate entre autres la
possibilité de substitution d'une catégorie verbale à une autre,
appuyées toutes sur la même raison (idée) logique. Ainsi : *Caesar pugnat* ⟶ *Caesar est pugnans* ⟶ *Caesar est in
pugna*, n'est qu'un de ces nombreux exemples qui préparent la

grammaire de Port-Royal et dans lesquels les grammaires transformationnelles modernes trouvent leur ancêtre.

4. Le *pronom* : « Ne diffère pas du nom par sa signification, mais par sa manière de signifier [*modus significandi*]. »

Ayant constamment recours aux *modi significandi* et construisant ainsi son raisonnement sur un fond sémantique, Scaliger cherche donc la *logique vocis ratio* — ou la raison de chaque vocable. En même temps, sa vision du langage n'est pas morcelante, mais opère sur des ensembles vastes dont s'esquisse la syntaxe, « car la vérité réside dans l'énoncé et non pas dans le mot isolé ». L'ouvrage de Scaliger, écrit dans un style de contestation violente des théories de ses prédécesseurs et de mise en question constante des contemporains, prétend être, au dire de son auteur, « un livre très nouveau ». Il est en effet exemplaire comme *synthèse* des théories sémantiques et formelles, et comme *précision* des constructions en nombre limité (jonction et substitution sur fond logique) dans lesquelles s'organise la langue.

La grammaire française est jalonnée ensuite par les œuvres de Maigret, Estienne, Pillot, Garnier, pour trouver son point culminant dans les ouvrages de Ramus, *Dialectique* (1556) et *Gramere* (1562).

La préoccupation méthodologique fondamentale de Ramus est de situer sa démarche par rapport, d'une part, à la raison universelle (aux principes du fondement logique de la construction linguistique), et, d'autre part, à l'expérience ou l'« induction singulière », comme il dit, et qu'il définit ainsi : « expérimenter par usage, observer par lecture des poètes, orateurs, philosophes et bref, de tous excellents hommes ». Le raisonnement de Ramus s'effectuera donc dans le va-et-vient constant de la raison à l'usage, des principes philosophiques à l'observation langagière. « Si l'homme est savant en l'art et ignorant en la pratique, ce sera, dict-il [Aristote] le Mercure de Passon, et ne scaura on si la science est dehors ou dedans. » *(Dialectique.)*

La *Dialectique* et la *Grammaire* sont pour ainsi dire parallèles : la première s'attaque à la pensée qui transcende la langue, la seconde examine la façon dont cette pensée est transcendée. Logique et grammaire étant inséparables, la grammaire se déroule sur fond de logique. « Les parties de la Dialectique sont deux, Invention et Jugement. La première déclare les parties séparées dont toute sentence est composée. La deuziesme montre les manieres et especes de les disposer, tout ainsi la premiere partie de Grammaire enseigne les parties d'oraison et la Syntaxe en décrit la construction. » Chevalier l'a remarquablement bien constaté : pour se construire, la syntaxe profite de la logique supposée être à la base de la langue comme organisation du fond commun, de la raison universelle ; mais ce « profit » ne va pas très loin, car il empêche la syntaxe de devenir autonome : elle sera constamment obligée de se référer aux définitions sémantico-logiques des termes, c'est-à-dire à la morphologie.

La grammaire formelle est menacée par ses principes mêmes.

Un point important dans la conception ramusienne du rapport pensée/langage : en les assimilant l'un à l'autre, Ramus envisage la pensée d'après l'image qu'il a du discours, c'est-à-dire comme une *linéarité*. La conséquence en est qu'il « présente comme moules fondamentaux de l'énonciation trois types différents substituables : la phrase à verbe plein — la phrase à verbe être — la phrase négative », établissant ainsi trois types canoniques avec possibilité de substitution. L'analyse du *jugement* et du *syllogisme* donne les éléments constitutifs de la pensée et leur agencement, qui guide la réflexion grammaticale et fonde la méthode. Mais celle-ci aura besoin d'une observation précise de l'énonciation elle-même pour se construire définitivement. Voici la définition ramusienne de cette dialectique entre la logique et la grammaire qui fonde une méthode fidèle à la « nature » : « Posons que toutes les définitions, distributions, reigles de Grammaire soyent trouvées et chacune soye jugée véritablement, et que tous ces enseignements soyent escriptz en diverses tablettes lesquelles soyent toutes ensembles pesle mesle tournées et brouillées en quelque cruche, comme au jeu de la blanque. Icy je demande quelle partie de Dialectique me pourroit enseigner de disposer ces préceptes ainsi confus et les réduire en ordre. Premièrement ne sera besoing des lieux d'invention car tout est jà trouvé : chacune énonciation particulière est prouvée et jugée. Il ne fauldra ny premier jugement de l'énonciation ny deuziesme du syllogisme. La méthode seule reste, et certaine voye de collocation. Le dialecticien donques choysira par la lumière de la méthode naturelle en ceste cruche la définition de Grammaire, car cela est le généralissime et la mettra au premier lieu. "Grammaire est doctrine de bien parler." Puis, cherchera en mesme cruche la partition de Grammaire et les colloquera au deuziesme lieu. "Les parties de Grammaire sont deux : Étymologie et Syntaxe." Conséquemment en ce mesme vase séparera la définition de la première partie et l'adjoustera au troiziesme degré après les précédentz. Ainsi en définissant et distribuant, descendra aux exemples spécialissimes et colloquera au dernier lieu. Et fera le mesme en l'autre partie, comme nous en avons mis peine jusques icy de disposer les préceptes de Dialectique, et généralissime premier, les subalternes ensuyvantz, les exemples spécialissimes derniers. »

Les théories strictement grammaticales de Ramus sont exposées dans ses *Scholae grammaticae* (1559), traité théorique, de même que dans ses grammaires latine, grecque et française. Le principe en est déjà annoncé dans la *Dialectique :* il s'agira de grammaires *formelles* partant de bases logiques et qui, pour prouver leur vérité, reviennent à cette base. Les constructions grammaticales passent l'une dans l'autre par substitution ou transformation, conformément aux règles du contexte et aux particularités des formes. Le sens est banni de la réflexion explicite, la grammaire se donne comme *un système de marques*. Une telle grammaire, écrit Chevalier, « est incapable de dégager des relations qui permettraient de montrer autre chose que son propre fonctionnement. Ce système de correspondances internes est étendu à l'investigation des langues apparentées ; c'est la grammaire modèle tout entière qui devient un cadre des autres grammaires ; on ne saurait parler d'universalisme ici, mais bien d'un impérialisme, si l'on veut parler en termes de valeur, ou d'une impossibilité de se sortir de son propre système, si l'on veut tracer les limites de la méthode formelle. C'est exactement le même processus qui s'impose pour la description du français : si l'on adopte le système formel du latin, c'est par nécessité de méthode ; les transformations formelles nécessaires à l'intérieur d'une langue sont aussi nécessaires pour passer d'une langue à l'autre ; l'arsenal des procédures de réduction à la norme étant parfaitement muni, cette opération sera aisée. Aussi cherchera-t-on dans les prépositions, dans les articles ou dans les ellipses le *matériel de conversion,* exactement comme on le fait quand on parle des noms *monoplata* [1] ou des verbes impersonnels...».

Dans l'analyse de la grammaire française, Ramus établit d'abord les principes formels et les distinctions formelles entre les parties du discours : «Nom est un mot avec nombr' avec jenre.» «Di'nom' son' vulgerement apele' pronoms, e semblet avoer celce caze», etc. Outre les marques morphologiques, c'est l'*ordre* qui définit les termes. Ainsi, on peut lire dans le chapitre «De la convenance du nom avec le verbe» (éd. 1572 de la *Grammaire française*) : «Et semble que ce quallequent nos repreneurs soit bien foible cest selon ladvis d'Aristote les mots transposez doibvent signifier une mesme chose. Car nous avons ia demontre que le Francois a certaine ordre en son oraison, qui ne se peult aucunement changer.» Après les marques morphologiques et l'ordre, c'est la préposition qui devient objet d'étude en tant qu'élément syntaxique important. Elle opère la mutation d'une construction en une autre ; elle est l'agent formel d'une transformation laquelle, d'ailleurs, loin de relever d'une conception dynamique du langage, le fige dans une représentation de la langue comme coexistence de structures parallèles et stables se répondant l'une à l'autre. Tel cet exemple de substitution d'un «syntagme verbal» par un «syntagme nominal» : «'Or le' troe' prepozisions De, Du, Des son de si grand' eficase, ce jame' nom n'e' gouverne du nom ni du verbe passif, sinô par le moien d'eles : comme, *La vile de Paris, Le pale' de Roe, La doctrine des Ateniens, Tu es eime de Dieu, du môde, des omes.*»

Mais ce formalisme n'est là que pour ramener les considérations logiques sur le contenu ; les méthodes logiques de classement, de jugement, d'identification des éléments, etc., remplissent le cadre formel.

Il est évident que la grammaire de Ramus, faisant un pas considérable de mise en ordre et de rigueur logique, de systématisation et de formalisation, s'arrête au seuil de l'analyse syntaxique faute de pouvoir définir les *relations* jouant entre les marques formelles et disposant l'énoncé en ordre strict. Aussi pourrait-on dire avec Chevalier que «la grammaire de Ramus

---

1. Noms qui ne possèdent qu'un seul cas.

est le premier essai... d'une grammaire formelle, mais, déjà, le premier échec ».

Après Ramus, des auteurs comme Henri Estienne, *Hypomneses de Gallica lingua peregrinis eam discentibus necessariae,* 1582, et *Conformité du langage français avec le Grec,* 1565, de même qu'Antoine Cauchie, *Grammatica gallica,* 1570, continuent l'effort de formalisation de la langue française de plus en plus dégagée des schémas de la grammaire latine.

Il suit une période de déclin de la théorie grammaticale française. Les grands ouvrages s'élaborent sur le latin — souci d'universalisme propre à la Renaissance apparemment nationaliste — par des auteurs espagnols comme Sanctius, allemands ou néerlandais comme Scioppius, Vossius, etc. Le culte de la raison s'installe de plus en plus fermement (l'usage est mis entre parenthèses). Tel est par exemple l'ouvrage célèbre de Sanctius, *Minerve, seu de causis linguae latinae* (Salamanque, 1587), portant comme titre le nom de la célèbre déesse de la raison. Il est intéressant de souligner que pour Sanctius, son titre *Minerve* s'oppose au titre *Mercurius* d'un grammairien antérieur rival. C'est donc consciemment que Sanctius remplace le dieu du commerce et du changement par la déesse de la raison, autrement dit, la conception du langage comme fluidité et comme communication par la conception du langage comme organisation logique et susceptible de description rigoureuse. La langue y est donc pensée comme l'expression de la nature, c'est-à-dire de la raison ; les éléments linguistiques représentent les termes logiques et leurs relations. Sanctius s'inspire de Ramus, mais en transposant à un niveau plus abstrait la réflexion ramusienne tout attachée à l'observation des faits linguistiques. La langue pour Sanctius devient déjà un *système :* le souci de systématisation logique domine celui de structuration formelle et somme toute morphologique de Ramus. « *Usus porrosine ratione non movetur* », écrit Sanctius, et il oriente sa réflexion vers le sens plutôt que vers la forme.

Une conclusion s'impose sur ce développement de la réflexion linguistique au XVIe siècle. La science du langage se dégage des disciplines afférentes et tout en s'appuyant sur elles — sur la logique principalement — cesse d'être une spéculation pour devenir une observation. L'empirisme se joint à la métaphysique pour la modérer, la muter en logique et entamer l'élaboration d'une démarche positive-scientifique. L'ancienne controverse héritée des Grecs, entre la conception de la langue comme naturelle ou comme conventionnelle, est déplacée et remplacée par une autre : la controverse entre la conception que la langue est une *ratio* et celle selon laquelle elle est un *usage*. Physis/thesis devient raison ou nature/usage. Mais les deux termes de la dichotomie ne s'excluent pas, comme c'était le cas du temps de Platon : ils se superposent et traversent verticalement le langage qui, de cette manière, se dédouble en : fond logique (rationnel, nécessaire, réglé) et énonciation proprement linguistique (variée, irréductible à son fond, à saisir dans ses manifestations diverses à l'intérieur d'une même langue ou d'une langue à l'autre). Bacon le dira plus tard (*De dignitate*, 1623) : « Et à vrai dire, les mots sont les vestiges de la Raison. » Le souci de la grammaire sera de systématiser cette diversité-vestige que recouvre un fond raisonnable : c'était le but de Ramus et de Sanctius.

A ce bouleversement de méthode s'ajoute une modification de procédure du discours grammatical : de morphologique qu'il était à ses débuts, il s'achemine lentement vers la syntaxe à la fois permise et entravée par la logique.

L'étude du langage n'est pas encore devenue « science pilote », modèle de toute pensée qui s'attaque à l'homme, comme c'est le cas de nos jours. Mais dans son effort pour se systématiser, s'éclaircir, se rationaliser et se spécifier, la grammaire devient discipline autonome et indispensable à qui veut connaître les lois de la pensée. Bacon le formulera avec beaucoup de précision : la grammaire est « pour le regard des autres sciences comme un voyageur qui n'est pas à vray dire grandement remarquable, mais grandement nécessaire ».

Désormais, suivre le changement de la conception linguistique revient à suivre la mutation minutieuse d'un discours en voie de devenir scientifique : le discours logico-grammatical. C'est dire que désormais la conception du langage est nettement liée à cette mutation que subit la connaissance arrachée à la métaphysique médiévale, et aux transformations successives qui vont s'y dessiner, à travers toutes les manifestations symboliques de la société (la philosophie, les diverses sciences, etc.), y compris l'étude du langage.

13. La Grammaire de Port-Royal

Après les œuvres remarquables de Scaliger et de Ramus, les études de la langue parues à la fin du XVIe siècle et au début du XVIIe siècle ont peu d'envergure. Ce sont des ouvrages à but pédagogique qui n'apportent aucune innovation théorique, mais s'efforcent de simplifier les règles de la langue pour faire mieux comprendre des élèves. Un trait positif, tout de même : le nombre des langues apprises augmentant, les grammaires deviennent polylinguistiques ; on confronte l'anglais, le français, l'allemand, l'italien, et les cadres imposés par le latin sont de plus en plus ébranlés.

Le souci de réglementer la langue est ressenti aussi bien sur le plan politique que rhétorique. Malherbe (1555-1628) s'emploiera à mettre de la discipline dans le français, en le purgeant de tout néologisme, archaïsme ou provincialisme. Même exigence chez Richelieu lorsqu'il fonde en 1635 l'Académie française : « La principale fonction de l'Académie sera de travailler avec tout le soin et toute la diligence possible à donner des règles certaines à notre langue et à la rendre pure, éloquente et capable de traiter les arts et les sciences », peut-on lire dans les statuts de l'Académie de 1634.

Régularisation, systématisation, découverte de lois telles que la langue française puisse atteindre à la perfection des parlers classiques, voilà le ton des débats du siècle.

L'art de bien parler devient à la mode en France : les gens de la cour l'apprennent dans le livre de Vaugelas, *Remarques sur la langue française* (1647). Utilisant les idées de Scaliger et imitant le style de Valla dont le *De Elegantia* reprend dans une perspective précieuse l'enseignement de Priscien, Vaugelas présente sous une forme courtoise et agréable la langue française « harmonieuse » réduite à quelques règles. Oudin dans sa *Grammaire française* (1634) s'attache à développer la grammaire de son prédécesseur Maupas, mais au fond ne fait qu'accumuler des remarques subtiles de détail au lieu d'exposer de grandes synthèses théoriques. Le but principal de tels ouvrages est d'accommoder les propriétés d'une langue moderne, le français, à la vieille machine latine, basée sur le couple nom-verbe : il faut y insérer les articles, les prépositions, les auxiliaires, etc. On s'emploie à démontrer qu'une expression avec préposition en français est égale à une expression avec génitif ou datif en latin. Vaugelas remarque que dans l'exemple : « Une infinité de personnes ont pris... », « une infinité » est nominatif et « personnes » est génitif. Il reconnaît dans d'autres exemples l'existence de l'ablatif et complète ainsi la déclinaison française.

Pour la dignité de la langue moderne il est absolument nécessaire de prouver qu'elle a les catégories du latin : on s'efforce donc à l'y ramener. Bacon écrit : « Et n'est-ce pas une chose digne de remarque bien qu'aujourd'huy cela paroisse estrange, que les langues anciennes estoient pleines de déclinaisons, de cas, de conjugaisons, de temps et de choses semblables, et que les Modernes n'en ayant point de semblables font entrer non-chalamment plusieurs choses par des prépositions et par des mots empruntés d'ailleurs ? Et c'est à vray dire de là, que l'on peut facilement conjecturer, quoy que l'on se flatte soy-mesme, que les Esprits des siecles passez ont esté beaucoup plus aigus et plus subtils, que ne sont ceux d'a présent. » (*Neuf Livres,* VI, p. 389, trad. de 1632.)

On entrevoit ici l'impasse de la grammaire formelle de la Renaissance. Elle avait prouvé que les constructions linguistiques latines avaient des *causes,* c'est-à-dire qu'elles étaient logiques et donc naturelles. Les langues modernes n'ont qu'à suivre ces mêmes causes ; leurs structures ne sont que des cadres formels se répondant mutuellement, appuyées sur la même logique. La pensée sur le langage se trouve ainsi bloquée : on ne fera qu'établir les correspondants formels d'un schéma logique déjà établi, sans pouvoir découvrir des lois nouvelles qui régissent les langues modernes.

La sortie de l'impasse est proposée par la *Grammaire de Port-Royal* (1660) de Lancelot et Arnauld fondée sur les principes mis au point par Descartes.

On sait que, dans un geste idéaliste, Descartes pose l'existence d'une pensée extra-linguistique et désigne le langage comme « une des causes de nos erreurs ». L'univers étant divisé en « choses » et « idées », le langage en est exclu, et devient un encombrement, intermédiaire inutile et superflu. « Au reste,

parce que nous attachons nos conceptions à certaines paroles,
afin de les exprimer de bouche, et que nous nous souvenons
plutôt des paroles que des choses, à peine saurions-nous concevoir aucune chose si distinctement que nous séparions entièrement ce que nous concevons d'avec les paroles qui avaient été
choisies pour l'exprimer. Ainsi la plupart des hommes donnent
leur attention aux paroles plutôt qu'aux choses ; ce qui est cause
qu'ils donnent bien souvent leur consentement à des termes
qu'ils n'entendent point, et qu'ils ne se soucient pas beaucoup
d'entendre, soit parce qu'ils croient les avoir autrefois entendus,
soit parce qu'il leur a semblé que ceux qui les leur ont enseignés
en connaissent la signification, et qu'ils l'ont apprise par le
même moyen. » (*Les Principes de la philosophie*, I, p. 74.)

Si une telle formulation précise objectivement l'état auquel
aboutit la théorie de la connaissance cartésienne, elle semble se
poser en obstacle devant toute tentative sérieuse d'étudier le
langage en tant que formation matérielle spécifique. Il n'empêche que les conceptions de Descartes sur l'entendement humain,
ses principes du raisonnement *(Discours de la méthode)*, etc.
ont guidé les Solitaires de Port-Royal et leurs successeurs dans
leur recherche des lois du langage. Phénomène paradoxal que
celui où une philosophie, celle de Descartes, passant outre le
langage, devient — et cela jusqu'à nos jours — le fondement de
l'étude du langage. Vue à sa source, la linguistique cartésienne
est une contradiction dans les termes (la méfiance cartésienne du
langage est prise comme garantie de la réalité absolue d'une
normalité grammaticale soutenue par le sujet), qui illustre bien
les difficultés futures de la démarche scientifique dans le domaine des sciences humaines, démarche prise dès sa racine dans
les filets de la métaphysique.

Au premier coup d'œil, la grammaire de Port-Royal ne se
distingue pas sensiblement de celles qui l'ont précédée, les
grammaires formelles de la Renaissance, sauf sans doute par sa
clarté et sa concision. En effet, on y trouve les mêmes correspondances entre les cas latins et les constructions de la langue
française. Or, deux innovations méthodologiques fondamentales renouvellent complètement la vision de la langue proposée
par les Solitaires de Port-Royal.

Premièrement, tout en tenant compte de l'état actuel de la
grammaire, hérité de la Renaissance, ils réintroduisent la théorie

médiévale du *signe* que les humanistes-formalistes avaient oubliée, ou au moins tue. La langue est en effet un système, comme l'avait montré Sanctius, mais un *système de signes*. Les mots et les expressions linguistiques revêtent des idées qui renvoient à des objets. La relation logique ou naturelle, qui révèle la vérité des choses, se joue au niveau des idées : c'est le niveau logique. La grammaire traitera d'un objet, la *langue,* qui n'est que le *signe* de cette dimension logique et/ou naturelle : ainsi elle dépendra de la logique, tout en ayant une autonomie. Voilà le coup de force méthodologique qui permettra de poser comme *fond* de la langue une *ratio* commune et nécessaire, sur laquelle, en rapport avec elle mais aussi à distance d'elle, se jouera le jeu des signes — des formes — proprement linguistiques, et les lois d'une construction linguistique nouvelle pourront se spécifier.

La *Grammaire* de Lancelot et Arnauld est indissociable de la *Logique* (1662) due au même Arnauld en collaboration cette fois avec Nicole. Les projets — grammatical et logique — se recoupent et se répondent : la grammaire est fondée sur la logique, et la logique ne fait qu'examiner l'expression linguistique. Lancelot reconnaît dans sa préface à la grammaire que les « vrais fondements de l'art de parler » lui ont été dictés par Arnauld, le futur coauteur de la *Logique.* Pour lui, la Logique, même si elle refuse de s'occuper des formes linguistiques et ne vise qu'à une « syntaxe des éléments de la conception », n'oublie pas les mots : « Or, certainement il est de quelque utilité pour la fin de la Logique, qui est de *bien penser,* d'entendre les divers usages des sons destinés à signifier les idées, et que l'esprit a de coutume d'y lier si étroitement que l'une ne se conçoit guère sans l'autre en sorte que l'idée de la chose excite l'idée du son, et l'idée du son celle de la chose.

« On peut dire en général sur ce sujet que les mots sont des sons si distincts et articulés, dont les hommes ont fait des signes pour marquer ce qui se passe dans leur esprit.

« Et comme ce qui s'y passe se réduit à concevoir, juger, raisonner et ordonner, ainsi que nous l'avons déjà dit, les mots servent à marquer toutes ces opérations... » (*Logique,* II, I, p. 103-104.)

Le fait que la publication de la *Grammaire* précède de quelques années la parution de la *Logique* (même si les deux livres semblent avoir été rédigés dans le même mouvement) est sans doute un symptôme démontrant comment l'étude du langage lui-même devient, pour l'épistémologie du XVIIᵉ siècle, le point initial et déterminant de la réflexion.

Quelle est cette théorie du signe que la refonte de la logique et de la grammaire met à la base de la *Grammaire générale*?

Les Modistes, on s'en souvient, distinguaient trois modes de symbolisation: *modi essendi, modi intelligendi* et *modi significandi*. Comment Port-Royal reprend-il cette théorie? La *Grammaire* s'ouvre par la déclaration suivante:

«La grammaire c'est l'art de parler.

«Parler, est expliquer ses pensées par des signes que les hommes ont inventés à ce dessein.

«On a trouvé que les plus commodes de ces signes étaient les sons et les voix.»

La *Grammaire* ne donne pas plus de détails sur le «modèle du signe». On les trouvera dans la *Logique* où la carte géographique est proposée à titre d'exemple: l'idée que je me fais de cette carte renvoie à un autre objet (la région réelle que la carte représente) dont je peux me faire une idée par l'intermédiaire de l'idée que me donne le signe-carte. Le signe, matrice à quatre termes, est défini ainsi par la *Logique* (I, IV): «Ainsi le signe enferme deux idées, l'une de la chose qui représente, l'autre de la chose représentée, et sa nature consiste à exciter la seconde par la première.»

Cette théorie du signe (que Michel Foucault dans son *Introduction à la Grammaire de Port-Royal* a explicitée) suppose évidemment une critique du raisonnement de type aristotélicien (c'est-à-dire par des objets et des catégories définis d'avance) et implique un passage à une démarche logique qui examine les idées et les jugements recouverts par les signes. Car sous les signes linguistiques se cache toute une logique des idées et des jugements qu'il faut saisir pour «faire par science ce que les autres font seulement par coutume». Le fait de voir dans la langue un système de signes entraîne une triple conséquence théorique que Foucault a soulignée. D'abord, il s'ensuit — résultat d'un processus déjà entamé depuis un siècle — que le discours tenu sur cette langue se place à un niveau différent du sien: on parle des formes (linguistiques) en parlant de la forme du contenu (logique). C'est dire que la langue est cernée comme

domaine épistémologique : « La langue comme domaine épistémologique n'est pas celle qu'on peut utiliser ou interpréter ;
c'est celle dont on peut énoncer les principes dans une langue
qui est d'un autre niveau. » D'autre part, la *Grammaire générale*
« ne définissait un espace commun à toutes les langues que dans
la mesure où elle ouvrait une dimension intérieure à chacune :
c'est là seulement qu'on devait la chercher ». Et enfin, cette
rationalisation de la langue était une science du raisonnement,
mais non pas une science de la langue en tant qu'objet spécifique. « La grammaire générale, à la différence de la linguistique,
est plus une manière d'envisager une langue que l'analyse d'un
objet spécifique qui serait la langue en général. »

Pourtant, avec ses avantages et ses différences, la méthode de
Port-Royal a apporté sa contribution à l'élaboration d'une approche scientifique du langage.

Pour la *Grammaire générale,* le mot n'est pas seulement une
forme qui couvre un contenu sémantique. Port-Royal reprend la
triade médiévale *modi essendi - modi signandi - modi significandi ;* il accentue la différence entre *modi signandi* (l'idée) et
modi significandi (le signe) et oriente la grammaire vers une
systématisation des rapports entre les deux, et par là avec
l'objet. La grammaire n'est plus un inventaire de termes ou de
correspondances formelles de constructions, mais une étude des
unités supérieures (jugement, raisonnement). La langue n'est
plus un assemblage, une juxtaposition de termes mais un *organisme,* une « création ».

Cette théorie du signe n'est pas explicitée dans la *Grammaire.* Elle y est comme latente, mais la théorie des diverses
formes de la signification des mots la révèle nettement. Après
avoir décrit l'aspect phonique de la parole (« ce qu'elle a de
matériel »), la *Grammaire* (dans : *Que la connaissance de ce qui
se passe dans notre esprit est nécessaire pour comprendre les
fondements de la Grammaire ; et que c'est de là que dépend la
diversité des mots qui composent le discours*) poursuit de la
façon suivante :

« Jusqu'ici, nous n'avons considéré dans la parole que ce
qu'elle a de matériel, et qui est commun, au moins pour le son,
aux hommes et aux perroquets.

« Il nous reste à examiner ce qu'elle a de spirituel, qui fait
l'un des plus grands avantages de l'homme au-dessus de tous les

autres animaux, et qui est une des plus grandes preuves de la raison : c'est l'usage que nous en faisons pour signifier nos pensées, et cette invention merveilleuse de composer de vingt-cinq ou trente sons cette infinie variété de mots, qui, n'ayant rien de semblable en eux-même à ce qui se passe dans notre esprit, ne laissent pas d'en découvrir aux autres tout le secret, et de faire entendre à ceux qui n'y peuvent pénétrer, tout ce que nous concevons, et tous les divers mouvements de notre âme.

« Ainsi l'on peut définir les mots, des sons distincts et articulés, dont les hommes ont fait des signes pour signifier leurs pensées.

« C'est pourquoi on ne peut bien comprendre les diverses sortes de significations qui sont enfermées dans les mots, qu'on n'ait bien compris auparavant ce qui se passe dans nos pensées, puisque les mots n'ont été inventés que pour les faire connaître.

« Tous les philosophes enseignent qu'il y a trois opérations de notre esprit : CONCEVOIR, JUGER, RAISONNER.

« CONCEVOIR, n'est autre chose qu'un simple regard de notre esprit sur les choses, soit d'une manière purement intellectuelle, comme quand je connais l'être, la durée, la pensée, Dieu ; soit avec des images corporelles, comme quand je m'imagine un carré, un rond, un chien, un cheval.

« JUGER, c'est affirmer qu'une chose que nous concevons est telle, ou n'est pas telle : comme lorsqu'ayant conçu ce que c'est que la *terre,* et ce que c'est que *rondeur,* j'affirme de la *terre,* qu'elle est *ronde.*

« RAISONNER, est se servir de deux jugements pour en faire un troisième : comme lorsqu'ayant jugé que toute vertu est louable, et que la patience est une vertu, j'en conclus que la patience est louable.

« D'où l'on voit que la troisième opération de l'esprit n'est qu'une extension de la seconde ; et ainsi il suffira, pour notre sujet, de considérer les deux premières, ou ce qui est enfermé de la première dans la seconde car les hommes ne parlent guère pour exprimer simplement ce qu'ils conçoivent, mais c'est presque toujours pour exprimer les jugements qu'ils font des choses qu'ils conçoivent.

« Le jugement que nous faisons des choses, comme quand je dis, *la terre est ronde,* s'appelle PROPOSITION ; et ainsi toute proposition enferme nécessairement deux termes ; l'un appelé *sujet,* qui est ce dont on affirme, comme *terre ;* et l'autre appelé *attribut,* qui est ce qu'on affirme, comme *ronde :* et de plus la liaison entre ces deux termes, *est.*

« Or il est aisé de voir que les deux termes appartiennent proprement à ma première opération de l'esprit, parce que c'est ce que nous concevons, et ce qui est l'objet de notre pensée ; et que la liaison appartient à la seconde, qu'on peut dire être proprement l'action de notre esprit, et la manière dont nous pensons.

« Et ainsi la plus grande distinction de ce qui se passe dans notre esprit, est de dire qu'on peut considérer l'objet de notre pensée, et la forme ou la manière de notre pensée, dont la principale est le jugement : mais on y doit encore rapporter les conjonctions, disjonctions, et autres semblables opérations de notre esprit, et tous les autres mouvements de notre âme, comme les désirs, le commandement, l'interrogation, etc.

« Il s'ensuit de là que, les hommes ayant eu besoin de signes pour marquer tout ce qui se passe dans leur esprit, il faut aussi que la plus générale distinction des mots soit que les uns signifient les objets des pensées, et les autres la forme et la manière de nos pensées, quoique souvent ils ne la signifient pas seule, mais avec l'objet, comme nous le ferons voir.

« Les mots de la première sorte sont ceux que l'on a appelés *noms, articles, pronoms, participes, prépositions* et *adverbes ;* ceux de la seconde sont les *verbes, les conjonctions,* et les *interjections ;* qui sont tous tirés, par une suite nécessaire, de la manière naturelle en laquelle nous exprimons nos pensées, comme nous allons le montrer. »

La lecture attentive de ce chapitre montre comment le langage-signe étant soutenu par le fond de l'idée et du jugement, une conséquence majeure s'ensuit pour la distribution et l'organisation des catégories grammaticales. Nous arrivons ainsi à la deuxième nouveauté qu'apporte la *Grammaire générale.*

La logique aristotélicienne proposait une hiérarchie des parties du discours dans laquelle le nom et le verbe avaient des rangs égaux. Or, en suivant l'engendrement du jugement et du raisonnement, la *Grammaire générale* a pu distinguer d'une part les parties du discours qui sont les signes des « objets de notre pensée » (à concevoir) : *nom, article, pronom, participe, prépo-*

sition, adverbe ; et d'autre part « la forme ou la matière de notre pensée » : *verbe, conjonction, interjection*. Les parties du discours sont donc envisagées comme participant à une opération, à un procès. C'est ainsi que dès les premières pages, et contrairement à ce qu'on a pu dire, la *Grammaire* annonce son projet d'élaborer une *construction :* sur un fond logique orienté vers la description du système de sens qui (pour la Renaissance) soustend l'arbitraire assemblage des mots, les Solitaires se servent du levier du *signe* pour proposer une *syntaxe*. La syntaxe du jugement (syntaxe logique) s'achemine vers une syntaxe linguistique.

Car c'est la *proposition* qui devient l'élément de base de la réflexion grammaticale. Les composants clés de la proposition sont bien sûr le *nom* et le *verbe,* mais c'est le verbe qui est l'axe déterminant. Les *noms* qui comprennent les *substantifs* et les *adjectifs* désignent les « objets de nos pensées » qui peuvent être soit « les choses comme la *terre,* le *soleil,* l'*eau,* le *bois,* ce qu'on appelle ordinairement *substance* » ; soit « la manière des choses, comme d'être *rond,* d'être *rouge,* d'être *savant,* etc. ce qu'on appelle *accident* ». Dans le premier cas ces noms sont des *substantifs,* dans le second, des *adjectifs*. Parmi les modalités des noms, c'est le *cas* qui attire particulièrement l'attention de la *Grammaire générale*. La raison en est que le cas exprime les *relations* des termes dans l'ensemble qu'est la proposition, et que, d'autre part, ces relations sont marquées dans le français par des moyens autres que la déclinaison : la préposition, par exemple. « Si l'on considérait toujours les choses séparément les unes des autres, on n'aurait donné aux noms que les deux changements que nous venons de marquer : savoir, du nombre pour toute sorte de noms, et du genre pour les adjectifs ; mais, parce qu'on les regarde souvent avec les divers rapports qu'elles ont les unes des autres, une des inventions dont on s'est servi en quelques langues pour marquer ces rapports, a été de donner encore aux noms diverses terminaisons, qu'ils ont appelées des *cas,* du latin *cadere,* tomber, comme étant les diverses chutes d'un mot.

« Il est vrai que, de toutes les langues, il n'y a peut-être que la langue grecque et la latine qui aient proprement des cas dans les noms. Néanmoins, parce qu'aussi il y a peu de langues qui n'aient quelques sortes de cas dans les pronoms, et *que sans* cela on ne saurait bien entendre la liaison du discours, qui s'appelle *construction*, il est presque nécessaire, pour apprendre quelques langues que ce soit, de savoir ce qu'on entend par ces cas... »

Or, si les noms et toutes les parties du discours en général, désignant les objets *conçus* sont indispensables à la *construction* du jugement, et par là de la proposition, son axe, avons-nous dit, est le *verbe*. Pour les grammairiens de Port-Royal, le verbe est ce qui *affirme,* et non plus ce qui marque le temps (comme il l'était pour Aristote) ou la durée (comme il l'était pour Scaliger). Autrement dit, tout verbe comporte implicitement le sème *est,* ou tout verbe est d'abord le verbe *être.*

Dans le chapitre sur le verbe, la *Grammaire générale* expose nettement une conception syntaxique de la langue, ayant à sa base la syntaxe du jugement. Autrement dit, sur la base de la syntaxe du jugement, se dessine une conception de la syntaxe de la proposition. Les termes ne sont plus isolés, ils forment un complexe axé sur le rapport nom/verbe devenu rapport *sujet/ prédicat.* « Ce jugement s'appelle aussi *proposition* et il est aisé de voir qu'elle doit avoir deux termes : l'un de qui l'on affirme, ou de qui l'on nie, lequel on appelle *sujet;* et l'autre que l'on affirme, ou que l'on nie, lequel s'appelle *attribut* ou *praedicatum.* » (*Logique,* II, IV, p. 113.)

Mais le noyau phrastique étant ainsi bloqué et fermé sur lui-même, la syntaxe linguistique, promise par la syntaxe du jugement, est arrêtée. La *Grammaire générale* ne propose que quatre pages de syntaxe, auxquelles s'ajoutent deux pages de *Figures et constructions.* Le grammairien, qui est surtout philosophe du jugement, pour analyser les relations proprement linguistiques qui dépassent la matrice du jugement, devra introduire des *suppléments* analysables par une syntaxe des rections. Or, la *Grammaire générale* n'admet que la syntaxe de *concordance,* mais pas celle de régime : « La syntaxe de régime, au contraire, est presque toute arbitraire, et par cette raison se trouve très différente dans toutes les langues ; car les unes font les régimes par les cas, les autres, au lieu de cas, ne se servent que de petites particules qui en tiennent lieu, et qui ne marquent même que peu de ces cas, comme en français et en espagnol on n'a que *de* et *à* qui marquent le génétif et le datif ; les Italiens y ajoutent *da* pour l'ablatif. Les autres cas n'ont point de particules, mais le simple article, qui même n'y est pas toujours. » On voit comment l'impossibilité de formalisation des rections proprement linguistiques oblige le philosophe à reprendre la conception latine, morphologique, de l'organisation du discours.

Or, il serait inexact de croire que la visée syntaxique de la *Grammaire générale* ne dépasse pas les limites des rapports sujet/prédicat.

Le chapitre *Du pronom appelé relatif* témoigne d'une reflexion qui embrasse des ensembles linguistiques assez vastes et construit des schémas syntaxiques dépassant la proposition simple, mais organisant des propositions complexes (la deuxième remarque n'est ajoutée que dans l'édition de 1664 et son importance n'a peut-être pas été assez appréciée) :

« Ce qu'il [le pronom relatif] a de propre peut être considéré en deux manières :

« La première en ce qu'il a toujours rapport à un autre nom ou pronom, qu'on appelle antécédent, comme *Dieu qui est saint. Dieu* est l'antécédent du relatif *qui*. Mais cet antécédent est quelquefois sous-entendu et non exprimé, surtout dans la langue latine, comme on l'a fait voir dans la *Nouvelle Méthode* pour cette langue.

« La seconde chose que le relatif a de propre et que je ne sache point avoir encore été remarquée par personne, est que la proposition dans laquelle il entre (qu'on peut appeler incidente), peut faire partie du sujet ou de l'attribut d'une autre proposition, qu'on peut appeler principale. »

Les cadres du raisonnement linguistique s'élargissent d'abord au-delà des termes pour trouver la proposition ; puis les segments analysés deviennent plus grands même que la proposition simple, et l'analyse s'attaque aux relations intra-phrastiques ; enfin la notion de *complémentarité* des termes semble s'ajouter à celle de *subordination*, de sorte que le langage n'est plus une *oratio*, ensemble formel de termes, mais un système dont le noyau principal est la proposition sous-tendue par l'affirmation d'un jugement. Telles sont, en résumé, les acquisitions permises par la conception *logique* de la *Grammaire générale*, et qui vont être développées pour devenir un jour science proprement linguistique des relations linguistiques. Il n'en reste pas moins que la démarche logique de Port-Royal marquera à tel point l'étude du langage, et jusqu'à nos jours, que les linguistes auront les plus grandes difficultés à dégager leur analyse de celle des composants logiques, et la linguistique oscillera entre un formalisme empiriste (description des structures formelles) et un logicisme trancendantal (découpage du contenu en catégories empruntées à la logique).

Si la *Grammaire générale* a dominé le XVIIe siècle, elle ne se déroule pas moins sur un fond d'activité linguistique intense. Plusieurs ouvrages sont consacrés à l'articulation des sons et à l'orthographe, telle l'étude de Petrus Montanus (Hollande), *Spreeckonst (Art de la Parole,* 1635); d'Al. Hume, *Of the ortographie and congruitie of the Briton Tongue,* 1617. Une vaste école de phonétique travaille en Angleterre: en témoignent les ouvrages de Robert Robinson, *The Art of Pronnonciation,* 1617; W. Holder, *Elements of Speech, an Essay of Inquiry into the Natural Production of Letters,* 1669; Dalgrano, *Didoscalocophus, or the Deaf and Dumb Man's Lector,* 1680, etc. Le *Traité de physique* de Rohault (1671) et *De corpore animato* (1673) de Du Hamel sont considérés comme les premiers pas vers une phonétique scientifique, à base d'expérimentation et d'analyse anatomique de l'appareil phonatoire.

Une autre particularité de l'étude de la langue au XVIIe siècle c'est l'intérêt pour les langues étrangères et à la constitution de théories historiques du langage. Citons parmi ces ouvrages polyglottes: *Thesaurus polyglottus* de J. Mégiser (1603), de même que plusieurs grammaires du russe (de H. G. Ludolf, Oxford, 1696), du turc (Mégiser, Leipzig, 1612), les travaux des jésuites sur la Chine, (cf. p. 86), les recherches de Kircher sur l'égyptien, etc.

La recherche lexicographique est intense: après *le Trésor de la langue française* de Nicot, en 1606, et la publication du *Dictionnaire français* de Fr. Richelet à Genève, 1679-1680, Furetière publie le *Dictionnaire universel contenant généralement tous les mots français, tant vieux que modernes, et les termes de toutes les Sciences et les Arts* (La Haye, Rotterdam, 1690). Le *Dictionnaire de l'Académie* paraît en 1694 sous la signature de Vaugelas et de Mézeray, son supplément, le *Dictionnaire des Arts et des Sciences* de Thomas Corneille, est d'une importance considérable.

Sur la base de la diversité linguistique on s'efforce ou bien d'établir une origine commune des langues (cf. Guichard, *Harmonie étymologique des langues, où se démontre que toutes les langues descendent de l'hébraïque,* 1606), ou bien d'élaborer une langue universelle (Lodwick, *A Common Writing,* 1647; Dalgrano, *Essay Towards a Real Caracter,* 1668, etc.). La pluralité des langues effraie; on essaie de leur trouver un équivalent général: n'était-ce pas le stimulant fondamental de la *Grammaire générale?* Le même désir de trouver une raison de la langue française inspire sans doute Ménage dans son dictionnaire étymologique *Origine de la langue française* (1650), de même que ses observations sur la langue française (1672). L'auteur « démontre », le plus souvent en se trompant, l'étymologie des mots français en les faisant dériver d'un mot latin ou grec.

Les ouvrages des grands rhétoriqueurs comme *Rhétorique ou Art de parler* du père Lamy (1670), *Génie de la langue française* d'Aisy (1685), *De oratione discendi et docendi* (sur la méthode et l'enseignement linguistique) du père Jouvency (1692), etc., venus à la suite des *Remarques* de Vaugelas, de Bonhours et de Ménage, mènent, souvent avec subtilité et en poursuivant la même visée de recherche d'un fondement commun à toutes les langues, à l'ouvrage monumental et éclectique de François-Séraphin Régnier-Desmarais, secrétaire perpétuel à l'Académie française, *Traité de la grammaire française,* 1706. On y est assez loin de la rigueur et de l'orientation théorique de la *Grammaire générale de Port-Royal :* la réflexion de Régnier s'attache au mot et à son environnement, sans envisager l'ensemble de la proposition et des relations qui régissent ses composants.

14. L'encyclopédie : la langue et la nature

Le XVIIIe siècle hérite de la conception rationaliste du langage que lui ont léguée les Solitaires de Port-Royal et leurs successeurs. Le langage est conçu comme une diversité d'idiomes ayant tous à leur base les mêmes règles logiques qui constituent une sorte de constante : *la nature humaine.* Or, le nombre de langues étudiées et enseignées dans les écoles augmente progressivement ; en même temps le progrès des sciences de la nature entraîne un bouleversement épistémologique qui oriente les études vers des observations concrètes : c'est l'ère de l'empirisme. Le résultat dans le domaine du langage en est que les philosophes et les grammairiens cherchent — plus qu'auparavant — à éclairer les particularités spécifiques et proprement linguistiques de chaque objet (langue), en le libérant complètement de l'impact du latin d'une part, et d'autre part, dans une large mesure, de la dépendance logique, sans pour autant lui enlever le fondement universel appelé désormais *naturel* plutôt que *logique.*

Sur le plan philosophique, cette conception du langage entraîne des théories sur l'*origine* des langues. La diversité des langues doit être ramenée à une source commune, naturelle, où s'articulent les universaux linguistiques. Pour fonder le rapport entre ce *langage naturel,* les objets réels et la sensation, une *théorie du signe* sera proposée.

Sur le plan grammatical, d'ailleurs inséparable du plan philosophique, car tout philosophe au XVIIIe siècle s'attaque à la langue et tout grammairien est philosophe, la particularité des rapports strictement linguistiques, différenciés des lois (logiques) de la pensée, est mise à jour, et aboutit à une description *syntaxique* des relations phrastiques et interphrastiques : c'est la grammaire de l'Encyclopédie qui explicitera pour la première fois avec netteté cet effort, commun à tous les grammairiens depuis un siècle, d'élaborer une syntaxe [1]...

Nous allons esquisser d'abord les théories philosophiques du langage, pour dégager ensuite, sur leur fond, les conceptions grammaticales (cet ordre nous obligera, évidemment, à ne pas respecter la chronologie des parutions des ouvrages).

Les philosophes et les grammairiens du XVIIIe siècle qui se sont penchés sur l'origine et l'évolution du langage avaient un illustre devancier qui, sans partager la vision logique des cartésiens et plus tard des encyclopédistes, proposa un tableau géné-

---

1. Dans ce qui précède et dans ce qui suit, nous esquissons cet effort en nous référant surtout au travail déjà mentionné à plusieurs reprises de J.-Cl. Chevalier, *La Notion de complément chez les grammairiens,* Genève, Droz, 1968.

ral de l'histoire du langage sur la base des recherches précédentes, tableau dont nous retrouverons les principaux thèmes chez
les sensualistes, les idéologues et les matérialistes. Il s'agit de
J.-B. Vico (1668-1744) et de sa *Scienza Nuova*. D'après lui,
« le langage fut d'abord mental, à l'époque où l'homme ne
savait pas encore l'usage de la parole *(tempi mutoli)...;* ce
langage primitif, qui précéda le langage articulé, a donc dû
consister en signes, gestes ou objets ayant des rapports naturels
avec les idées ». Cette langue première que Vico appelle *divine*
se fait entrevoir, selon lui, dans « les gestes des muets qui
constituent le principe des *hiéroglyphes* (cf. plus loin les mêmes
thèmes chez Diderot, de même que p. 33 et 69) dont se servirent
pour s'exprimer toutes les nations aux époques primitives de
leur barbarie ». A cette langue succède la langue *poétique ou
héroïque :* « Les premiers auteurs que l'on trouve chez les
Orientaux, les Égyptiens, les Grecs et les Latins, les premiers
écrivains à se servir des nouvelles langues en Europe lorsque la
barbarie fit sa réapparition, furent des poètes. » Vico consacre sa
recherche à ce qu'il appelle « la logique poétique » — ses emblèmes, ses figures, ses tropes : la métaphore, la métonymie, la
synecdoque. Le mot poétique est pour lui un « caractère » ou
même un *« mot mythographique »,* « toute métaphore peut être
prise pour une courte fable ». En dernier lieu vient la langue
« épistolaire », « œuvre de la masse ». Vico examine les différentes langues connues à son époque (le grec, l'égyptien, le
turc, l'allemand, le hongrois, etc.) et leurs écritures, pour les
répartir dans les trois catégories que nous venons de mentionner. Ses recherches sur le langage poétique influenceront
jusqu'à notre siècle la science du langage poétique, tandis que
même ses successeurs immédiats vont reprendre les thèses de la
langue primitive non articulée, gestuelle ou sourde-muette, de
l'influence des conditions naturelles sur la formation des langues, des types de langage (comme le langage poétique) différents, etc. Le XVIIIe siècle examinera ces problèmes avec une
rigueur positive qui tranche avec le style romanesque de Vico.

En effet, l'étude du langage n'échappe pas à l'esprit de
classification et de systématisation qui envahit les sciences du
siècle. La *géométrie* semble être le modèle sur lequel sont
tentées de se construire les autres sciences. « L'ordre, la netteté,
la précision, l'exactitude qui règent dans les bons livres depuis

un certains temps, pourraient bien avoir leur première source dans cet esprit géométrique qui se répand plus que jamais.» (R. Mousnier, *Histoire générale des civilisations,* t. IV, p. 331.) Le grammairien Buffier écrit que toutes les sciences y compris la grammaire «sont susceptibles de démonstration aussi évidente que celle de la géométrie».

Le premier effet de cette démarche géométrique dans le domaine du langage est la tendance à la systématisation de la multiplicité des langues connues. Les philosophes proposent des classifications des langues, tout en essayant de ramener tous ces divers types à une langue originelle commune, universelle et donc «naturelle». Leibniz dans son *Brevis designatio meditationem de originibus dictus potissimum ex indicium linguarum* (1710) divise les langues connues en deux groupes : *sémitique* et *indo-germanique,* ce dernier se composant des langues italiques, celtiques et germaniques d'une part, des langues slaves et du grec de l'autre. La langue originelle que Leibniz appelle «*lingua adamica*» serait à la base de cette diversité, et l'on pourrait retrouver cet état du parler humain en créant une langue artificielle, purement rationnelle.

En Angleterre, James Harris publie *Hermes ou recherche philosophique sur la grammaire universelle* (1751), ouvrage qui tend à établir les principes universels et rationnels d'une grammaire générale valable pour toutes les langues. Les idées de Berkeley, Shaftesbury, etc., sont à la base de telles tentations logiques.

Le langage apparaît comme un système de fonctionnement, une mécanique dont on peut étudier les règles comme de n'importe quel objet physique. Le président De Brosse publie son *Traité de la formation mécanique des langues et des principes de l'étymologie* (1765), où la langue est présentée comme un système d'éléments formels, susceptible de changer sous l'influence des conditions géographiques. Le terme de «mécanique» devient fréquent dans la description linguistique. Un auteur de grammaire scolaire, l'abbé Pluche, intitule son livre *la Mécanique des langues* (1751), tandis que Nicolas Beauzée (1717-1789) définit le terme «structure» dans le même sens : «Or, je le demande : ce mot *structure* n'est-il pas rigoureusement relatif au mécanisme des langues, et ne signifie-t-il pas la disposition artificielle des mots, autorisée dans chaque langue

pour atteindre le but qu'on s'y propose, qui est l'énonciation de
la pensée ? N'est-ce pas aussi du mécanisme propre à chaque
langue que naissent les idiotismes ? » (Article « *Inversion* » dans
l'*Encyclopédie*.)

L'étude du mécanisme des langues permet des rapprochements et des typologies qui préfigurent le comparatisme du
XIXᵉ siècle. On établit des ressemblances dans le mécanisme de
diverses langues, ce qui constitue une preuve pour la thèse de la
nature commune des langues, qui, dans son *évolution*, revêt des
expressions multiples. On voit comment le principe d'une *langue naturelle*, confronté à la multiplicité des langues réelles, a
pu devenir principe d'une *langue commune* à partir de laquelle
se seraient développées les autres, et mène donc inévitablement
à la théorie évolutionniste du langage. Les premiers germes de
ce comparatisme se trouvent dans le rapport de 1767 du père
Cœurdoux, missionnaire à Pondichéry, dans lequel il constate
des analogies entre le sanscrit, le grec et le latin (cf. plus loin
p. 182 et 187 *sq*). Avant lui le Hollandais Lambert Ten Kate
avait publié en 1710 une étude dans laquelle il établissait la
parenté des langues germaniques. William Jones (1746-1794)
inaugure sans doute de façon décisive la future linguistique
comparée lorsqu'il remarque les correspondances entre le sanscrit, le persan, le grec, le latin, le gothique et le celtique.

Or, c'est la philosophie sensualiste et empiriste qui fournit le
fondement théorique sur lequel se construira la description
grammaticale du siècle. Locke (1632-1704) et Leibniz, et en
France les « Idéologues » avec Condillac (1715-1780) en tête,
proposent la *théorie du signe* comme principe général de cette
langue commune qui se manifeste dans plusieurs langues
concrètes. Ils renouent ainsi avec les théories du signe de la
Grèce, du Moyen Age et de la logique cartésienne tout en les
transformant : si, pour les philosophes du XVIIIᵉ siècle, la pensée est une articulation des signes que sont les éléments linguistiques, le problème est de définir la *voie* par laquelle on aboutit
de la *sensation au signe* linguistique.

Pour Locke, les mots « sont signes des idées qui se trouvent
aussi dans les autres hommes avec qui ils s'entretiennent » ; ils
ne sont pas pour autant sans rapport avec « la réalité des choses ». Mais Locke est formel : le *signe* ne doit pas être encombré

par la relation qu'il peut avoir avec le réel. «C'est pervertir l'usage des mots, et embarrasser leur signification d'une obscurité et d'une confusion inévitables, que de les faire servir à l'expression d'aucune autre chose que des idées que nous avons dans l'esprit.» La définition saussurienne du signe (cf. p. 19) s'esquisse ici, lorsque Locke pose le rapport arbitraire entre ce qui sera appelé «référent» et ce qui sera appelé «signifiant-signifié»: «Les mots ne signifient autre chose que les idées particulières des hommes, et cela par une institution tout à fait arbitraire.» (*Essai sur l'entendement humain,* livre III, «Les mots».) Il est à remarquer que, si Locke considère les mots comme signes et étudie leur diversité (termes généraux, noms des idées simples, noms des idées mixtes, etc.), il ne s'arrête pas à eux, mais considère l'*ensemble* du discours comme une *construction,* et envisage le rôle des *particules,* par exemple, pour lier les idées entre elles, pour montrer leur relation, pour servir de signes d'une «action de l'esprit». C'est sur la base d'une telle conception «constructiviste» du fonctionnement du langage que la grammaire pourra élaborer une approche syntaxique de la langue.

Dans ses *Nouveaux Essais sur l'entendement humain* (1765), Leibniz reprend et développe les idées de Locke. Les mots (livre III), pour lui, «servent à représenter et même à expliquer les idées». S'il considère que toutes les langues, quelque différentes qu'elles soient matériellement, se déroulent sur le même fond *formel,* c'est-à-dire qu'il y a une «signification qui est commune aux différentes langues», Leibniz ne néglige pas pour autant la spécificité *signifiante* de chaque langue, son organisation matérielle particulière. Ainsi il écrit:

«Philalète. — Il arrive souvent que les hommes appliquent davantage leurs pensées aux mots qu'aux choses; et parce qu'on a appris la plupart de ces mots avant que de connaître les idées qui les signifient, il y a non seulement des enfants mais des hommes faits qui parlent souvent comme des perroquets. Cependant les hommes prétendent ordinairement de marquer leurs propres pensées; et de plus ils attribuent aux mots un secret rapport aux idées d'autrui et aux choses mêmes. Car si les sons étaient attachés à une autre idée par celui avec qui nous nous entretenions, ce serait parler deux langues; il est vrai qu'on ne s'arrête pas trop à examiner quelles sont les idées des autres, et l'on suppose que notre idée est celle que le commun et les habiles gens du pays attachent au même mot. Ce qui a lieu particulièrement à l'égard des idées simples et des modes ; mais quant aux substances, on y croit plus particulièrement que les mots signifient aussi la réalité des choses.

« Théophile. — Les substances et les modes sont également représentés par les idées, et les choses, aussi bien que les idées, dans l'un et l'autre cas, sont marquées par les mots ; ainsi, je n'y vois guère de différence, sinon que les idées des choses substantielles et des qualités sensibles sont plus fixes. Au reste, il arrive quelquefois que nos idées et pensées sont la matière de nos discours et font la chose même qu'on veut signifier, et les notions réflexives entrent plus qu'on ne croit dans celles des choses. On parle même quelquefois des mots matériellement, sans que dans cet endroit-là précisément on puisse substituer à la place du mot la signification ou le rapport aux idées ou aux choses ; ce qui arrive, non seulement lorsqu'on parle en grammairien, mais encore quand on parle en dictionnariste, en donnant l'explication du nom. »

On voit comment la notion de méta-langage : langage sur le langage, se profile dans ces réflexions leibniziennes.

Évoquant Locke, Condillac suppose que les premiers humains, se servant des cris devenus signes des passions, ont créé d'abord « naturellement le langage d'*action* ». « Cependant ces hommes ayant acquis l'habitude de lier quelques idées à des signes arbitraires, les cris naturels leur servirent de modèle pour se faire un nouveau langage. Ils articulèrent quelques nouveaux sons ; et, en les répétant plusieurs fois, et les accompagnant de quelque geste qui indiquait les objets qu'ils voulaient faire remarquer, ils s'accoutumèrent à donner des noms aux choses. Les premiers progrès de ce langage furent néanmoins très lents... » (*Essai sur l'origine des connaissances humaines, ouvrage où l'on réduit à un seul principe tout ce qui concerne l'entendement humain,* 1746-1754.) Un récit est ainsi créé, une fable évolutionniste qui sera le fondement idéologique de la théorie des signes linguistiques et de leur développement à travers les âges et les peuples. « Il y a donc eu un temps où la conversation était soutenue par un discours entremêlé de mots et d'actions. L'usage et la coutume, ainsi qu'il est arrivé dans la plupart des autres choses de la vie, changèrent ensuite en ornement ce qui était dû à la nécessité : mais la pratique subsista encore longtemps après que la nécessité eut cessé ; singulièrement parmi les Orientaux, dont le caractère s'accommodait naturellement d'une forme de conversation qui exerçait si bien leur vivacité par le mouvement, et la contentait si fort par une représentation perpétuelle d'images sensibles. » *(Essai sur les hiéroglyphes*, § 8 et 9.) Condillac considère comme des langages des formes d'expression et de communication qui ne sont pas verbales, telle par exemple la *danse,* ou le langage gestuel en général, ou le *chant,* annonçant ainsi la science moderne des systèmes signifiants, la *sémiologie.* La *poésie* est aussi pour Condillac un type de langage qui mime le langage d'action : « Si, dans l'origine des langues, la prosodie approcha le chant, le style, afin de copier les images sensibles du langage d'action, adopta toutes sortes de figures et de métaphores, et fut une vraie peinture. » Condillac insiste pourtant sur le fait que c'est le *langage des sons* qui a eu le développement le plus favorable pour pouvoir « se perfectionner et devenir enfin le plus commode de tous ». Il étudie la *composition,* c'est-à-dire le caractère des mots en tant que différentes parties du discours, de même que *l'ordre,* la combinaison, pour conclure dans le chapitre « Du génie des langues » que chaque peuple ayant un caractère spécifique déterminé par le climat et le gouvernement, a aussi une langue spécifique. « Tout confirme donc que chaque langue exprime le caractère du peuple qui la parle. » Ainsi est posé le principe de la *diversité* des langues et de leur *évolution* reposant sur un seul et même fondement, celui des signes. C'est à ce modèle théorique que la grammaire va s'attaquer pour lui donner une description minutieuse qui sera sa confirmation. En effet, nous lisons dans *Principes généraux de Grammaire :* « Comme l'organisation, quoique la même pour le fond, est susceptible, suivant les climats, de bien des variétés, et que les besoins varient également, il n'est pas douteux que les hommes, jetés par la nature dans des circonstances différentes, ne se soient engagés dans des routes qui s'écartent les unes des autres. »

La théorie émise par Condillac du signe universel et naturel, dont les variations dans les différentes langues seraient dues aux conditions naturelles et sociales, a le grand mérite de se proposer, sous une forme de fiction (qu'il n'ignore pas), comme

l'idéologie de la description linguistique que feront les grammairiens : « Peut-être prendra-t-on toute cette histoire pour un
roman : mais on ne peut du moins lui refuser la vraisemblance.
J'ai peine à croire que la méthode que j'ai suivie m'ait souvent
fait tomber dans l'erreur : car j'ai eu pour objet de ne rien
avancer que sur la supposition qu'un langage a toujours été
imaginé sur le modèle de celui qui l'a immédiatement précédé.
J'ai vu dans le langage d'action le germe des Langues et de tous
les Arts qui peuvent servir à exprimer la pensée ; j'ai observé les
circonstances qui ont été propres à développer ce germe ; et non
seulement j'en ai vu naître ces Arts, mais encore j'ai suivi leurs
progrès, et j'en ai expliqué les différents caractères. En un mot,
j'ai, ce me semble, démontré d'une manière sensible que les
choses qui nous paraissent les plus singulières ont été les plus
naturelles dans leur temps, et qu'il n'est arrivé que ce qui devait
arriver. »

Ce postulat de la nécessité naturelle de tout, y compris des
langues et de leur développement, sera orchestré par les idéologues successeurs de Condillac. Dans cette optique, Destutt de
Tracy propose dans ses *Éléments d'idéologie* (1801-1815) une
théorie des langages comme systèmes de signes. « Toutes nos
connaissances, écrit-il, sont des idées ; ces idées ne nous paraissent jamais que revêtues de signes. » A partir de ce point de
départ, il considère la grammaire comme « la science des signes... Mais j'aimerais mieux que l'on dît, et surtout que l'on
eût dit de tout temps, qu'elle est la continuation de la science
des idées. » Sans se limiter au langage verbal, Tracy constate
que « tout système de signes est un langage : ajoutons maintenant que tout emploi d'un langage, toute émission de signes est
un discours ; et faisons que notre Grammaire soit l'analyse de
toutes les espèces de discours ». Signalons la démarche universaliste d'une telle sémiotique « idéologique », visant à ordonner
tout discours dans les règles communes des idées : une certaine
tendance moderne de la sémiotique peut y voir son annonce.
D'autre part, dans l'esprit syntaxique de la grammaire du
XVIIIe siècle, Tracy remarque que « nos signes n'ont déjà plus
seulement la valeur qui est propre à chacun d'eux ; ils y ajoutent
celle qui résulte de la place qu'ils occupent ».

Le souci des idéologues est évident : il faut justifier historiquement et logiquement la pluralité des langues que l'observa-

tion grammaticale confirme constamment. Il faut donc développer théoriquement le postulat de l'origine logique qui se retrouverait obligatoirement et implicitement sous chacune de ces variables. Condillac soutient que la langue *originelle* nommait ce qui était donné directement aux sens : les *choses* d'abord, les *opérations* après ; « fruit » d'abord, « vouloir » ensuite ; « Pierre » enfin. Le latin serait l'exemple de ce type de langue. Viennent ensuite les langues analytiques qui commencent la phrase par le sujet et la terminent par ce qu'on veut en dire. Ces deux catégories de langues sont susceptibles d'évolution et de changement, à cause de deux facteurs : le climat et le gouvernement. L'idée semble se glisser ici que les conditions sociales influent sur le caractère de la langue, mais Condillac exalte beaucoup plus le rôle de l'individu génial que celui de l'organisme social. Sa théorie n'en est pas moins matérialiste. Car, si la langue est un système rigoureux de signes, que Condillac n'hésite pas à comparer aux signes mathématiques (et dans ce sens, il considère que l'extrême rigueur est la condition de survivance et d'avenir pour une langue donnée) celle-ci n'est pas une abstraction idéale donnée une fois pour toutes. Elle est doublement enracinée dans le réel : d'abord parce que ce sont les sensations qui informent le signe linguistique, ensuite parce que le développement de nos sensations et de nos connaissances influencera le perfectionnement de la langue elle-même. Le réalisme et l'historicisme fondés sur la perception du sujet-assise de l'idée, sont conjoints dans la conception de Condillac. « Il faudrait donc se mettre d'abord dans les circonstances sensibles, afin de faire des signes pour exprimer les premières idées, qu'on acquerrait par sensation et par réflexion et lorsqu'en réfléchissant sur celles-là, on en acquerrait de nouvelles, on ferait de nouveaux noms dont on déterminerait le sens, en plaçant les autres dans les circonstances où l'on se serait trouvé, et en leur faisant faire les réflexions qu'on aurait faites. Alors les expressions succéderaient toujours aux idées : elles seraient donc claires et précises, puisqu'elles ne rendraient que ce que chacun aurait sensiblement éprouvé. » Donc, avec sa *perception* le *sujet* produit l'*idée* qui s'exprime dans le *langage :* le développement et le perfectionnement de ce processus est l'*histoire* de la connaissance.

Un des ouvrages capitaux qui se placent dans le sillage des

idées de Condillac est le livre de Court de Gébelin, *le Monde primitif analysé et comparé avec le monde moderne* (1774-1782).

A cette conception du langage qu'on peut définir comme un sensualisme rationnel et déterministe, s'opposent les théories de Jean-Jacques Rousseau (1712-1778) dans son *Essai sur l'origine des langues où il est parlé de la mélodie et de l'imitation musicale* (écrit en 1756, paru en 1781). Il est vrai que Rousseau attribue les propriétés communes à toutes les langues au fait qu'elles jouent un rôle social, tandis que leur diversité serait due à la différence des conditions naturelles dans lesquelles elles se produisent : « La parole étant la première institution sociale ne doit sa forme qu'à des causes naturelles. » Or, pour Rousseau, ce qui est commun aux langues n'est pas un *principe de raison,* mais un *besoin personnel des sujets.* S'opposant au principe que la raison modèle le fond de toute langue, aussi bien qu'à la thèse de Condillac que ce sont les besoins qui forment le langage, Rousseau déclare que « la première invention de la parole ne vient pas des besoins mais des passions ». « On nous fait du langage des premiers hommes des langues de géomètres, et nous voyons que ce furent des langages des poètes... » « ... l'origine des langues n'est point due aux premiers besoins des hommes ; il serait absurde que de la cause qui les écarte vînt le moyen qui les unit. D'où peut donc venir cette origine ? Des besoins moraux, des passions. Toutes les passions rapprochent les hommes que la nécessité de chercher à vivre force à se fuir. Ce n'est pas la faim, ni la soif, mais l'amour, la haine, la pitié, la colère, qui leur ont arraché les premières voix... et voilà pourquoi les premières langues furent chantantes et passionnées, avant d'être simples et méthodiques... »

C'est chez Denis Diderot (1713-1784), l'inspirateur de *l'Encyclopédie,* que nous trouvons une conception matérialiste du langage qui n'est sans doute pas sans influencer les travaux scientifiques des grammairiens de l'époque encyclopédiste. Diderot reprend les grands thèmes que les sensualistes et les idéologues développèrent : le signe et son rapport à l'idée et à la réalité sensible ; les types de langues dans l'histoire ; le développement du langage ; l'alphabétisme et l'hiéroglyphie ; les types de systèmes signifiants comme des langages (les arts : la poésie, la peinture, la musique) etc. Il pose définitivement et résolument sur une base rigoureusement matérialiste les ébauches des idéologues et des sensualistes, en proposant ainsi une des premières synthèses matérialistes modernes concernant la théorie de la connaissance, et par conséquent du fonctionnement linguistique.

Diderot insiste sur le rôle des «objets sensibles» dans la formation du langage. «Les objets sensibles ont les premiers frappé les sens; et ceux qui réunissent plusieurs qualités sensibles à la fois ont été les premiers nommés; ce sont les différents individus qui composent cet univers. On a ensuite distingué les qualités sensibles les unes des autres; on leur a donné des noms; ce sont la plupart des adjectifs. Enfin, abstraction faite de ces qualités sensibles, on a trouvé ou cru trouver quelque chose de commun dans tous ces individus, comme l'impénétrabilité, l'étendue, la couleur, la figure, etc., et l'on a formé les noms métaphysiques et généraux, et presque tous les substantifs. Peu à peu, on s'est accoutumé à croire que ces noms représentaient des êtres réels : on a regardé les qualités sensibles comme de simples accidents...» *(Lettre sur les sourds et muets.)* Au processus d'abstraction idéale Diderot oppose la thèse que la pensée est loin d'être autonome par rapport à la langue : «Les pensées s'offrent à notre esprit, je ne sais par quel mécanisme, à peu près sous la forme qu'elles auront dans le discours, et pour ainsi dire, tout habillées.» Pour saisir le véritable mécanisme du langage en éliminant les présupposés grammaticaux légués par l'étude des langues classiques ou modernes, Diderot propose d'examiner le discours gestuel des sourds et des muets en rapport avec le même message transmis en langue verbale. Il finit par établir le bien-fondé de l'ordre des mots de la langue française — sa logique naturelle — pour conclure qu'elle a «l'avantage sur les langues anciennes».

Notons enfin l'intuition géniale de Diderot qui considère les systèmes des arts comme des systèmes de signes, en préconisant qu'il est nécessaire d'étudier la particularité de chacun de ces systèmes de signes (en musique, en peinture, en poésie) : «C'est la chose même que le peintre montre; les expressions du Musicien et du Poëte n'en sont que des hiéroglyphes.» Cette théorie de certains systèmes signifiants comme des *systèmes hiéroglyphiques,* qui obtient un nouveau poids aujourd'hui après les travaux de Freud (cf. p. 263 et suivantes), se trouve déjà indi-

quée par Diderot : « Partout où l'hiéroglyphe occidental aura
lieu : soit dans un vers, soit sur un obélisque ; comme il est ici
l'ouvrage de l'imagination et là celui du mystère ; il exigera pour
être entendu ou une imagination ou une sagacité peu communes... Tout art d'imitation ayant ses hiéroglyphes particuliers, je
voudrais bien que quelqu'esprit instruit et délicat s'occupât un
jour à les comparer entre eux. »

Les autres Encyclopédistes, à la suite de Diderot, ne pouvaient pas ne pas attacher une grande importance aux problèmes
du langage. L'économiste Turgot écrit l'article « Étymologie »
du tome VI de *l'Encyclopédie* (1756). Voltaire (1694-1778)
lui-même s'intéresse à la grammaire et dans ses *Commentaires
sur le théâtre de Corneille* (1764), il établit ou plutôt défend
quelques règles grammaticales qui finissent par s'imposer grâce
à l'autorité de l'écrivain : je crois + indicatif ; je ne crois pas
+ subjonctif ; croyez-vous + indicatif ou subjonctif d'après le
sens, etc. Voltaire travaille au *Dictionnaire de l'Académie* et
projette un ouvrage collectif qui serait une *Encyclopédie grammaticale*. Ses remarques linguistiques (principalement recueil-
lies dans ses commentaires sur le théâtre de Corneille) révèlent
un esprit logique qui considère que l'ordre linguistique juste et
naturel est l'ordre analytique, conforme à « cette logique naturelle avec laquelle naissent tous les hommes bien organisés ».
En fait aucune langue « n'a pu arriver à un plan absolument
régulier, attendu qu'aucune n'a pu être formée par une assemblée de logiciens » ; mais « les moins imparfaites sont comme les
lois : celles où il y a le moins d'arbitraire sont les meilleures ».
(*Dictionnaire philosophique,* article « Langues ».)

Les théories proprement grammaticales prolongent et transforment les conceptions de Port-Royal. Le changement radical
consiste dans l'orientation vers l'expression proprement linguistique, désormais nettement distinguée du contenu logique.
Le père Buffier dans ses *Remarques* (publiées dans les *Mémoires de Trévoux,* octobre 1706) souligne qu'« en fait de langage,
c'est l'expression mesme qu'on cherche, bien plus que la raison
de l'expression ». Les langues ont une spécificité qu'il ne faut
pas confondre, même si leur fond logique est commun : « Pour
l'arrangement des phrases et le tour des expressions qui sont le
propre caractère d'une langue, le François est aussi différent du
Latin que de quelque autre langue que ce soit, et en particulier

plus que de l'Allemand.» (*Grammaire françoise sur un plan nouveau,* 1709.) Pourtant, c'est la raison qui doit s'emparer de tous ces faits linguistiques divers et les organiser en système : « Il se trouve essentiellement dans toutes, ce que la Philosophie y considère, en les regardant comme les expressions naturelles de nos pensées ; car comme la nature a mis un ordre nécessaire entre nos pensées, elle a mis par une conséquence infaillible un ordre nécessaire dans les langues. » Le projet de Buffier est donc celui de Ramus et de la *Grammaire générale :* l'analyse logique est une méthode de systématisation des données linguistiques disparates.

La *théorie de la proposition* de Buffier rejoint celle des Solitaires, mais la complète en distinguant d'abord des types de phrases : «*complètes,* celles où il se trouve un nom et un verbe dans leur propre fonction », «*incomplètes,* celles où le nom et le verbe ne servent qu'à former une sorte de nom, composé de plusieurs mots, sans qu'on affirme rien, et qui pourrait s'exprimer en un seul mot » (exemple : « *ce qui est vrai* »). D'autre part, la grammaire de Buffier décrit de façon plus détaillée la construction de la proposition. Les noms et les verbes reçoivent plusieurs *modificatifs* dont la diversité est spécifiée, mais qui exprime une seule et même relation de *complémentation :* « Nous avons réservé ce terme *modificatif* aux mots qui n'ont point d'autre usage que d'indiquer les circonstances du nom et du verbe. » Les éléments modificatifs se rapportant au verbe peuvent être *absolus* (qui particularisent l'action du verbe) et *respectifs* (à l'égard desquels se fait l'action du verbe). Exemple : *Il faut sacrifier la vanité* (absolu) *au repos* (respectif). S'ajoutent les *modificatifs circonstanciels* qui marquent la circonstance.

De son côté, l'ouvrage de Du Marsais, *Méthode raisonnée pour apprendre la langue latine* (1722) annonce des principes d'enseignement qui vont s'ajouter à la mutation produite par des grammairiens comme Buffier, pour préparer la *Grammaire* de l'*Encyclopédie*. Ces principes pédagogiques consistent en une *dialectique* des principes de la *ratio* et de l'*usage,* c'est-à-dire des règles logiques et de l'observation strictement linguistique, de même que des analyses philosophiques et des analyses formelles. Cela permet au grammairien de dégager, sous les catégories grammaticales héritées du latin, des *relations* entre les *termes* linguistiques. Ainsi Du Marsais écrit : « On met au datif le mot qui signifie ce à quoi ou ce à qui on donne ou on attribue quelque chose ; c'est le cas de l'attribution, et c'est pour cela que ce cas s'appelle datif, du verbe *dare*, donner : *date quietem senectuti*. On met ainsi à ce cas les mots qui sont considérés sous des rapports semblables à celui de donner, et même d'ôter : comme le rapport de fin, *finis cui*. Ce que l'usage et les exemples apprennent. »

Après la grammaire de l'abbé Fremy, *Essay d'une nouvelle méthode pour l'explication des auteurs* (1722), et sous l'influence croissante de Descartes d'une part, mais aussi de Locke et des sensualistes, de l'autre, l'enseignement du français est admis dans le cours universitaire comme en témoigne le *Traité des Études,* « De l'étude de la langue française, de la manière dont on peut expliquer les auteurs français », de Charles Rollin (1726-1728). Dès lors, le besoin devient encore plus urgent de trouver un *méta-langage* spécifique et nouveau pour rendre compte des particularités des rapports dans les langues modernes, sans pour autant abandonner le domaine des relations universelles, mais sans quitter non plus celui de la langue. Les *Principes généraux et raisonnés de la langue françoise* (1730) de Pierre Restaut s'attachent à démontrer la nécessité de cette jonction entre principes de raisonnement et connaissance empirique des rapports linguistiques (gravés dans la mémoire) : « Le raisonnement seul ne suffit pas pour l'étude d'une langue. Il faut encore que la mémoire se charge et se remplisse d'un grand nombre de mots et de combinaisons différentes, dont la connaissance ne s'acquiert que par un exercice continué, et ne peut être du ressort d'aucune mécanique. »

Restaut a le génie de lier dans une même analyse les termes, déjà utilisés séparément avant lui, de *sujet* et d'*objet*, pour dessiner ainsi une carcasse plus complète de la construction phrastique. Les critères qui président à la définition de ces termes restent sémantiques : « On appelle toujours *sujet*, comme nous l'avons dit, le nominatif d'un verbe tel qu'il puisse être. L'*objet* est la chose à laquelle se termine une action intellectuelle ou une action produite par l'âme ; comme quand je dis : *J'aime Dieu.* » Mais Restaut ajoute : « Quand une action est sensible et qu'elle produit un effet sensible, on appelle aussi sujet la chose à laquelle elle se termine. Aussi dans ces phrases :

J'ai déchiré mon livre, Caïn a tué Abel ; mon livre et *Abel* sont les sujets auxquels se terminent les actions de déchirer et de tuer, et on ne peut pas dire qu'ils en sont les objets. » Se situant dans les schémas des grammaires formelles, Restaut donne les correspondances sémantiques de chaque forme : ainsi le génitif « marque le rapport d'une chose qui appartient à une autre par production ou par jouissance, ou en quelque manière que ce soit ». Enfin, à la place des procédés formalistes de substitution, Restaut dégage une *relation* désignée par un pronom interrogatif, précédé ou non par une préposition : « Pour trouver le régime d'un verbe actif, on met *quoi* ou *qui* en interrogation après le verbe ou la préposition », pour les objets indirects on met « en interrogation *de quoi, ou de qui, à quoi* ou *à qui* ». C'est justement ce type d'analyse qui dure encore dans l'enseignement traditionnel de la grammaire.

A partir de 1750 l'activité de formalisation de la langue française tournera autour de *l'Encyclopédie :* d'abord avec Du Marsais, et après sa mort en 1756, avec Douchet et Beauzée. L'idée dominante sera bien sûr celle de la langue naturelle : chaque langue possède un ordre naturel, *ordo naturalis,* quand elle s'approche des modèles de la pensée. Du Marsais écrit : « Tout est dans l'ordre naturel, ordre conforme à notre manière de concevoir par la parole et à l'habitude que nous avons contractée naturellement dès l'enfance, quand nous avons appris notre langue naturelle ou quelque autre ; ordre enfin qui doit avoir été le premier dans l'esprit de Cicéron quand il a commencé sa lettre par *raras tuas* [*Raras tuas quidem, frotasse enim non perferuntur, sed suaves accipio litteras*], car comment aurait-il donné à ces deux mots la terminaison du genre féminin, s'il n'avait pas eu dans l'esprit *litteras ?* Et pourquoi leur auroit-il donné la terminaison de l'accusatif s'il n'avoit pas voulu faire connoître que ces mots se rapportaient à *Je reçois dans le moment une de vos lettres : vous m'écrivez bien rarement, mais elles me font toujours un sensible plaisir ?* » Pour retrouver cet ordre naturel, recouvert par le souci tardif d'élégance et de rhétorique, le grammairien doit « faire l'anatomie des phrases », dit Du Marsais.

Dans une visée semblable : observation de la diversité des langues et leur réduction à l'ordre naturel, l'abbé Girard (*les Vrais Principes de la langue française ou la Parole réduite en méthode conformément aux lois de l'usage,* 1747) établit une typologie des langues d'après le type-de *construction des propositions*. Si chaque langage a son génie propre, dit l'abbé, « ils peuvent néanmoins être réduits à trois sortes ». D'une part les langues *analytiques* (qui obéissent à l'ordre naturel) : le français, l'italien, l'espagnol. « Le sujet agissant y marche le premier, ensuite l'action accompagnée de ses modifications, après cela ce qui en fait l'objet et le terme. » En second lieu viennent les langues *transpositives* (qui ne suivent pas l'ordre naturel) comme le latin, l'esclavon et le moscovite, « faisant précéder tantôt l'objet, tantôt l'action, tantôt la modification et la circonstance ». Et en troisième lieu, les langues *mixtes* ou *amphibologiques,* le grec et le teutonique. Cette typologie est, on le voit, fondée sur une analyse syntaxique qui devient le phénomène marquant de la pensée linguistique de la deuxième moitié du siècle.

Les composants de la proposition sont toujours définis de manière sémantique, mais aussi par les rapports des éléments. La proposition *est un système de complémentation* à l'aide de la préposition, et non plus une fonction définie en termes logiques. La préposition « consiste donc dans l'indication d'un rapport déterminatif, par le moyen duquel une chose en affecte une autre. La préposition annonce toujours celle qui affecte, qu'on nomme le complément du rapport, et que par cette raison elle a sous son régime ». Les phrases sont : « incomplètes, se bornant aux membres essentiels Subjectif et Attributif » ; « complète est celle dans laquelle, outre le Subjectif et l'Attributif, se trouvent encore les trois suivants, Objectif-Terminatif-Circonstanciel... ». Voici donc le tableau complet de la syntaxe de la proposition avec ses sept parties « qui peuvent être admises dans la structure de la phrase, pour en faire le tableau de la pensée. Je trouve qu'il faut d'abord un sujet et une attribution à ce sujet ; sans cela on ne dit rien. Je vois ensuite que l'attribution peut avoir, outre son sujet, un objet, un terme, une circonstance modificative, une liaison avec une autre, simplement pour servir d'appui à quelqu'une de ces choses ou pour exprimer un mouvement de sensibilité occasionné dans l'âme de celui qui parle ».

Du Marsais va se servir de cette admirable synthèse de l'abbé Girard qui a su joindre Port-Royal aux grammaires formalistes pour dégager une analyse des fonctions et des formes qui les expriment. Chevalier remarque que l'innovation de Girard consiste dans l'introduction d'une plus grande rigueur logique pour préciser le contenu du terme *complément* et pour établir la différence entre *concordance* et *régime*. Les théories de Du Marsais sur l'origine du langage, son caractère de *signe* et sa dépendance du climat, théories héritées des Idéologues, sont développées dans ses *Fragments sur les causes de la parole*, de même que dans sa *Logique* (édition posthume). Il expose ses idées concernant l'organisation de la proposition, principalement dans le chapitre « De la construction grammaticale » de ses *Principes de grammaire* et dans l'article « Construction » de *l'Encyclopédie*. Il distingue les deux plans de l'analyse : grammatical et logique : « Quand on considère une proposition grammaticalement, on n'a égard qu'aux rapports réciproques qui sont entre les mots ; au lieu que, dans la proposition logique, on n'a égard qu'au sens total qui résulte de l'assemblage des mots. » La grammaire s'occupera de l'« arrangement des mots dans le discours », et ce sont les lois constantes de ces arrangements que la syntaxe va aborder, sans s'enfermer dans les cadres étroits de l'affirmation logique, mais en envisageant tout énoncé affirmatif ou négatif de même que l'énonciation de « certaines vues de l'esprit ».

Le vrai pivot de la syntaxe devient la nature du *complément* qui se dégage à travers et à l'aide de la distinction identité/détermination. La relation d'identité concerne le nom et l'adjectif. La relation de détermination « règle la construction des mots ». « Un mot doit être suivi d'un ou de plusieurs autres mots déterminants toutes les fois que, par lui-même, il ne fait qu'une partie de l'analyse d'un sens particulier ; l'esprit se trouve alors dans la nécessité d'attendre et de demander le mot déterminant pour savoir tout le sens particulier, que le premier mot ne lui annonce qu'en partie. » Un exemple précise cette notion de déterminant-complément : « Quelqu'un me dit que le roi *a donné*. Ces mots *a donné* ne sont qu'une partie du sens particulier ; l'esprit n'est pas satisfait, il n'est qu'ému. On s'attend ou l'on demande, 1) ce que le roi a donné ? 2) à qui il a donné ? On répond, par exemple, à la première question que le *roi a donné un régiment ;* voilà l'esprit satisfait par rapport à la chose donnée : *régiment* est donc à cet égard le déterminant de *a donné*. On demande ensuite, *A qui le roi a-t-il donné le régiment ?* On répond : *A Monsieur N*... Ainsi la préposition *à*, suivie du nom qui la détermine, fait un sens partiel qui est le déterminant de *a donné* par rapport à la personne *à qui*. »

Une fois faite cette analyse des rapports des parties du discours, la déclinaison, longtemps maintenue sur le modèle latin, disparaît définitivement. Ce sont les *prépositions* qui se chargent d'articuler les relations dans la phrase, sans qu'on ait besoin des marques formelles correspondant aux six cas. « Par exemple, la préposition *pour* marque le motif, une fin, une raison ; mais ensuite, il faut énoncer l'objet qui est le terme de ce motif, et c'est ce qu'on appelle le *complément de la préposition*. Par exemple, *il travaille pour la patrie ;* la *patrie* est le complément de *pour*... »

Si nous avons pu suivre ici l'élaboration du concept syntaxique de *complément* chez Du Marsais, on cherchera en vain une théorie grammaticale dans l'article «Complément» de *l'Encyclopédie*. Beauzée remarquera plus tard, dans l'article «Régime» que, dans l'article «Gouverner», il a été seulement insinué qu'«il fallait donner le nom de *complément* à ce que l'on appelle *régime*», mais qu'«il ne faut pourtant pas confondre ces deux termes comme synonymes ; je vais déterminer la notion précise de l'un et de l'autre en deux articles séparés ; et par là je suppléerai l'article «Complément» que M. Du Marsais a omis en son lieu, quoi qu'il fasse fréquemment usage de ce terme». L'histoire de la linguistique considère pourtant Du Marsais comme l'inventeur de cette analyse, et Thurot le dit nettement dans son *Introduction* à *Hermes* de Harris : « Du Marsais est, je crois, le premier qui ait considéré les mots de ce point de vue. »

Dans sa *Grammaire générale* (1767), Beauzée développera et détaillera l'analyse des compléments, après la *Grammaire françoise* de De Wailly (1754). Les descriptions errent du logicisme au sémantisme ou reviennent à des catégories aristotéliciennes, mais le cadre de l'étude syntaxique est fixé, et le sera jusqu'à aujourd'hui pour les grammaires scolaires. La bourgeoisie avait réussi à se forger une arme idéologique sûre : cerner le langage dans un cadre logique que lui avait légué le classicisme, tout en lui accordant une souplesse et une autonomie relative quand elle détourne légèrement l'analyse vers les « faits » linguistiques. Universalisme et empirisme, passant l'un dans l'autre, modèlent cette conception de la construction phrastique que la grammaire du XVIIIe siècle a pu élaborer sur le fond d'une conception «naturelle» du langage. Citons, pour finir, l'article «Langage» de *l'Encyclopédie*, qui condense, sous sa forme idéologique, ce que les grammairiens ont fait sur le plan de la description «scientifique» :

«*Article* III. *Analyse & comparaison* des langues. Toutes les *langues* ont un même but, qui est l'énonciation des pensées. Pour y parvenir, toutes employent le même instrument, qui est la voix : c'est comme l'esprit & le corps du langage ; or il en est, jusqu'à un certain point, des *langues* ainsi considérées, comme des hommes qui les parlent.

«Toutes les âmes humaines, si l'on en croit l'école cartésienne, sont absolument de même espèce, de même nature ; elles ont les mêmes facultés au même degré, le germe des mêmes talents, du même esprit, du même génie, & elles n'ont entre elles que des différences numériques & individuelles : les différences qu'on y aperçoit dans la suite tiennent à des causes extérieures ; à l'organisation intime des corps qu'elles animent ; aux divers tempéramens que les conjonctures y établissent ; aux occasions plus ou moins fréquentes, plus ou moins favorables, pour exciter en elles des idées, pour les rapprocher, les combiner, les développer ; aux préjugés plus ou moins heureux, qu'elles reçoivent par l'éducation, les mœurs, la religion, le gouvernement politique, les liaisons domestiques, civiles & nationales, etc.

«Il en est encore à-peu-près de même des corps humains. Formés de la même matière, si on en considère la figure dans ses traits principaux, elle paroît pour ainsi dire, jettée dans le même moule : cependant il n'est peut-être pas encore arrivé qu'un seul homme ait eu avec un autre une ressemblance de corps bien exacte. Quelque connexion physique qu'il y ait entre homme & homme, dès qu'il y a diversité d'individus, il y a des différences plus ou moins sensibles de figure, outre celles qui sont dans l'intérieur de la machine : ces différences sont plus marquées, à proportion de la diminution des causes convergentes vers les mêmes effets. Ainsi tous les sujets d'une même nation ont entr'eux des différences individuelles avec les traits de la ressemblance nationale. La ressemblance nationale d'un peuple n'est pas la même que la ressemblance nationale d'un autre peuple voisin, quoiqu'il y ait encore entre les deux des caracteres d'approximation : ces caracteres s'affoiblissent, & les traits différentiels augmentent à mesure que les termes de comparaison s'éloignent, jusqu'à ce que la très-grande diversité des climats & des autres causes qui en dépendent plus ou moins, ne laisse plus subsister que les traits de la ressemblance spécifique sous les différences des Blancs & des Negres, des Lapons & des Européens méridionaux.

« Distinguons pareillement dans les *langues* l'esprit & le corps, l'objet commun qu'elles se proposent, & l'instrument universel dont elles se servent pour l'exprimer, en un mot, les pensées & les sons articulés de la voix, nous y démêlerons ce qu'elles ont nécessairement de commun, & ce qu'elles ont de propre sous chacun de ces deux points de vûe, & nous nous mettrons en état d'établir des principes raisonnables sur la génération des *langues,* sur leur mélange, leur affinité & leur mérite respectif.

« L'esprit humain, ... vient à bout de distinguer des parties dans sa pensée, toute indivisible qu'elle est, en séparant, par le secours de l'abstraction, les différentes idées qui en constituent l'objet, & les diverses relations qu'elles ont entre elles à cause du rapport qu'elles ont toutes à la pensée indivisible dans laquelle on les envisage. Cette analyse, dont les principes tiennent à la nature de l'esprit humain, qui est la même par-tout, doit montrer par-tout les mêmes résultats, ou du moins des résultats semblables, faire envisager les idées de la même manière, & établir dans les mots la même classification.

« Voilà donc ce qui se trouve universellement dans l'esprit de toutes les *langues ;* la succession analytique des idées partielles qui constituent une même pensée, & les mêmes especes de mots pour représenter les idées partielles envisagées sous les mêmes aspects. Mais elles admettent toutes, sur ces deux objets généraux, des différences qui tiennent au génie des peuples qui les parlent, & qui font elles-mêmes tout à la fois les principaux caracteres du génie de ces *langues,* et les principales sources des difficultés qu'il y a à traduire exactement de l'une en l'autre.

« 1° Par rapport à l'ordre analytique, il y a deux moyens par lesquels il peut être rendu sensible dans l'énonciation vocale de la pensée. Le premier, c'est de ranger les mots dans l'élocution selon le même ordre qui résulte de la succession analytique des idées partielles ; le second, c'est de donner aux mots déclinables des inflexions ou des terminaisons relatives à l'ordre analytique, & d'en régler ensuite l'arrangement dans l'élocution par d'autres principes, capables d'ajoûter quelque perfection à l'art de la parole. De là la division la plus universelle des *langues* en deux espèces générales, que M. l'abbé Girard (*Princ. disc.* I, t. j. p. 23) appelle *analogues & transpositives,* et auxquelles je conserverai les mêmes noms, parce qu'ils me paroissent en caractériser très-bien le génie distinctif.

« Les *langues analogues* sont celles dont la syntaxe est soumise à l'ordre analytique, parce que la succession des mots dans le discours y suit la gradation analytique des idées ; la marche de ces *langues* est effectivement analogue & en quelque sorte parallele à celle de l'esprit même, dont elle suit pas à pas les opérations.

« Les *langues transpositives* sont celles qui dans l'élocution donnent aux mots des terminaisons relatives à l'ordre analytique, & qui acquièrent ainsi le droit de leur faire suivre dans le discours une marche libre et tout-à-fait indépendante de la succession naturelle des idées. Le françois, l'italien, l'espagnol, etc., sont des *langues* analogues ; le grec, le latin, l'allemand, etc., sont des *langues* transpositives.

« Il se présente ici une question assez naturelle. L'ordre analytique & l'ordre transpositif des mots supposent des vûes toutes différentes dans les *langues* qui les ont adoptés pour régler leur syntaxe : chacun de ces deux ordres caractérise un génie tout différent. Mais comme il n'y a eu d'abord sur la terre qu'une seule *langue,* est-il possible d'assigner de quelle espece elle étoit, si elle étoit analogue ou transpositive ?

« L'ordre analytique étant le prototype invariable des deux especes générales de *langues,* & le fondement unique de leur communicabilité respective, il paroît assez naturel que la premiere *langue* s'y soit attachée scrupuleusement, & qu'elle y ait assujetti la succession des mots… »

15. Le langage comme histoire

La fin du XVIIIe siècle marque un changement qui se manifeste aussi bien dans l'idéologie que dans la philosophie et dans
les sciences qui se développeront au XIXe siècle. A la description des *mécanismes* (y compris celui de la langue) et à la
systématisation des types (y compris ceux des diverses langues),
succède la conception évolutionniste, *historique*. On ne se
contente plus de formuler des règles de fonctionnement ou des
correspondances entre les ensembles étudiés : on les embrasse
d'un seul regard qui les range en ligne ascendante. L'*historicisme* sera la marque fondamentale de la pensée du XIXe siècle,
et la science du langage n'y échappe pas. D'où vient-il ?

Il est admis de considérer comme première formulation globale de l'historicisme le livre de Herder, *Idées sur la philosophie de l'histoire de l'humanité* (1784-1791). Herder s'y propose de construire « une philosophie et une science de ce qui
nous concerne plus particulièrement, de l'histoire de l'humanité
en général ». Parmi les motifs qui le font désigner le domaine de
l' « humain » comme objet de science, Herder cite les progrès de
la physique, la formation de l'histoire naturelle (« faire une
mappemonde anthropologique, sur le plan de celle dont Zim-
mermann a enrichi la zoologie »), mais d'abord « la métaphysique et la morale », « et enfin la religion par-dessus tout le reste ».
Que cet aveu de Herder ne soit pas un hasard, mais le véritable
fondement idéologique de son historicisme, ses commentateurs
le démontrent. Dans l'*Introduction* d'Edgar Quinet aux *Idées
sur la philosophie de l'histoire de l'humanité* (1827), le lecteur
saisit nettement que la démarche de Herder est une réaction
transcendantale aux changements socio-radicaux qu'a vécus le
XVIIIe siècle : la chute des Empires, la transformation des États
sous le coup de la Révolution. « La pensée ne se reposa plus sur
chacun d'eux isolément. Pour combler le vide, on les ajouta les
uns aux autres ; on les embrassa tous d'un même regard. Ce ne
furent plus des individus qui se succédèrent les uns aux autres,
mais des êtres collectifs qu'on resserra dans d'étroites sphères.
Puis, voyant que cela encore ne servait qu'à manifester le néant,

on s'appliqua à chercher s'il n'y aurait pas du moins, au sein de cette instabilité, une idée permanente, un principe fixe autour duquel les accidents des civilisations se succéderaient dans un ordre éternel...» Le craquement des structures sociales met la pensée devant le vertige du néant, du vide qu'elle s'efforce de combler : «Au reste, si jamais cette philosophie de l'histoire devient un recours dans la détresse ou publique ou privée...» (*ibid.*). L'historicisme de l'idée permanente, le principe fixe de l'évolution, sera le coup de force par lequel l'idéalisme réagira au matérialisme de la Révolution française. Il sera chargé d'effacer le vide dans lequel se trouve la pensée idéaliste déracinée de ses refuges par la brèche qu'opère la Révolution dans l'univers statique d'«une logique naturelle». L'historicisme rendra sa *raison* à la *rupture* pour trouver une continuité après le morcellement. Herder (1744-1803) formulera ses principes, précurseurs de la dialectique hégélienne : «L'enchaînement des pouvoirs et des formes n'est jamais rétrograde ni stationnaire, mais progressif» ; l'*organisation* n'est que «l'échelle ascendante qui conduit (les formes) à un état plus élevé» ; «toute destruction est une métamorphose, l'instant d'un passage à une sphère de vie plus relevée».

Mais où trouver cette *raison* ou cette *logique* qui rendra raison de la rupture révolutionnaire et matérialiste, en la reprenant dans le principe fixe et rassurant de l'évolution ? Là où la logique se produit, là où on la trouve quand on veut la prouver : *dans le langage*.

Si les grammairiens de Port-Royal avaient démontré que le langage obéit aux principes de la logique du jugement, si les Encyclopédistes voulaient y voir la logique de la nature sensible et la confirmation de l'influence des circonstances matérielles (climat, gouvernement), le XIXe siècle voudra démontrer que le langage a, lui aussi, une évolution pour appuyer sur elle le principe de l'évolution de l'idée et de la société.

Dans la découverte du sanscrit et dans la parenté des langues indo-européennes, l'idéologie évolutionniste trouvera le corollaire linguistique indispensable à son installation. La société sera pensée sur le modèle du langage vu comme une ligne évolutive ; mieux encore, sur le modèle de l'*évolution phonétique*, c'est-à-dire du changement de la forme signifiante détachée de son contenu signifié. Admirable jonction de l'Idée et de la Voix en évolution, disjointes par Platon pour se retrouver chez Friedrich Hegel (1770-1831) et se confirmer l'une l'autre. L'évolutionnisme empruntera jusqu'aux *termes linguistiques* pour « préciser » ces opérations suspendues dans l'inachèvement d'un acte manqué, interrompu dans le « temps éternel » : Quinet parlera d'une « harmonie des âges » : « Chaque peuple qui tombe dans l'abîme est un accent de sa voix ; chaque cité n'est elle-même qu'un mot interrompu, qu'une image brisée, qu'un vers inachevé de cet éternel poème que le temps est chargé de dérouler. Entendez-vous cet immense discours qui roule et s'accroît avec les siècles, et qui, toujours repris et toujours suspendu, laisse chaque génération incertaine de la parole qui va suivre ? Il a, comme les discours humains, ses circonlocutions, ses exclamations de colère, ses mouvements et ses repos... »

C'est sur ce fond idéologique que va naître et se développer la *linguistique comparée* et la *linguistique historique*. Elle puisera dans les principes généraux du romantisme et de l'évolutionnisme allemand, mais en dégagera aussi son autonomie, et saura se développer comme une science objective, indépendamment de l'exploitation idéologique qui en sera faite. Elle se servira de la pensée romantique pour réagir contre ce que Bréal appellera « la simplicité un peu nue, l'abstraction un peu sèche de nos encyclopédistes du XVIIIe siècle ». A la place de la mise en ordre syntaxique des grammairiens du XVIIIe siècle, la linguistique du XIXe siècle proposera la vision *généalogique* des langues qu'elle groupera en familles, en faisant dériver chaque membre d'une source initiale.

Dans ce travail, la linguistique du XIXe siècle se servira surtout de la découverte, faite par les linguistes du siècle précédent, du sanscrit et de ses parentés avec certaines langues européennes. En effet, la connaissance de la Perse et de l'Inde attire l'intérêt des savants. Une « Société Asiatique » est formée à Calcutta qui publie des travaux sur la langue indienne. On se rappelle qu'en 1767 le père Cœurdoux avait envoyé un mémoire intitulé : « Question proposée à M. l'abbé Barthélémy et aux autres membres de l'Académie des Belles-Lettres et Inscriptions : D'où vient que dans la langue samscroutane il se trouve un grand nombre de mots qui lui sont communs avec le latin et le grec, et surtout avec le latin ? » L'Académie laissera sans réponse cette question essentielle sur la parenté linguistique.

Entre-temps la traduction de textes littéraires indiens avance : William Jones traduit *Sakountala*, et constate, en 1786, entre le sanscrit, le grec et le latin une parenté qui « ne saurait être attribuée au hasard ».

Dans l'atmosphère de cet intérêt croissant pour l'Inde, pour sa langue et pour les rapports qu'elle entretient avec les langues européennes, on organise à Paris au début du XIXe siècle un cercle de sanscritistes avec la participation d'Al. Hamilton, membre de la Société de Calcutta, du père Pons, de F. Schlegel, de l'indianiste Chézy, de Langlès, de Fauriel, de l'arabisant de Sacy, et plus tard d'August Wilhelm von Schlegel. Adelung publie son *Mithridate* (1808), première somme globale du savoir sur de nombreuses langues.

D'autre part, l'enseignement de Leibniz et de Mercier, qui annonçaient la nécessité et la possibilité de faire de la grammaire une science, va se joindre à l'intérêt historique pour donner naissance à la *science linguistique historique*.

Mais c'est l'Inde qui suscite l'enthousiasme des philologues et des linguistes : comme « origine perdue », comme « langue maternelle » abandonnée, qu'il faut reprendre pour animer le savoir en déroute. « Puissent seulement les études indiennes, écrit F. Schlegel (*Sur la langue et la sagesse des Indous*, 1808), trouver quelques-uns de ces disciples et de ces protecteurs, comme l'Italie et l'Allemagne en virent, au XVe et au XVIe siècle, se lever subitement en si grand nombre pour les études grecques et faire en peu de temps de si grandes choses ! La renaissance de la connaissance de l'Antiquité transforme et rajeunit promptement toutes les sciences : on peut ajouter qu'elle rajeunit et transforme le monde. Les effets des études indiennes, nous osons l'affirmer, ne seraient pas aujourd'hui moins grands ni d'une portée moins générale, si elles étaient entreprises avec la même énergie et introduites dans le cercle des connaissances européennes. »

On considère comme date de naissance de la linguistique comparée, et par là, de la linguistique historique et générale, la publication en 1826 par l'Allemand Franz Bopp (1791-1867) de son mémoire, *Du système de conjugaison de la langue sanscrite, comparé avec celui des langues grecque, latine, persane et germanique*. A ce travail, sur lequel nous reviendrons, s'ajoutent les recherches du Danois Rasmus Rask (1787-1832) sur la parenté des langues européennes, de même que la découverte faite par Jacob Grimm en 1822 dans sa *Deutsche Grammatik* des lois phonétiques d'*Ablaut* (alternance vocalique) et d'*Umlaut* (changement de timbre d'une voyelle sous l'influence d'une voyelle voisine fermée), aussi bien que des règles de mutation consonantique, *Lautverschiebung* (aux consonnes germaniques *f, p, h* répondent les consonnes grecques π, τ, κ et les latines *p, t, k,* etc).

Ne suivons pas pour l'instant l'ordre chronologique de ces découvertes, et examinons d'abord l'apport de Rask. Car le linguiste danois, tout en étant, avec Bopp et Grimm, un des fondateurs de la méthode historique en linguistique, reste, par ses conceptions et le caractère de ses recherches, antérieur au grand courant évolutionniste qui emportera la linguistique du XIXe siècle : il n'est pas historiciste, mais *comparativiste*.

Les découvertes empiriques de Rask, dont le principal ouvrage s'intitule *Investigation sur l'origine du vieux norrois ou de la langue islandaise* (1814), consistent d'abord dans sa démonstration que les langues lituanienne et lettone forment une famille à part dans l'indo-européen, de même que la langue irakienne ou avestique est une langue indo-européenne indépendante. Il a décrit avec beaucoup de rigueur les *changements phonétiques* qui correspondent à une *structure commune :* ainsi, quand il compare la classe des langues « thraces » (lituanien, slave) avec le grec et le latin, Rask constate-t-il « [que] non seulement plusieurs mots se ressemblent dans une certaine mesure d'après leur forme et leur sens, mais [que] ces ressemblances sont d'un nombre tel que les règles peuvent en être déduites du changement des lettres, tandis que la structure entière des langues est la même dans les deux classes ».

Les études approfondies de Rask sur les langues nordiques font de lui sans doute le fondateur de la philologie nordique. C'est à lui qu'appartient la découverte de la première loi phonétique, la *mutation germanique* (ainsi, par exemple, la corrélation régulière au début du mot de *p* et *t* latins avec *F* et *P* germaniques : *pater, tres* > Faθir, Priz).

Or, le but théorique de Rask n'était nullement historique. Esprit logique et systématisant, il appartenait plus à l'époque des Encyclopédistes qu'à celle des romantiques, qu'il détestait.

L'hypothèse d'une lignée historique des langues, prenant leurs racines dans le sanscrit, ne l'intéressait pas : il a tout fait pour empêcher le voyage que les autorités lui avaient imposé en Inde, et lorsqu'il s'est vu tout de même contraint de le faire, il n'a rapporté aucun document des langues des pays visités (Russie, Caucase, Iran, Inde), à la grande déception de ses contemporains. S'il s'inspirait des découvertes des sciences naturelles et s'il considérait, comme on le fera couramment au XIXe siècle, que la langue est un *organisme,* Rask s'employait plutôt à *classer* les langues comme le faisaient les linguistes du XVIIIe siècle, ou comme Linné en botanique, qu'à découvrir leur développement historique, comme Darwin en zoologie. Comme le remarque Louis Hjelmslev *(Commentaire sur la vie et l'œuvre de R. Rask,* CILUP, 1950-1951) — et son opinion n'est pas seulement un parti pris de structuraliste — la science de Rask est *typologique* et non pas *génétique :* « Il a découvert la méthode à suivre pour classer les langues par familles, mais, pour lui, ce classement n'est encore qu'un classement typologique. » En effet, pour Rask il n'y a pas de changement de la langue : une langue ne peut que disparaître, comme c'est le cas du latin, mais non pas évoluer et se transformer en d'autres langues. Quand il remarque les correspondances phonétiques ou grammaticales de diverses langues, il les apparente et en fait une famille, sans plus. Pour lui, « une famille de langues est un système de langues, donc un système de systèmes », et non pas un arbre généalogique. D'ailleurs, le credo philosophique de Rask (qu'il a énoncé dans son cours, vers 1830) confirme les conclusions de Hjelmslev. Après avoir déclaré que « la langue est un objet de la nature » et que « la connaissance de la langue ressemble à l'histoire naturelle », Rask poursuit : « La langue nous présente deux objets de considérations philosophiques : 1° le rapport entre les objets, c'est-à-dire le système ; 2° la structure de ces objets, c'est-à-dire la physiologie. Cela n'est pas mécanique ; au contraire, c'est le triomphe suprême de l'application de la philosophie sur la nature, s'il permet de trouver le véritable système de la nature et d'en montrer la vérité. » Hjelmslev souligne précisément que, pour Rask, l'étude de la langue suppose deux niveaux qui s'entrecoupent : l'*explication* qui produit les dictionnaires et la grammaire et qui est une théorie de la *forme linguistique ;* et l'*investigation* ou la théorie du *contenu :*

« L'examen scientifique de la pensée qui se cache dans la structure de la langue, c'est-à-dire des idées exprimées par les formes de la dérivation et de la flexion, etc. » Ainsi, si Rask s'intéresse aux correspondances *phonétiques*, ce sont les correspondances des *structures* du contenu qui sont décisives pour lui. Il n'arrive pas à s'en abstraire pour se mettre à l'écoute des seules corrélations phonétiques et pour dégager dans cette mutation du signifiant la ligne évolutive de l'*histoire du langage*, comme le font Grimm et Bopp. S'il réussit tout de même à classer les langues indo-européennes dans une même famille, c'est parce que, dans la plupart des cas, les correspondances phonétiques vont de pair avec des correspondances de structure (correspondance logique, signifiée, correspondance de contenu). Aussi dirons-nous avec Hjelmslev que « ce n'est pas l'histoire de la langue qui intéresse Rask, c'est le système linguistique et sa structure », et que sa linguistique comparée n'est pas génétique, mais générale et s'apparente au souci de systématisation logique des Encyclopédistes... Il n'empêche qu'il est l'auteur de la première esquisse d'une grammaire indo-européenne comparée.

C'est à Bopp qu'il appartiendra de formuler le principe de changement des langues qui, identiques à l'origine, subissent des modifications obéissant à certaines lois, et aboutissent à des idiomes aussi divers que le sanscrit, le grec, le latin, le gothique et le persan. Après un séjour à Paris de 1812 à 1816, où il prend connaissance des travaux des sanscritistes et des orientalistes parisiens, Bopp publie son mémoire *Du système de conjugaison*... « Nous devons connaître avant tout, écrit-il, le système de conjugaison du vieil indien, parcourir en les comparant les conjugaisons du grec, du latin, du germanique et du persan ; ainsi nous en apercevrons l'identité ; en même temps nous reconnaîtrons la destruction progressive et graduelle de l'organisme linguistique· simple et nous observerons la tendance à le remplacer par des groupements mécaniques, d'où a résulté une apparence d'organisme nouveau, lorsqu'on n'a plus reconnu les éléments de ces groupes. »

Pour prouver ce principe sans quitter le terrain de la grammaire, Bopp démontre, contre Schlegel, que les *flexions* (notion employée par Schlegel) sont des anciennes *racines* : « Si la langue, dit-il, a employé, avec le génie prévoyant qui lui est propre, des signes simples pour représenter les idées simples des personnes, et si nous voyons que les mêmes notions sont représentées de la même manière dans les verbes et dans les pronoms, il s'ensuit que la lettre avait à l'origine une signification et qu'elle y est restée fidèle. S'il y a eu autrefois une raison pour que *mâm* signifie "moi" et pour que *tam* signifie "lui", c'est sans aucun doute la même raison qui fait que *bhavâ-mi* signifie "je suis" et *bhava-ti* signifie "il est". »

Bopp publiera successivement *Vergleichende Zergliederung des Sanscrits und der mit ihm verwandten Sprachen* (1824-1831) et sa *Vergleichende Grammatik* (1833-1852).

Comparée à l'œuvre de Rask, celle de Bopp a un champ moins vaste à l'origine : Bopp s'occupe en effet du sanscrit que Rask néglige, mais il ne prend en considération le lituanien qu'en 1833, le slave qu'en 1835 et l'arménien qu'en 1857 ; la parenté avec le celte n'est qu'à peine constatée en 1838, et l'albanais n'est inclus qu'en 1854. D'autre part, son travail ne porte que sur les flexions : dans sa grammaire comparée, il n'y a presque pas de phonétique ; mais il a contribué à la recherche des lois phonétiques en démontrant contre Grimm que l'*Ablaut* (par exemple : *sing-sung-sang*), n'est pas significatif, mais qu'il est dû à des lois d'équilibre phonétique et à l'influence de l'accent tonique. Bopp élargira son champ d'investigation lorsque, dans l'édition anglaise de *Konjugations System,* il prendra en considération la déclinaison.

Si l'intention évolutionniste de Bopp est bien dans la ligne de l'idéologie de l'époque, sa recherche ne s'en éloigne pas moins de l'idéalisme mystique et métaphysique des romantiques allemands (tel le maître de Bopp, Windischmann, de même que Herder et Schlegel), pour se rapprocher d'une attitude positive en ce qui concerne la langue. En effet, il croit toujours que, par le sanscrit, il arrivera à trouver l'« origine commune » des langues, même s'il modifie, par la suite, sa conception initiale pour considérer que le sanscrit n'est pas cette langue originelle, mais qu'il fait partie, comme les autres idiomes, des « modifications graduelles d'une seule et même langue primitive ». Cette conception, qui le mène jusqu'à vouloir apparenter les langues caucasienne, indonésienne, mélanésienne et polynésienne avec les langues indo-européennes, Bopp l'avoue dès la préface de la première édition de sa *Grammaire comparée des langues indo-européennes,* en 1833, tout en la modérant par de furtives mises

en garde contre la recherche du mystère du signe (c'est-à-dire de
la signification des premiers sons, des racines) : « Je me propose
de donner dans cet ouvrage une description de l'organisme des
différentes langues qui sont nommées sur le titre, de comparer
entre eux les faits de même nature, d'étudier les lois physiques
et mécaniques qui régissent ces idiomes, et de rechercher l'origine des formes qui expriment les rapports grammaticaux. Il n'y
a que le mystère des racines ou, en d'autres termes, la cause
pour laquelle telle conception primitive est marquée par tel son
et non par tel autre, que nous nous abstiendrons de pénétrer ;
nous n'examinerons point, par exemple, pourquoi la racine I
signifie "aller" et non "s'arrêter", et pourquoi le groupe
phonique STHA ou STA veut dire "s'arrêter" et non "aller".
A la réserve de ce seul point, nous chercherons à observer le
langage en quelque sorte dans son éclosion et dans son développement... La signification primitive et par conséquent l'origine
des formes grammaticales se révèlent la plupart du temps d'elles-mêmes, aussitôt qu'on étend le cercle de ses recherches et
qu'on rapproche les unes des autres les langues issues de la
même famille, qui, malgré une séparation datant de plusieurs
milliers d'années, portent encore la marque irrécusable de leur
descendance commune. »

Cette tendance à se dégager du mysticisme de l'époque, pour
chercher une base positive dans la substance même de la langue,
étudiée pour elle-même et en elle-même, Bopp la confirme dans
une phrase célèbre de sa préface à sa *Grammaire comparée,*
dans laquelle certains voient déjà l'annonce des théories de
Saussure : « Les langues dont traite cet ouvrage sont étudiées
pour elles-mêmes, c'est-à-dire comme objet, et non comme
moyen de connaissance. » C'est dire que la *linguistique historique sera la véritable linguistique,* et non pas une étude des
manières de raisonner (comme l'était la *Grammaire générale*) :
une analyse du tissu propre à la construction linguistique, à
travers son évolution spécifique.

Le grand apport de Bopp reste donc d'avoir incorporé le
sanscrit dans l'étude positive de la langue. « La seule connaissance de cette langue, écrit Pedersen (*the Discovery of Language,* 1931, éd. 1962), a eu un effet révolutionnaire, non
seulement parce que c'était quelque chose de nouveau, quelque
chose qui se trouvait en dehors du vieux champ du savoir, une

chose à laquelle les savants venaient sans être entravés par les vieux préjugés, difficiles à balayer, que les Grecs et les Latins leur avaient imposés, mais parce que le sanscrit a une structure si extraordinairement précieuse. De même que cette structure si claire a pu produire l'admirable clarté de la grammaire indienne, de même elle a produit la grammaire comparée lorsqu'elle a exercé son effet sur les cerveaux des savants européens. Quoique l'œuvre de Rask soit à plusieurs points de vue plus mûre et plus authentique, le livre de Bopp, malgré plusieurs contresens, n'a pas manqué d'apporter une stimulation plus forte à la recherche future, et cela bien que l'œuvre de Rask ait été écrite dans une langue plus mondialement répandue... Le petit essai de Bopp, par conséquent, peut être considéré comme le *véritable commencement* de ce que nous appelons la linguistique comparée.» A travers son idéalisme et malgré ses erreurs, Bopp a marqué un véritable changement épistémologique. Bréal (*Introduction à la Grammaire de Bopp,* 1875) en donne la formulation suivante : « Il faut renouer la chaîne pour comprendre les faits qu'on rencontre à un moment donné de leur histoire. L'erreur de l'ancienne méthode grammaticale est de croire qu'un idiome forme un tout achevé en soi, qui s'explique de lui-même. »

Il faut souligner l'importance des écrits de Humboldt (1767-1835), qui fut un ami de Bopp et que celui-ci initia au sanscrit, car ils sont à l'origine de la vision comparatiste et historiciste du langage. Plus philosophe que linguiste, mais possédant une vaste connaissance de nombreuses langues, Humboldt est resté célèbre par ses ouvrages : *Ueber das Entstehen der grammatischen Formen und ihren Einfluss auf die Ideenentwicklung* (1822), *Ueber die Kawi-sprache auf der Insel-Java* (1836-1840), *Lettre à M. Abel Rémusat sur la nature des formes grammaticales en général et le génie de la langue chinoise en particulier,* etc. Son influence et son autorité furent telles qu'on a pu le considérer comme le « véritable créateur de la philologie comparée ». La position philosophique de Humboldt (note V. A. Zvegintzev, dans *Textes de l'histoire de la linguistique du XIXe siècle,* Moscou, 1956) est celle de Kant : pour lui, la conscience est une entité, indépendante de la matière objectivement existante et obéissant à des lois propres. « Le langage, c'est l'âme dans sa totalité. Il se développe d'après les lois de l'esprit. » Mais, en même temps, Humboldt définissait le langage comme l'instrument de la pensée, tout en soulignant que la langue n'est pas une somme de traits, mais l'ensemble des moyens qui réalisent le procès ininterrompu du développement linguistique. De là la distinction qu'il établit entre langue et discours : « La langue comme somme de ses produits se distingue de l'activité discursive. »

Un des thèmes majeurs des textes de Humboldt est d'établir une *typologie* des structures des langues et d'en faire une *classification*. Chaque structure correspond à une façon d'appréhender le monde, car « la nature consiste à couler la matière du monde sensible dans le moule des pensées », ou « la diversité des langues est une diversité des optiques du monde ». Si une telle théorie peut conduire à une thèse « raciste » (à la supériorité de la langue correspond une supériorité de race), elle a l'avantage considérable d'insister sur l'union inséparable de la pensée et de la langue, et elle semble présager la thèse matérialiste de Karl Marx, à savoir que le langage est la seule réalité de la pensée. La vision typologique de Humboldt est, bien sûr, dominée par le principe évolutionniste : les langues ont une origine parfaite, un développement et une décadence. La pensée moderne, d'autre part, découvre chez Humboldt certains principes que la science et la philosophie actuelles semblent reprendre : tel le principe que la langue n'est pas une *œuvre,* ἔργον, mais une *activité,* ἐνέργεια, principe qui a séduit les transformationalistes comme Chomsky. C'est à Humboldt qu'appartient aussi la découverte du concept *Innere Sprachform,* forme linguistique intérieure, antérieure à l'articulation, concept sur lequel s'appuie L. Tesnière, et qui n'est pas sans écho dans la sémantique structurale et dans toute sémiotique.

On voit comment, la réaction romantique aidant, la science du langage se constitue en se mesurant à deux faits épistémologiques : au système logique du siècle précédent et au développement des sciences naturelles de son temps. L'étude du langage « cesse de prendre des catégories logiques pour des explications », dira Meillet en pensant aux grammairiens encyclopédistes (*Introduction à l'étude comparée des langues indo-européennes,* 1954, 7ᵉ éd.); elle veut mimer l'étude des « êtres vivants », les *organismes,* sur l'exemple desquels on se met à penser les sociétés. Le langage «ne se laisse pas, pour la plupart, ramener à des formules abstraites comme un fait de physique» *(ibid.)*. A la logique des systèmes succède le *vitalisme du logos.* Cette mutation est ressenti comme une réaction à la méthode aprioriste logique, par laquelle (en référence à Archimède, à Galilée, à Newton) était marquée l'époque précédente : «La méthode était parvenue à sa perfection, et il n'y a eu qu'à l'appliquer avec une précision sans cesse accrue à tous les objets qu'elle permet d'étudier. La méthode de l'explication historique a été au contraire une création du XIXᵉ siècle (et déjà en quelque mesure de la fin du XVIIIᵉ siècle). L'écorce terrestre, les êtres organisés, les sociétés et leurs institutions, sont apparus comme les produits de développement historique dont le détail ne pouvait être deviné a priori, et dont on ne pouvait rendre compte qu'en observant et en déterminant, aussi exactement que le permettent les données, la succession et les entrecroisements des faits particuliers par lesquels ils se sont réalisés... les corps inorganiques eux-mêmes ont une histoire. »

Ce raisonnement de Meillet dessine le trajet par lequel l'évolutionnisme s'écarte de la recherche métaphysique des « origines» pour devenir une *description exacte d'une histoire* — un positivisme historique. La linguistique *comparée* du début du siècle devient *historique,* en passant par Bopp, dans la mesure où il démontre la parenté génétique des langues descendant l'une de l'autre et remontant à une même origine, mais surtout avec Grimm, (*Deutsche Grammatik,* 1819, t. I; tomes suivants 1826, 1831, 1837), qui abandonne la thèse de la parenté et s'attache à l'étude chronologique d'une seule langue : une chronologie suivie minutieusement, pas à pas, qui manquait aux comparatistes, et qui fonde définitivement la linguistique sur des bases exactes.

C'est vers 1876, signale Pedersen, que ce tournant décisif s'effectue, annoncé donc par Grimm, de même que par Franz Diez (*Grammatik der romanischen Sprachen,* 1836-1844). Mais le romaniste allemand Diez a des prédécesseurs qui suivent l'exemple de Bopp et de Grimm et élaborent la grammaire comparée et historique de diverses langues : E. Burnouf (1801-1852) s'occupe de l'iranien, Dobrovsky (1753-1829) s'attaque aux langues slaves, ce qui permettra à F. Miklosisch (1813-1891) de publier la *Grammaire comparée des langues slaves*

(1852-1875). Plus tard E. Curtius (1814-1896) appliquera la méthode comparative au grec (1852), et Theodor Benfey (1809-1881) s'occupera de l'égyptien. Un petit professeur inconnu, J. K. Zeuss (1806-1856) élucidera la place du celtique dans la famille indo-européenne, dans sa *Grammatica celtica* (1853). Mais l'œuvre de Diez, fondateur des études romanes (cf. L. Wagner, *Contribution à la préhistoire du romantisme*, CILUP, 1950-1955) est stimulée, au départ, par le livre d'un Français, François Raynouard (1761-1836), *Choix de poésies originales des Troubadours contenant la grammaire comparée de la langue des Troubadours* (1816-1821). L'auteur développe la théorie erronée de Dante selon laquelle le provençal est la langue mère des langues romanes; mais il déploie un énorme matériel linguistique (français, espagnol, italien, portugais, ferrarais, bolonais, milanais, bergamasque, piémontais, mantouan, frioulan, etc.) dont il compare les éléments sur le plan du lexique, de la morphologie et de la syntaxe. Suscité par les recherches des érudits qui se sont penchés sur le provençal (Achard, Féraud, etc.), le travail de Raynouard tranche avec l'ensemble de la linguistique française de l'époque qui, fidèle à Port-Royal et à l'*Encyclopédie*, hésite à adopter les vues romantiques des Allemands et, par là, reste réservée devant la grammaire comparée. Comme l'a dit Meillet, Condillac avait barré la route à Bopp... A. W. von Schlegel a répondu à l'œuvre de Raynouard, dont il critique la conception, dans son livre *Observations sur la langue et la littérature des troubadours* (1818).

Le jeune Diez hérite donc de ces études et, ayant débuté par des études littéraires sur la poésie des troubadours, se consacre définitivement à l'analyse historique de la langue française, qu'il rapproche des autres langues romanes. C'est Diez qui, contre Raynouard, constate que les langues romanes proviennent du latin vulgaire. S'il n'inclut pas dans cette lignée le catalan, le rhétique et le sarde, il distingue le roumain comme langue romane.

La linguistique romane ainsi fondée, plusieurs travaux sont consacrés à l'étude historique du français, telles : la première *Grammaire descriptive du vieux français* par Conrad von Orelli (1830); *Recherche sur les formes grammaticales de la langue française et de ses dialectes au XIII* siècle*, par Gustave Fallot

(1839); *Histoire de la formation de la langue française* de J. J. Ampère (1841); *Variation de la langue française depuis le XIIe siècle* de Fr. Génin (1845); *Histoire des révolutions du langage en France* de F. Wey (1848) etc., pour arriver à l'*Histoire de la langue française,* en deux volumes, d'É. Littré (1863).

Cette période évolutionniste de la linguistique historique, si elle amorce un tournant vers le positivisme avec la constitution des études germaniques, romanes, etc., trouve son apogée *génétique* dans l'œuvre d'Auguste Schleicher (1821-1868) qui est en accord avec les phénomènes marquants de l'épistémologie de l'époque : la science de Darwin et la philosophie de Hegel. Voici comment Schleicher imprègne sa réflexion linguistique de termes et de concepts biologiques : « Pour me servir d'une comparaison, je pense appeler les racines de simples cellules du langage dans lequel il n'existe pas encore d'organes spéciaux pour les fonctions grammaticales comme le nom, le verbe, etc. et dans lequel ces mêmes fonctions (rapports grammaticaux) sont encore aussi peu différenciées comme par exemple, la respiration ou la nutrition dans les organismes monocellulaires ou dans les fœtus des animaux supérieurs. » Se référant à la thèse de Darwin sur la sélection naturelle des organismes dans la lutte pour l'existence, Schleicher considère qu'elle concerne aussi bien les langues que les organismes vivants. « Dans la période actuelle de la vie de l'humanité, écrit-il, les vainqueurs dans la lutte pour l'existence sont surtout les langues de la famille indo-germanique ; leur diffusion continue sans cesse en évinçant d'autres langues. » D'autre part et toujours en écho à Darwin, les thèses linguistiques de Schleicher semblent transposer la conception hégélienne selon laquelle une langue est plus riche quand elle n'est pas développée, donc au stade primitif des peuples, et, au contraire, elle s'appauvrit au cours de la civilisation et de la formation de la grammaire.

Pour Hegel, en effet, la langue est comme un « dépôt » de la pensée, et ce philosophe propose une hiérarchisation des langues selon leur aptitude à exprimer, par leurs catégories grammaticales, les opérations logiques. On remarquera, dans le passage qui suit, à quel point ces opérations logiques, données comme omnivalentes, sont calquées sur le modèle des langues indo-européennes modernes, voire même de l'allemand, et

comment, par conséquent, le logicisme de Hegel le mène non
seulement à méconnaître la particularité des autres langues (le
chinois, par exemple), mais aussi à proposer une conception
discriminatoire du langage[1] :

« Les formes de la pensée trouvent tout d'abord leur extériorisation dans le *langage* de l'homme où elles sont pour ainsi dire
déposées. On ne saurait trop rappeler de nos jours que c'est par
la pensée que l'homme se distingue de l'animal. Dans tout ce
qui devient son intériorité, sa représentation en général, dans
tout ce qu'il fait sien, on retrouve l'intervention du langage, et
tout ce avec quoi il forme son langage, et ce qu'il exprime par le
langage contient une catégorie plus ou moins voilée, mélangée
ou élaborée. C'est ainsi qu'il pense tout naturellement selon la
logique ou, plutôt, que la logique constitue sa nature même.
Mais si l'on voulait opposer au spirituel la nature en général
comme faisant partie du monde physique, on devrait dire que la
logique constitue plutôt le naturel, qui pénètre toute l'attitude de
l'homme envers la nature, ses sentiments, intuitions, désirs,
besoins, impulsions, et que c'est l'homme qui les humanise,
bien que d'un façon formelle, et qui en fait des représentations
et des fins. On peut parler de la supériorité d'une langue,
lorsqu'elle est riche en expressions logiques, et notamment en
expressions particulières et isolées, faites pour désigner les
déterminations mêmes de la pensée. Parmi les propositions,
articles, etc., nombreux sont ceux qui correspondent à des
situations reposant sur la pensée. On ne peut pas dire de la
langue chinoise qu'elle ait, au cours de sa formation, atteint ce
point ; mais ces articles, lorsqu'ils existent, y jouent un rôle tout
à fait subordonné, et sont à peine plus indépendants que les
signes de flexion, ou, par exemple, les augments, etc. Mais ce
qui est beaucoup plus important dans une langue, c'est lorsque
les déterminations de la pensée y affectent la forme de substantifs et de verbes, autrement dit une forme objective, et c'est en
quoi la langue allemande se montre supérieure à beaucoup
d'autres langues modernes ; beaucoup de ses mots présentent en
outre cette particularité qu'ils ont des significations non seulement différentes, mais opposées, ce qui est certainement un

---

1. Le texte de F. Hegel, extrait de la *Science de la Logique*, est reproduit ici
dans la version des éditions Aubier.

signe de l'esprit spéculatif de la langue : ce peut être une joie pour la pensée de se trouver en présence de mots pareils présentant une union de contraires qui, en tant que résultat de la spéculation, est de nature à apparaître absurde à l'entendement, alors qu'ils n'est nullement choqué par la façon naïve dont des significations contraires sont lexicalement réunies dans un seul et même mot... »

Hégélien convaincu, botaniste et admirateur de Darwin, Schleicher a publié, en 1863, *Die darwinische Theorie und die Sprachwissenschaft,* et, en 1865, *Ueber die Bedeutung der Sprache für die Natürgeschichte des Menschen.* Il reste célèbre dans l'histoire de la linguistique par son effort pour présenter un schéma reconstructif de l'évolution des langues en essayant de remonter jusqu'aux formes les plus archaïques qui soient attestées : Schleicher propose une forme hypothétique d'une langue indo-européenne qui serait à l'origine de toutes les autres. Les langues procéderaient ainsi les unes des autres selon un *arbre généalogique ;* théorie séduisante, qui fut généralement admise, avant d'être réfutée et remplacée par celle de Johann Schmidt qui, lui, a proposé un autre schéma, celui dit des « ondes linguistiques ». C'est sur ce dernier schéma que se fondera la *dialectologie* indo-européenne.

Mais Schleicher, lui, croyait véritablement à l'existence de cette langue indo-européenne primitive (dont on indique les formes hypothétiques, dans la science linguistique actuelle, par un astérisque). Pour aboutir à cette conception, Schleicher reprenait les thèses évolutionnistes, et proposait ainsi la première grande synthèse du savoir linguistique en démontrant que l'évolution du langage comportait deux stades, un stade *ascendant* (pré-historique) qui mène aux langues flexionnelles, et un stade *descendant* (décadent ou historique), qui est marqué par la désagrégation du système flexionnel. En fait, cette conception ne fait qu'ordonner selon un schéma « ascendant-descendant » la typologie des langues en trois classes (héritée de Schlegel, Bopp et Humboldt) : langues isolantes (exemple : le chinois) ; langues agglutinantes (exemple : le hongrois) ; langues flexionnelles (exemple : le sanscrit) ; Schleicher y ajoute seulement un quatrième stade qui constitue un déclin « historique » des trois premiers.

Pour Schleicher, le sanscrit n'est donc plus la langue première, comme on l'imaginait au début de la période « comparatiste » ; il faut chercher à *reconstruire* la « forme originaire », ce qui est « la méthode la plus courte pour indiquer les changements ultérieurs des langues individuelles », commente Pedersen à propos de Schleicher. Il poursuit : « Cette nécessité de reconstruction oblige le chercheur à concentrer son attention sur chaque détail du développement des sons. C'est pourquoi cette méthode s'est maintenue jusqu'à nos jours et elle peut être considérée comme indispensable. Les formes reconstruites sont généralement indiquées, aujourd'hui, par un astérisque placé devant elles (par exemple la forme indo-européenne **ekwo-s* ou, moins précisément, **äkwä-s,* qui signifie cheval), pour éviter de les confondre avec des formes historiquement attestées comme le sont, pour l'exemple qui nous intéresse : *equ-us* en latin, *hippo-s* en grec, *ásva-s* en sanscrit, *aspa* en avestique, *eoh* en vieil anglais, *ech* en vieil irlandais, *yakwe* en tokharien de l'Ouest, *yukα* en tokharien de l'Est, et ainsi de suite. Et cette pratique remonte à Schleicher. » Certes, aujourd'hui, « on a beaucoup moins confiance que Schleicher dans la possibilité qu'aurait la linguistique de reconstruire une langue qui, si elle a existé, a disparu depuis des milliers d'années ». Mais il faut bien souligner que Schleicher, lui, n'avait pas le moindre doute à cet égard : il a même « traduit » en indo-européen une fable intitulée *la Brebis et les Chevaux… !*

Cet objectivisme linguistique, qui menait Schleicher à considérer la langue comme un organisme soumis à des *lois nécessaires,* fit du linguiste allemand un des pionniers de la *linguistique générale* qui a succédé à la linguistique historique. Il voulait appeler cette discipline *Glottik,* et la fonder sur la base de lois analogues aux lois biologiques. Mais ce positivisme, transposé mécaniquement des sciences naturelles à la science de la signification, ne pouvait être qu'idéaliste, puisqu'il ne tenait pas compte de la spécificité de l'objet étudié : la langue comme système de signification et comme produit social. Il trouva d'ailleurs immédiatement son complément, apparemment opposé mais profondément nécessaire, son corrélat idéologique pour le domaine de l'étude de la société, dans l'hégélianisme qui, lui, se pose comme conscience *historique* de l'expansion du mode de production bourgeois. L'influence de Hegel sur Schleicher est d'ailleurs visible dans la théorie de l'ascendance des langues au stade de leur formation et de leur déclin au stade de leur libre développement. L'influence hégélienne s'exerce jusque dans les classifications phonétiques de Schleicher, telle, par exemple, la classification *triadique* des sons en indo-européen. Pedersen note que ce triadisme, tout en révélant l'admiration philosophique que Schleicher portait à Hegel, ne correspond pas à la réalité des langues. Voici cette triade sonore, que la linguistique a plus tard largement corrigée et affinée, et que même les grammairiens indiens présentaient de façon plus précise et moins symétrique.

Voyelles originales *(Grundvokal)*	a	i	u
Ire augmentation *(erste Steigerung)*	aa(à)	ai	au
IIme augmentation *(zweite Steigerung)*	àa(à)	ài	au
Consonnes	r	n	m
	j	v	s
	k	g	gh
	t	d	dh
	p	b	bh

Cet effort pour bâtir un tableau génétique des langues fut poursuivi par l'étymologiste Auguste Fick, de même que par August Müller, *Lectures on the Science of Language*, 1861 et 1864.

Le développement des sciences vers la fin du XIXe siècle, couronné par la création d'une idéologie positiviste qui trouva son expression dans le *Cours de philosophie positive* (1830-1842) d'Auguste Comte (1798-1857), n'encouragea pas seulement la rigueur des recherches linguistiques, en les écartant de plus en plus des considérations philosophiques générales, mais vit aussi apparaître les signes avant-coureurs d'une véritable science linguistique autonome, dégagée de la grammaire et de la philologie.

On ne saurait trop insister sur le rôle de Comte dans le développement des démarches positives dans les sciences dites « humaines ». Dans la perspective du progrès des sciences elles-mêmes, que nous venons d'évoquer, et qui concerne aussi la science du langage, c'est en effet Comte qui s'est fait l'ardent défenseur d'une transposition des méthodes exactes à l'étude des phénomènes sociaux, propageant ainsi la philosophie positive de « l'ordre serein ». « Il ne reste plus, comme je l'ai expliqué, qu'à compléter la philosophie positive en y comprenant l'*étude des phénomènes sociaux*, et ensuite à la résumer en un seul corps de doctrine homogène. Quand ce double travail sera suffisamment avancé, le triomphe définitif de la philosophie positive aura lieu spontanément, et rétablira l'ordre dans la société. » (*Cours de philosophie positive*, I, 1830.)

Le moment marquant de cette mutation de l'historicisme vers le positivisme fut, comme l'a signalé Meillet, le travail des *néo-grammairiens* Brugmann (1849-1919) et Osthoff (1847-1907). Le point important de leur recherche est d'avoir mis fin aux hésitations concernant les changements phonétiques que la linguistique comparée établissait depuis Rask, Bopp et Grimm, pour affirmer que ces transformations sont des *lois nécessaires* comme celles de la physique et de la biologie. « Tout changement phonétique, en tant qu'il procède mécaniquement, s'accomplit suivant des lois sans exceptions, c'est-à-dire que la direction du changement phonétique est toujours la même chez tous les membres d'une communauté linguistique, sauf le cas de séparation dialectale, et que tous les mots dans lesquels figure le son soumis au changement sont atteints sans exception. »

Bréal dès 1867, Verner en 1875, Scherer en 1875, G. I. Ascoli dès 1870, Leskien, etc., pressentaient déjà cette thèse de la régularité des changements phonétiques, mais c'est bien Brugmann et Osthoff qui l'ont définie avec le plus de netteté. Hermann Paul (1846-1921) dans ses *Principes du langage (Prinzipien der Sprachgeschichte)*, en 1880, exposa magistralement les théories que les néo-grammairiens avaient promues contre les savants traditionnels.

Toutefois, au XXᵉ siècle, les néo-grammairiens seront soumis à de vives critiques ; d'abord celles de Hugo Schuchardt (1842-1928) qui a critiqué les lois phonétiques, de même que la perspective généalogique, et préconisé des études étymologiques et dialectologiques, en soutenant la théorie de la transformation des langues selon leur situation géographique ; ensuite celles de K. Vosseler (1872-1947), qui publia en 1904 son livre *Positivisme et Idéalisme en linguistique,* dans lequel il examine en particulier les rapports de la langue et de la culture françaises, exalte le rôle de l'individu dans la création linguistique et esthétique et stimule profondément les études linguistiques et stylistiques.

Tout en imposant une vision réglementée de la langue (les lois phonétiques), les néo-grammairiens n'en défendaient pas moins une certaine position historique : ils s'opposaient à la thèse de Schleicher d'une préhistoire du langage, et voulaient établir des lois phonétiques dans la langue indo-européenne elle-même. Brugmann écrivait : « Nous devons nous former la représentation générale du développement des formes linguistiques non pas à travers l'hypothétique symbole linguistique originaire, ni même à travers les formes les plus anciennes qui nous aient été transmises du sanscrit, du grec, etc., mais sur la base d'événements linguistiques dont les antécédents, grâce aux documents, puissent être suivis sur un plus long espace de temps, et dont le point de départ nous soit directement connu. »

Cet historicisme positif trouva son apothéose dans l'œuvre de Paul que nous avons mentionnée plus haut : « Dans aucun domaine de la culture on ne saurait étudier les conditions du développement avec autant de précision que dans le domaine du langage. C'est pourquoi il n'existe aucune science humaine dont la méthode puisse être amenée à une telle perfection que la méthode de la linguistique. Aucune autre science n'a pu jusqu'à présent pénétrer si loin au-delà des monuments, aucune autre n'a été aussi constructive que spéculative. C'est justement à cause de ces particularités que la linguistique semblait être si proche des sciences naturelles et historiques, ce qui a pu mener à la tendance absurde de l'exclure du champ des sciences historiques. »

Paul distingue dans les sciences historiques deux groupes, les sciences naturelles et les sciences culturelles : « Le trait caractéristique de la culture est l'existence du facteur psychique. » Et, de fait, la linguistique commençait à devenir de plus en plus le terrain de la *psychologie*.

Brugmann y voyait un moyen de combattre les schémas logiques, et préconisait que « la linguistique historique et la psychologie se tiennent plus étroitement en contact ». C'est chez G. Steinthal (1823-1899), *Grammaire, logique et psychologique, leurs principes et leurs rapports* (1855), et *Introduction à la psychologie de la linguistique* (1881, 2ᵉ éd.), que les princi-

pes psycholinguistiques sont systématisés ; cet auteur refuse en
effet de confondre la pensée logique et le langage : « Les catégories du langage et de la logique sont incompatibles et peuvent
aussi peu se rapporter l'une à l'autre que les concepts de cercle
et de rouge. » Steinthal essaie d'accéder aux « lois de la vie
spirituelle » de l'individu dans diverses sociétés et collectivités
(nations, groupes politiques, sociaux, religieux) en établissant
un rapport entre le langage et la psychologie du peuple (ethno-
psychologie). Le linguiste russe A. A. Potebnia (1835-1891),
tout en s'inspirant de l'œuvre de Steinthal, développe une théorie originale de l'activité psychique et du langage, en attirant
surtout l'attention sur le fait que le langage est *une activité*, un
procès dans lequel la langue se renouvelle sans cesse : « La
réalité du mot... s'effectue dans le discours... Le mot dans le
discours correspond à un acte de pensée, et non pas à plusieurs... ». « Au fait... il n'y a que le discours. La signification
du mot n'est possible que dans le discours. Le mot extrait de ses
relations est mort... » On voit ici s'esquisser une théorie du
discours que la linguistique moderne développe avec beaucoup
d'attention, sur la base des recherches psychanalytiques.

Le développement de la psychologie, accompagné de l'intérêt
croissant que lui portent les linguistes, ne manquera pas d'amener dans le champ de la linguistique la question (un peu oubliée
après tant d'études d'évolution phonétique, morphologique et
syntaxique) de la *signification*. G. Grote dans sa *Glossology*
(1871) oppose le *phone*, ou mot en tant que forme phonétique,
au *noème*, ou mot en tant que pensée ; mais sa terminologie
complexe (dianoématisme, sémantisme, noémato-sémantisme,
etc.) n'arrivera pas à s'imposer. Wilhelm Wundt (1832-1920)
s'occupera du processus de signification et parlera de deux types
d'association : par similitude et par contiguïté, en distinguant
entre forme phonique et sens et, partant, entre transfert de sons
et transfert de sens (métaphore). De son côté, Schuchardt oppose l'*onomasiologie* (l'étude des noms) à la *sémantique* (étude
du sens). La paternité de ce dernier terme semble revenir pourtant à Bréal (1832-1915) qui, dans un article de 1883, *les Lois
intellectuelles du langage, fragments de sémantique*, définit la
sémantique comme devant s'occuper des « lois qui président à la
transformation des sens ». Son *Essai de sémantique* paraît en
1897. La linguistique historique n'est plus une description de

l'évolution des formes, elle cherche les règles — la logique — de l'évolution du sens. Tel était l'objet de la *Vie des mots étudiés dans leur situation* (1886) de Darmsteter (1846-1888), qui recourra à la rhétorique pour expliquer les changements de sens.

Ainsi, après avoir passé par l'histoire de la langue et de ses rapports avec les lois de la pensée, l'évolutionnisme du début du siècle était mûr pour devenir une science générale du langage — une *linguistique générale*. Comme l'écrit Meillet, «on s'est aperçu que le développement linguistique obéit à des lois générales. L'histoire même des langues suffit à le montrer par les régularités qu'on y observe». C'est dire que, une fois saisie dans son passé et dans son présent, la langue est apparue comme un système qui s'étend aussi bien au présent qu'au passé, au phonétisme, à la grammaire qu'à la signification. Car elle est un *système de signes,* comme le pensaient les Solitaires et les Encyclopédistes, mais cette notion, réapparue sur le fond du savoir concret de la langue qu'avait fourni la linguistique comparée et historique, avait désormais une acception nouvelle : non plus logique ou sensualiste, mais enracinée dans le tissu spécifiquement linguistique.

On considère comme fondateur de cette vision de la langue comme système le linguiste suisse Ferdinand de Saussure (1857-1913). Dès son premier *Mémoire sur le système primitif des voyelles dans les langues indo-européennes* (1878), Saussure fixe de manière rigoureuse et systématique le vocalisme indo-européen dans une classification cohérente qui embrasse toutes les données. Il ne considère plus les voyelles les plus fermées *$*i$* et *$*u$* comme des voyelles essentielles : elles deviennent les formes vocaliques de *$*y$* et *$*w$*, comme *$*r$*, *$*l$*, *$*n$*, *$*m$* sont les formes vocaliques de *$*r$*, *$*l$*, *$*n$*, *$*m$*. L'indo-européen n'a proprement, résume Meillet, qu'une seule voyelle qui apparaît avec les timbres *$*e$* et *$*o$*, ou qui manque. Chaque élément morphologique a un vocalisme du degré *$*e$*, du degré *$*o$*, ou du degré sans voyelle.

Si des savants comme Meillet, Vendryes ou Bréal essaient de concilier la linguistique historique avec la linguistique générale, c'est Saussure le premier qui produit un *Cours de linguistique générale* (1906-1912). Il devient le père incontestable de la linguistique générale que Meillet, plus historiciste que lui, définira ainsi : « Une discipline qui ne détermine que des possibilités et qui, ne pouvant jamais épuiser les faits de toutes les langues à tous les moments, doit procéder par induction en s'appuyant d'une part sur certains faits particulièrement nets et caractéristiques, de l'autre sur les conditions générales où ces faits se produisent. *La linguistique générale est dans une large mesure une science a priori...* Elle repose sur la grammaire descriptive et historique à laquelle elle doit les faits qu'elle utilise. L'anatomie, la physiologie et la psychologie peuvent seules expliquer ses lois... et les considérations tirées de ces sciences sont souvent utiles ou nécessaires pour donner une valeur probante à bon nombre de ses lois. Enfin, ce n'est que dans des conditions spéciales à un état social déterminé, et en vertu de ces conditions, que se réalise telle ou telle des possibilités déterminées par la linguistique générale. On voit ainsi quelle est la place de la linguistique générale entre les grammaires descriptives et historiques, qui sont des sciences des faits particuliers, et l'anatomie, la physiologie, la psychologie et la sociologie, qui sont des sciences plus vastes, dominant et expliquant entre autres choses les phénomènes du langage articulé. »

La transformation de la linguistique historique en linguistique générale a sans doute été influencée et accélérée aussi par l'introduction de méthodes exactes dans l'étude de la langue, et plus spécialement dans le domaine de la *phonétique*. L'invention du laryngoscope, en 1855, par Manuel V. Garcia, l'étude avec cet appareil des cordes vocales et de leur fonctionnement par le médecin tchèque Czemak (1860), la transcription des sons (marquage graphique notant leur décomposition en éléments articulatoires) par A. L. Bell, et enfin la publication des *Fondements de physiologie phonétique (Grundzüge der Lautphysiologie)* par Edward Sievers en 1876, furent les étapes qui ont permis la construction d'une phonétique expérimentale, de même que la constitution d'une science phonétique en soi. Les noms de Viëtor, Paul Passy, Rousselot, Sweet, Jones, Jespersen sont liés à ce travail. La phonétique s'est donc mise à décrire l'état présent du phonétisme d'une langue, en fournissant des descriptions physiologiques détaillées et complexes des divers sons, sans pour autant pouvoir classer et expliquer le fait, par exemple, que les différentes façons de prononcer un phonème ne lui enlèvent pas sa valeur permanente dans la chaîne sonore (ainsi, les différentes façons de prononcer le R en français n'empêchent pas la compréhension du message), Cette explication sera le fait de la phonologie (cf. p. 222 et suivantes). Mais, avec la phonétique expérimentale, la linguistique s'oriente définitivement vers l'étude du système actuel d'une langue, et cherche les concepts pour l'ordonner.

Ainsi, le linguiste polonais Baudouin de Courtenay (1845-1929), qui enseignait la linguistique à Kazan, à Cracovie et à Saint-Pétersbourg, emprunte le terme de *phonème* à Saussure et lui donne son sens actuel, car il distingue l'étude physiologique des sons du langage de l'étude psychologique qui analyse les images acoustiques. Pour Baudouin de Courtenay, le phonème est «cette somme de particularités phonétiques qui constitue dans les comparaisons, soit dans les cadres d'une seule langue, soit dans les cadres de plusieurs langues apparentées, une unité indivisible». C'est cette définition de Baudouin de Courtenay, raffinée par son élève Kruscewski, que les phonologues du XXe siècle vont reprendre pour la purger de son psychologisme et bâtir la *phonologie* et, à partir de là, la linguistique structurale.

Ajoutons à la liste de ces travaux qui ont fondé la linguistique générale en ouvrant la voie au renouveau structural que l'époque contemporaine apportera, l'œuvre du linguiste américain W. D. Whitney (1827-1894) et particulièrement son ouvrage *The Life and Growth of Language* (1875). Saussure admirait ce texte et préparait un article à son sujet. En effet, on y trouve la notion du *signe*, une esquisse de typologie des systèmes de communication, une étude des structures linguistiques, etc.

Née de l'histoire, la linguistique se fixe maintenant sur l'état présent de la langue et se propose de le systématiser dans deux directions :

Ou bien la démarche linguistique se souvient des découvertes de l'époque historique et veut éclairer d'une lumière historique ou sociale ses réflexions et ses classifications générales, en se tenant près de la matière linguistique spécifique de la langue concrète ; tel sera le cas de Meillet et, aujourd'hui, de Benveniste en France, ou dans une certaine mesure, du Cercle linguistique de Prague et de Jakobson ; Meillet, en 1906, traduisait ainsi le souci de la linguistique sociologique : «Il faudra déter-

miner à quelle structure sociale répond une structure linguistique donnée et comment, d'une manière générale, les changements de structure sociale se traduisent par des changements de
structure linguistique. »

Ou bien la linguistique censure ce que l'étude historique des
langues concrètes a apporté à la connaissance du fonctionnement symbolique, et s'efforce d'élaborer une théorie logico-positiviste des structures linguistiques, plus ou moins abstraites de
leur matérialité signifiante.

16. La linguistique structurale

Il est évidemment difficile d'avoir dès maintenant une vue
claire et difinitive de la place exacte qu'occupe actuellement le
langage dans l'ensemble des domaines où il est devenu objet
d'étude ou modèle d'investigation. En effet, si la linguistique
propose sans trêve des approches toujours nouvelles du système
du langage, elle n'est plus la seule à en traiter. La philosophie,
la psychanalyse, la théorie littéraire, la sociologie, l'étude des
différents arts, de même que la littérature et les arts eux-mêmes,
explorent chacun à leur façon les lois du langage, et cette
exploration s'ajoute aux descriptions proprement linguistiques,
pour constituer un spectre immense qui révèle à la fois les
conceptions modernes du langage et le *mécanisme* des divers
discours qui proposent ces conceptions.

Face à cette complexité, que nous n'avons ni le recul suffisant
pour apprécier aujourd'hui ni la place nécessaire pour étudier
dans cet aperçu sommaire, la science proprement linguistique,
si elle prend des aspects fort variés, obéit à quelques principes
constants qui la différencient de l'époque « historique » antérieure.

Tout d'abord, la linguistique moderne se consacre à la description du *système de la langue* à travers la ou les langues
nationales concrètes dans lesquelles ce système se manifeste,
cherchant à trouver ainsi les éléments et les principes généraux
qu'on peut appeler les *universaux* linguistiques. La langue ap-

paraît donc non pas comme évolution, arbre généalogique, histoire, mais en tant que *structure*, avec des lois et des règles de fonctionnement qu'il s'agit de décrire. La séparation langue/ parole, paradigme/syntagme, synchronie/diachronie (voir la première partie) marque bien cette orientation de la linguistique vers la *langue*, le *paradigme* et la *synchronie* plutôt que vers la parole, le syntagme et la diachronie.

Cela ne veut pas dire que l'étude structurale ne puisse pas avoir un éclairage historique et montrer, par exemple, les diffé- rences historiques des structures d'une même langue ou de deux langues différentes.

Mais il s'agira là d'une tout autre histoire, non plus d'une histoire linéaire et évolutive qui s'attacherait à expliquer le changement progressif d'une structure en une autre d'après les lois de l'évolution, mais d'une *analyse des blocs*, des structures de signification, dont les différences typologiques présentent un étagement, un feuilletage, une *histoire monumentale ;* ou bien de l'analyse des mutations internes d'une structure qui se *transforme* (telle que la voit la grammaire générative), sans qu'on recherche une origine ou qu'on suive une évolution. « Ce n'est pas tant la considération historique qui est condamnée par là qu'une manière d'"atomiser" la langue et de mécaniser l'histoire. Le temps n'est pas le facteur de l'évolution, il n'en est que le cadre. La raison du changement qui atteint tel élément de la langue est d'une part dans la nature des éléments qui la composent à un moment donné, de l'autre dans les relations de structure entre ces éléments », écrit Benveniste (« Tendances récentes de la linguistique générale », *Journal de psychologie normale et pathologique,* 1954). Ainsi, l'*histoire* étant remise à sa juste place, la *logique* l'est aussi : les catégories logiques, extraites d'une seule langue à l'insu du linguiste, ne sont plus omnivalentes ; et dans un sens, chaque langue a sa logique : « On discerne que les catégories mentales et les "lois de la pensée" ne font dans une large mesure que refléter l'organisation et la distribution des catégories linguistiques. » On peut même dire que, si l'étude de la langue comme structure ou transformation fait écho aux tendances des sciences actuelles (physique ou biologie) qui examinent la structure interne de la matière en la décomposant en ses constituants (cf. les théories nucléaires ou bioniques), elle est certainement aussi la discipline la mieux placée pour transposer cet état de la science dans l'idéologie, en contribuant ainsi à une réévaluation du concept d'*histoire*. En effet, prenant appui sur les données scientifiques (y compris celles de la linguistique), la représentation moderne de l'histoire n'est plus linéaire comme celle du XIXe siècle. Sans tomber dans l'excès de certaines philosophies idéalistes qui aboutissent à un anhistorisme total, la théorie matérialiste envisage les systèmes (économiques ou symboliques) en mutation, et nous enseigne, guidée par la linguistique, à analyser les lois et les transformations inhérentes à chaque système.

Mais si une telle transformation du concept d'histoire se dégage du courant structuraliste, on ne peut pas dire qu'elle soit toujours consciemment pratiquée dans les études contemporaines. Au contraire, la pensée structuraliste a tendance à fuir l'histoire et à prendre l'étude du langage comme alibi de cette fuite. Il est vrai que l'étude du langage des sociétés primitives (préhistoriques, telles les tribus d'Amérique du Nord) se prête probablement à une telle fuite.

Quoi qu'il en soit, en abandonnant les présupposés historiques et psychologiques des époques précédentes, et en s'attachant à un objet qu'elle veut décrire de façon exacte et précise, la linguistique trouve un exemple de rigueur dans les sciences *mathématiques* auxquelles elle emprunte les modèles et les concepts. On a cru un moment que cette rigueur mathématique était la rigueur absolue, sans penser que le modèle mathématique (comme d'ailleurs tout modèle formaliste), une fois appliqué à un objet signifiant, demande une justification, et n'est applicable qu'en raison de cette justification implicite que le chercheur lui a donnée. L'idéologie à laquelle on voulait échapper se retrouve donc de manière larvée dans la *racine sémantique* du modèle appliqué à la description du langage.

Ainsi, l'étude du langage, en s'éloignant de l'empirisme, devrait permettre à la science de comprendre que ses « découvertes » dépendent du système conceptuel appliqué à l'objet de l'étude, et même qu'elles s'y trouvent plus ou moins données d'avance. Autrement dit, la linguistique considère que ses découvertes des propriétés langagières dépendent du *modèle* utilisé dans la description, voire de *la théorie,* à laquelle ce modèle appartient. Il s'ensuit un intérêt considérable pour l'innovation des théories et des modèles, plutôt qu'une investigation suivie, permise par l'emploi d'un seul modèle. La linguistique décrit moins le langage qu'elle ne construit son propre langage. Ce retournement, qui semble paradoxal, a une double conséquence. D'une part, la recherche théorique n'implique nullement que le langage reste inconnu, enseveli sous la masse des modèles, toujours nouveaux, du fonctionnement linguistique. Mais, d'autre part, l'attention du discours scientifique est attirée sur le processus même de la connaissance en tant que processus de construction d'un modèle, surdéterminé par une instance théorique, voire idéologique. Autrement dit, la science du langage n'est pas orientée uniquement vers son objet, la langue, mais vers son propre discours, vers ses propres fondements. Tout discours sur le langage est *obligé* ainsi de penser *son* objet, *son* langage, à travers le modèle qu'il s'est choisi, c'est-à-dire à travers ses propres matrices. Sans aboutir à un relativisme et à un agnosticisme qui nieraient l'objectivité de toute connaissance, une telle démarche contraint la linguistique (et toute science qui suit sa voie) à s'interroger sur ses propres fondements, à devenir science de sa *démarche,* tout en étant science d'un *objet.*

Notons bien que la perspective analytique ouverte ainsi implicitement à la science linguistique et à l'épistémologie moderne est loin d'être admise et pratiquée consciemment dans les travaux structuralistes. Au contraire, la plupart des recherches linguistiques ne s'interrogent nullement sur les procédés, les présupposés et les modèles dont elles usent, et si elles deviennent de plus en plus formelles et formalisées, elles semblent croire que ces formules sont des faits neutres, et non pas des constructions logiques appliquées, pour une raison sémantique dont il faut interroger les fondements idéologiques, à un objet irréductible, le langage.

En troisième lieu, étudiant le langage comme un système de *signes,* la linguistique forge des moyens conceptuels pour l'étude de *tout système de signification* en tant que « *langage* ». Ainsi, les différents types de rapports sociaux investis par le langage, la culture, les codes et les règles de comportement social, les religions, les arts, etc., peuvent être étudiés comme des systèmes de signes, avec des structures particulières, ou comme autant de types de langage. La linguistique devient une partie de la *sémiotique,* science générale des systèmes signifiants, qu'elle a rendue possible en pensant le langage comme premier système de signes.

Enfin, et en conséquence de ce que nous venons de dire, l'étude du langage déborde largement les cadres de la seule linguistique, et son analyse est entreprise par des biais sinon inattendus, du moins radicalement nouveaux.

Ainsi, certaines *théories philosophiques,* postulant que le monde n'existe pour la pensée qu'en tant qu'il est ordonné à travers le langage, étudient les catégories philosophiques comme des catégories linguistiques ou logiques : le langage devient ainsi le moule de toute construction philosophique.

La *psychanalyse* trouve dans le langage les objets réels de son enquête : c'est en effet dans les structures linguistiques et dans le rapport du sujet à son discours qu'elle analyse les structures dites psychiques.

Enfin, *la littérature et l'art,* qui s'élaborent dans ce climat d'analyse minutieuse de leur propre matière, la langue et les systèmes de signification en général, renoncent, dans ce qu'on appelle l'« avant-garde », à construire des fictions pour se pencher sur les lois de cette construction. La littérature devient une auto-analyse, une recherche implicite des règles du langage littéraire, de même que l'art moderne pulvérise l'opacité descriptive de l'ancienne peinture et expose ses composants et ses lois. Ici, le langage n'est plus objet d'étude, mais pratique et connaissance, ou pratique analytique, *élément* et *travail* dans lesquels et par lesquels le sujet connaît et organise le réel.

Nous allons suivre d'abord les moments principaux des visions du langage telles que les élabore la linguistique moderne, avant d'aborder l'expansion de l'analyse du langage en dehors du champ strictement linguistique.

RECHERCHES LOGIQUES

S'il est vrai que c'est Saussure qui, dans une époque dominée par les néo-grammairiens, a énoncé le premier les principes de la langue comme *système de signes* et fonde ainsi la linguistique générale moderne qui deviendra structurale et hautement formalisée, c'est chez un philosophe que nous trouvons édifiée la conception du langage qui est sous-jacente à la linguistique

actuelle. En désignant ici la phénoménologie husserlienne et
plus particulièrement la conception du signe et du sens chez
Husserl (1859-1938), nous voudrions souligner la dette ina-
vouée du structuralisme à la phénoménologie.

En 1900-1901 paraissent les *Recherches logiques* de Husserl
dont les points fondamentaux seront précisés sans être radicalement modifiés par ses ouvrages ultérieurs : *Logique formelle et
Logique transcendantale,* etc. En abordant le concept de *signe*
qu'il veut élaborer en dehors de toute présupposition, Husserl
reste rivé au projet métaphysique du signe lui-même, « dans son
achèvement historique et dans la pureté seulement restaurée de
son origine ». (Derrida, *la Voix et le Phénomène,* 1968.) La
réflexion husserlienne du signe est soumise à une logique : sans
poser la question de cette logique, Husserl présente le langage à
travers le système de cette logique, visiblement considérée
comme donnant la normalité de l'ordre linguistique. Ainsi,
lorsqu'il étudie l'ordre grammatical, la morphologie des signes,
les règles qui permettent de construire un discours avec un sens,
on s'aperçoit que cette grammaire est *générale,* purement *logique,* et ne rend pas compte de la variété réelle du langage.
Husserl parle d'un « a priori grammatical dans son universalité,
puisque par exemple les relations de communication entre sujets
psychiques, si importantes pour la grammaire, comportent un
a priori propre, l'expression de *grammaire pure logique* mérite
la préférence... ».

Cet apriorisme logique, que nous retrouverons chez les premiers structuralistes, va de pair avec un privilège accordé à la
phonê qu'Husserl entend non pas comme vocalisme physique,
mais comme une substance spirituelle, « la voix dans sa chair
trancendantale ». Le concept *signifié* sera attaché au complexe
phonique *signifiant* par l'intermédiaire du *mot,* et la réflexion
linguistique se logera dans la transcendance logique que le
phonétique (on dira plus tard le phonématique) non seulement
manifeste, mais *est.*

Sans développer une théorie générale du signe, Husserl distingue entre des signes qui expriment quelque chose, ou qui *veulent
dire* quelque chose et qu'Husserl regroupe sous le concept
d'*expression*, et des signes qui sont privés de « vouloir dire » et
qu'Husserl désigne par le concept d'*indice*. Les deux systèmes,
d'ailleurs, peuvent s'enchevêtrer : le signe discursif qui *veut dire*

est toujours aussi *indicatif;* mais l'indice en revanche fonde un concept plus large et par conséquent peut se présenter aussi hors de l'enchevêtrement. C'est dire que le discours est pris dans le geste indicatif, ou dans l'*indication* en général et, par conséquent, pourra couvrir tout le langage en opérant des réductions (factualité, essence mondaine, etc.), s'acheminant ainsi vers une réduction de plus en plus accentuée des couples conceptuels fait/essence, transcendalité/mondanité, voire sens/forme... Cette doctrine du *signe expressif* différent du *signe indicatif,* loin d'être comprise et assimilée dans le système métaphysique du signe, se montre furtivement dans certaines théories descriptives, où la réduction du sens transcendantal du langage s'opère sous la couverture de la signification indicative, du signifiant sans vouloir-dire (voir à ce sujet p. 259).

Un dernier point de la doctrine husserlienne que nous voudrions relever ici, c'est la limitation de la *grammaire pure logique* de Husserl. Beaucoup plus formelle que la grammaire rationnelle, sa formalité est pourtant limitée. Car la *forme pure* est tenue par le concept de *sens* qui dépend d'un rapport à l'*objet réel.* Aussi comprend-on que, quelque formelle que soit une grammaire, elle est toujours cernée par une *sémantique* qu'elle n'avoue pas. En voici un exemple : entre les trois formules « *le cercle est carré* », « *vert est ou* » ou « *abracadabra* », seul « *le cercle est carré* » est doué de sens, même si la proposition ne correspond à aucun objet, car la forme grammaticale (nom-verbe-attribut) est la seule, parmi les formes citées, qui soit capable d'avoir un objet. Les autres cas, de même que plusieurs exemples de langage poétique ou de musique, sans être dépourvus de signification, n'ont pas de *sens* (husserlien) car ils n'ont pas de rapport logique à un objet. On voit qu'en dernière instance le critère formel-grammatical (« a de sens le discours qui obéit à une règle grammaticale ») est limité par la règle sémantique d'un rapport à l'objet. Cette réflexion est à rapporter à l'exemple de Chomsky sur la grammaticalité (voir p. 252) dont elle démontre la faiblesse fondamentale.

La phénoménologie husserlienne, dont nous n'avons indiqué ici que quelques points essentiels, sera la base de la théorie de la signification de notre siècle, à laquelle vont se rapporter, consciemment ou non, explicitement ou non, les théories linguistiques.

Nous allons en mentionner quelques-unes parmi les plus importantes.

LE CERCLE LINGUISTIQUE DE PRAGUE

Le Cercle linguistique de Prague est sans doute l'«école» linguistique qui marque le plus profondément la science linguistique du premier tiers du siècle. Créé en 1926 par les linguistes tchèques V. Mathesius, B. Havránek, J. Mukařovský, B. Trnka, J. Vachek, M. Weingart, le Cercle a groupé aussi des linguistes étrangers, parmi lesquels les Français L. Bruo, L. Tesnière, J. Vendryes, E. Benveniste, A. Martinet, et les Russes R. Jakobson et N. S. Troubetskoï. Les théories du Cercle sont exposées dans les *Travaux du Cercle linguistique de Prague* (édités de 1929 à 1938), œuvre collective qui contient les principales thèses du groupe. S'inspirant des principes de Saussure, le Cercle se propose d'étudier la langue comme un système, «système fonctionnel», sans pour autant ignorer les faits linguistiques concrets, ni les méthodes comparatives de l'étude de l'évolution du langage : l'analyse synchronique du langage ne supprime pas l'intérêt pour l'histoire.

Ainsi, le programme du Cercle s'intitule : «Problèmes de méthodes découlant de la conception de la langue comme système et importance de ladite conception pour les langues slaves (la méthode synchronique et ses rapports avec la méthode diachronique, comparaison structurale et comparaison génétique, caractère fortuit ou enchaînement régulier des faits d'évolution linguistique). »

Définissant la langue comme un « système de moyens d'expression appropriés à un but », le Cercle affirme que « la meilleure façon de connaître l'essence et le caractère d'une langue, c'est l'analyse synchronique des faits actuels, qui offrent seuls des matériaux complets et dont on peut avoir le sentiment direct ». Les changements subis par la langue ne sauraient être envisagés « sans tenir compte du système qui se trouve affecté par lesdits changements ». « D'un autre côté, la description synchronique ne peut pas non plus exclure absolument la notion d'évolution, car même dans un secteur envisagé synchroniquement existe la conscience du stade en voie de disparition, du stade présent et du stade de formation ; les éléments stylistiques sentis comme archaïsmes, en second lieu la distinction des formes productives et non productives sont des faits de diachronie, que l'on ne saurait éliminer de la linguistique synchronique. »

La première tâche à aborder dans l'étude d'un système linguistique ainsi défini est la recherche relative à l'aspect *phonique* de la langue. On distingue le son « comme fait physique objectif, comme représentation et comme élément du système fonctionnel » c'est-à-dire *phonème*. Du plan phonologique on passe au plan *morphologique* : à l'utilisation morphologique des différences phonologiques (c'est la morpho-phonologie). « Le *morphonème*, image complexe de deux ou plusieurs phonèmes susceptibles de se remplacer mutuellement, selon les conditions de la structure morphologique, à l'intérieur d'un même morphème (par exemple, en russe, le morphonème *k/č* dans le complexe *ruk*[=*ruka, ručnoj*]), joue un rôle capital dans les langues slaves. »

Plus loin, on considère l'*activité dénominatrice* du langage : par elle, « le langage décompose la réalité, qu'elle soit externe ou interne, concrète ou abstraite, en éléments linguistiquement saisissables ». Une théorie des procédés syntagmatiques est mise au programme du Cercle : « L'*acte syntagmatique fondamental*, qui est en même temps l'acte même créateur de la phrase, *est la prédication*. »

Enfin, le Cercle étudie ces systématisations non pas dans des cadres théoriques abstraits, mais dans la langue concrète qui est considérée elle-même à travers ses manifestations concrètes dans la *communication*. De là découle l'intérêt du Cercle pour le langage littéraire, l'art et la culture en général. Des recherches sont entreprises sur les différents niveaux fonctionnels et stylistiques du langage.

Dans cet ensemble de recherches très vastes et variées, une place majeure est occupée par les théories *phonologiques,* dues principalement aux travaux de Troubetskoï et de Jakobson.

Partant de Saussure pour qui les phonèmes sont « les premières unités qu'on obtient en découpant la chaîne parlée » et qu'il définit comme « avant tout des unités oppositives, relatives et négatives », Jakobson écrit : « Nous appelons *système phonologique* d'une langue le répertoire, propre à cette langue, des '' différences significatives '' existant entre les idées des unités acoustico-motrices, c'est-à-dire le répertoire des oppositions auxquelles peut être attachée, dans une langue donnée, une différenciation des significations (répertoire des *oppositions phonologiques*). Tous termes d'opposition phonologique non susceptibles d'être dissociés en sous-oppositions phonologiques plus menues, sont appelés *phonèmes*. » (*Remarques sur l'évolution phonétique du russe comparée à celle des autres langues slaves,* TCLP, 1929, II.)

Troubetskoï expose ses thèses dans ses *Grundzüge der Phonologie* (TCLP, 1939, VII, trad. fr., *Principes de phonologie,* Paris, 1949). Il reprend et précise certaines définitions du phonème — élément représentatif différentiel, *image sonore,* et non pas *son* physique, des atomes de la chaîne parlée — dues à des linguistes russes comme L.-V. Sčerba ou N. E. Jakobov, et surtout à Jakobson (TCLP, 1929, II). En effet, Sčerba écrivait en 1912 : « La représentation phonique générale la plus brève qui, dans la langue étudiée, possède la faculté de s'associer à des représentations données ou sens, et de différencier des mots. » Pour Plyvanov, le phonème est « la représentation phonétique générique la plus brève, propre à la langue donnée et capable de s'associer avec des représentations sémantiques et de servir à différencier les mots », tandis que Jakobov écrivait que le phonème est « chaque particularité phonique que l'on peut extraire de la chaîne parlée comme l'élément le plus bref qui serve à différencier des unités signifiées ».

Dès les premières pages de ses *Principes,* Troubetskoï précise la différence entre la *phonétique* — science des sons de la parole — et la *phonologie* — science des sons de la langue. Si la phonétique est « la science de la face matérielle des sons du langage humain », la phonologie étudie « comment les éléments de différenciation (ou marques, d'après K. Bühler) se comportent entre eux et selon quelles règles ils peuvent se combiner les uns avec les autres pour former des mots et des phrases ». « La phonologie ne doit envisager en fait de son que ce qui remplit une fonction déterminée dans la langue. » Or, puisque la langue est un système de différences, la fonction d'un élément dans le système n'est remplie que si cet élément, étant en rapport avec les autres, se distingue de (s'oppose à) un autre élément : ainsi en français le phonème [p] s'oppose au phonème [b] car la substitution de l'un à l'autre peut produire des changements de signification *(pas/bas) ; par contre tout changement de pronon-*

ciation individuelle de [*p*] ou de [*b*] n'entraînant pas de changement de signification n'est pas *pertinent*, ne produit pas de changement de phonème, mais n'amène que des variations d'un même phonème. « Les oppositions phoniques qui, dans la langue en question, peuvent différencier les significations intellectuelles de deux mots, nous les nommerons des *oppositions phonologiques* (ou des oppositions phonologiques distinctives ou encore des oppositions *distinctives*). »

Les termes d'une telle opposition sont appelés des « unités phonologiques ». Les unités phonologiques peuvent être parfois décomposées en une série d'unités phonologiques encore plus petites : des « atomes acoustiques ». Or les unités phonologiques qui, du point de vue de la langue en question, ne se laissent pas analyser en unités phonologiques encore plus petites et successives sont appelées « phonèmes ». « Le *phonème* est donc la plus petite unité phonologique de la langue étudiée. La face signifiante de chaque mot existant dans la langue se laisse analyser en phonèmes et peut être représentée comme une suite déterminée de phonèmes. » Tout en insistant sur la différence entre le phonème et le son concret (« Les sons concrets qui figurent dans le langage sont plutôt de simples symboles matériels des phonèmes »), Troubetskoï s'oppose à la tendance à « psychologiser » le phonème et à y voir un « équivalent psychique des sons du langage » (Baudoin de Courtenay), aussi bien qu'à la confondre avec l'image phonique : « Le phonème est la somme des particularités phonologiquement pertinentes que comporte une image phonique. » Car ce qui constitue le phonème, c'est sa *fonction* distinctive dans l'ensemble de la chaîne parlée : il est isolé par une analyse *fonctionnelle* (structurale et systématique) de chaque langue concrète, et ne dépend nullement de quelque support psychologique, mais du système propre à cette langue. En effet, les oppositions fonctionnelles ne sont pas les mêmes dans toutes les langues. Les voyelles palatales (orales) en français, par exemple, se divisent en deux séries : arrondies *(u, ǽ* et *ǣ,)* et non arrondies *(i, é* et *è)*, mais l'italien et l'espagnol ne connaissent pas la série arrondie (*peu, deux,* sont difficilement prononçables par les Espagnols et les Italiens); l'espagnol ne fait pas non plus la différence entre voylles mi-*fermées* et mi-*ouvertes* (*é/è, ó/ò*).

Cette procédure descriptive de la phonologie, analysant la chaîne parlée en unités distinctives, a été reprise par d'autres branches de l'étude de la langue, et se trouve aujourd'hui à la base du structuralisme. M. Leroy (*les Grands Courants de la linguistique du XXe siècle,* 1963) signale que la phonologie a aussi renouvelé l'optique de la grammaire comparée et historique traditionnelle. Ainsi, on s'est aperçu que le principe phonologique de l'*alternance* joue un rôle important dans la morphologie de plusieurs langues : la formation du féminin en français se fait soit par une alternance de sonorité *(neuf/neuve),* soit par une alternance degré zéro/degré plein (c'est-à-dire par adjonction d'une consonne : *vert/verte, grand/grande*). D'autre part, la méthode de la phonologie a été appliquée à la linguistique comparée, et on a été conduit à faire l'inventaire des évolutions phonétiques en les insérant dans un système. Dans cet esprit Jakobson publiait, en 1931, *Principes de phonétique historique,* tandis que la Proposition 22 du Cercle proclame : « Le problème du but dans lequel les changements ont eu lieu doit être posé. La phonétique historique se transforme ainsi en une histoire de l'évolution d'un système phonologique. »

La phonologie diachronique devenait ainsi nécessaire ; elle fut élaborée par A. Martinet (*Économie des changements phonétiques, Traité de phonologie diachronique,* Berne, 1955).

Mais le développement radical des thèses phonologiques de l'École de Prague, qui a constitué le fondement de la véritable méthode structurale déjà en germe chez Troubetskoï, est dû aux travaux de Jakobson. Il met en place la théorie des *traits distinctifs :* chaque unité distinctive du langage se compose de *traits* en oppositions binaires. Les oppositions pertinentes se chiffrent à une douzaine dans toutes les langues du monde. La langue est donc un système dont les éléments distinctifs sont en *oppositions binaires ;* les autres oppositions, qui n'ont pas de valeur distinctive, sont dites *redondantes.*

L'hypothèse binariste est exposée avec beaucoup de rigueur dans *Observations sur le classement phonologique des consonnes* (1938). Quelles sont ces oppositions binaires ? Elles jouent sur la base de termes *contradictoires* (présence/absence : par

exemple, voyelles longues/voyelles brèves) et *contraires*
(maximum/minimum : par exemple, voyelles graves/voyelles
aiguës). Les consonnes peuvent aussi être groupées sur l'axe de
ces oppositions ; la différence du lieu d'articulation peut se
systématiser en deux oppositions phonologiques : antérieur/
postérieur et graves/aiguës :

p	t	antérieurs
k	č	postérieurs
graves	aiguës	

En utilisant des techniques modernes d'enregistrement et de
reproduction des sons, Jakobson et son équipe ont pu établir une
théorie phonologique générale basée sur le principe du binarisme. On en trouve l'exposé complet dans l'ouvrage de Jakobson et M. Hall, *Fundamentals of Language,* 1955. Les douze
oppositions binaires établies par les binaristes ne sont ni provi-
soires ni arbitraires, mais répondent à une nécessité empirique.
Elles n'en ont pas moins un caractère universel. Ainsi pour
Jakobson le triangle suivant représente la différanciation opti-
male des phonèmes :

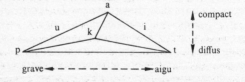

Jakobson propose aussi une théorie intéressante de la synchronie et de la diachronie, remédiant au statisme habituel des
théories structurales. La synchronie, pour lui, est dynamique : la
synchronie du film n'est pas une juxtaposition d'images, mais
une totalité synchronique en mouvement. Quant aux change-

ments phonétiques, ils ne sont pas dus à une cause, mais à un *but*, rétablissant le principe de la différenciation phonologique et opèrent par *saut*.

Un partie importante des recherches de Jakobson, fidèle au programme du Cercle linguistique de Prague, analyse l'*acte linguistique* et les *fonctions* du langage.

C'est probablement l'intérêt de Jakobson pour le fonctionnement poétique du langage, de même que pour le fonctionnement linguistique chez les aphasiques et chez l'enfant, qui lui a permis de réviser la théorie saussurienne de la *linéarité du signifiant*. En effet, Saussure soutient dans son *Cours* la thèse de l'*enchaînement* des éléments linguistiques, le discours étant présenté comme une *chaîne* parlée. D'autres travaux de Saussure, les *Anagrammes* (publiés partiellement pour la première fois par J. Starobinski, en 1964), ont montré une autre conception de la combinaison signifiante qui correspond plutôt à un modèle *tabulaire* qu'à une *chaîne*. Avant la publication de ces travaux, Jakobson était le premier à mettre en cause la linéarité du signifiant, en étudiant non seulement la combinaison, mais aussi la *sélection* des signes linguistiques, non seulement leur enchaînement, mais aussi leur *concurrence*. Dans le langage poétique il a isolé deux axes : métonymique (enchaînement des unités par continuité, propre à la prose, à l'épopée, au réalisme), et métaphorique (par ressemblance, propre à la poésie lyrique, etc.). On peut classer, sur ces deux axes, les catégories des troubles aphasiques.

LE CERCLE DE COPENHAGUE

Les principes structuralistes ont été exposés avec beaucoup de rigueur, de parti pris et d'exigence, et sur des bases plutôt logiques que phonologiques, par le Cercle linguistique de Copenhague. En 1939 paraissait le premier numéro de la revue *Acta Linguistica* qui publia le « manifeste structuraliste » de Viggo Bröndal, *Linguistique structurale*. Après avoir établi le réquisitoire de la grammaire comparée « inspirée par l'intérêt pour les petits faits vrais », qu'il qualifie de « positive », « purement physiologique et psychologique », et « légale » dans la mesure où elle a pu devenir de plus en plus rigoureuse et méthodique en formulant « de plus en plus ses résultats (pour la plupart historiques et phonétiques en même temps) sous forme de lois », Bröndal rappelle que toutes les sciences de son temps ont changé d'optique. La physique des *quanta* avec Planck, la biologie avec de Vries, etc., se rendent à « la nécessité d'isoler, de découper dans le flux du temps, l'objet propre à une science, c'est-à-dire de poser, d'une part, des états qui seront regardés comme stationnaires et, d'autre part, des sauts brusques d'un état en un autre ». C'est ce qui se produit également en linguistique avec la distinction saussurienne synchronie/diachronie. Toujours pour souligner la même mutation épistémologique, Bröndal rappelle que les sciences ont compris « la nécessité du concept général, seule unité possible des cas particuliers, de toutes les manifestations individuelles d'un même objet », tel le concept de génotype en biologie, de fait social (Durkheim) en sociologie, ou de *langue* — à la fois espèce et institution — en linguistique. En conséquence, la science aborde donc « de plus près les liaisons rationnelles à l'intérieur de l'objet étudié ». Le terme de *structure* employé en physique, biologie et psychologie traduit cette croyance que le « réel doit posséder dans son ensemble une cohésion interne, une structure particulière ». Bröndal voit les prémisses d'une telle approche en linguistique chez Saussure qui a parlé de « système de la langue », chez Sapir (voir ci-après) et chez Troubetskoï qui a « le grand mérite d'avoir fondé et élaboré la doctrine structuraliste pour les systèmes phonétiques ».

La linguistique structurale sera appuyée sur trois concepts : *synchronie* (ou identité d'une langue donnée), *langue* (ou unité de la langue identifiée par l'étude synchronique) et *structure* (ou totalité d'une langue dont on aura déjà reconnu l'identité et l'unité). On pénètre la structure en établissant entre les éléments identifiés et unifiés toutes les corrélations constantes, nécessaires et donc constitutives. « Ce n'est en effet que quand on aura établi deux états de langue successifs — deux mondes divers et fermés comme des *monades* l'un par rapport à l'autre malgré leur conformité dans le temps — qu'on pourra étudier et comprendre les modalités de la réorganisation rendue nécessaire par la transition de l'un à l'autre et les facteurs historiques responsables de cette transition. » S'il admet que « le temps se fait valoir à l'intérieur de la synchronie », Bröndal annonce déjà la couleur du structuralisme anhistorique et universaliste en envisageant une «*panchronie* ou *achronie,* c'est-à-dire des facteurs universellement humains qui persistent à travers l'histoire et se font sentir à l'intérieur d'un état de langue quelconque».

Le manifeste de Bröndal a formulé deux mises en garde que la *glossématique,* professée par l'École de Copenhague, a sensiblement négligées. La première concerne le rapport entre la *théorie* abstraite, qui pose l'objet d'étude, et l'*expérience* concrète du langage : «Il ne s'ensuit aucunement que nous méconnaissions la valeur de l'empirie : des observations toujours plus minutieuses, une vérification toujours plus complète, seront au contraire exigées pour remplir et vivifier les cadres posés par la construction théorique.» La seconde se rapporte à l'étude philosophique des catégories qui composent le système, ou qui sont à sa base : «On ne saurait considérer les éléments qui font partie d'un système comme de simples dérivés des corrélations ou oppositions structurales... l'étude des catégories réelles, contenu ou base des systèmes, sera non moins importante que celle de la structure formelle. *Les méditations pénétrantes de Husserl sur la phénoménologie seront ici une source d'inspiration pour tout logicien du langage.*» (C'est nous qui soulignons.) Malheureusement, ce *substantialisme* sera négligé par les successeurs de Bröndal et par lui-même dans les travaux ultérieurs.

Appliquant de façon plus précise ses thèses dans son livre *Essais de linguistique générale* (Copenhague, 1943), Bröndal propose de décrire tout système morphologique par la combinaison de quatre termes, dont *A* est neutre (ainsi l'indicatif dans les modes du verbe, ou la troisième personne, forme «impersonnelle» des personnes) et opposé à *B,* positif ou négatif ; le terme *C* est complexe, et peut être complexe - négatif ou complexe - positif (parmi les modes, c'est l'*optatif* ; parmi les temps, c'est le *prétérito-présent,* etc.). A l'aide de ces quatre termes et en leur appliquant des règles logiques leibniziennes (Leibniz est le référent fréquent de Bröndal), l'auteur parvient à calculer le nombre des systèmes morphologiques possibles au cours des mutations des langues. Il considère que les formes neutres se répandent de plus en plus dans les langues modernes (l'anglais élimine les modes, les aspects, le temps, tandis que les formes impersonnelles y dominent, etc.) ou bien sont fréquentes dans des langues d'anciennes civilisations (le chinois), mais sont beaucoup plus rares dans les anciennes langues indo-européennes. On voit l'orientation *logique* de la linguistique chez Bröndal qui, tout en soulignant « l'autonomie mutuelle, l'égale importance et la nature complémentaire du système de la syntaxe, de la langue et du discours », insiste sur le fait que la linguistique structurale devra apprendre beaucoup de choses de la logique.

Mais ce sont les travaux de Hjelmslev qui ont rendu célèbre la conception linguistique de l'École de Copenhague. En 1928, il publia ses *Principes de grammaire générale,* pour continuer plus tard ses recherches avec P. Lier et H. Uldall en élaborant une conception linguistique désignée sous le nom de *glossématique.* Mise au point pendant plusieurs années, la théorie est exposée sous une forme définitive dans les *Prolégomènes à une théorie du langage* (1943, trad. fr., 1968).

Partant de Saussure et de Weisgerber (*Muttersprache und Geistesbildung,* Göttingen, 1928), l'auteur y envisage la langue non pas comme un conglomérat de phénomènes non linguistiques (par exemple physiques, physiologiques, logiques, sociaux), mais comme une totalité se suffisant à elle-même, une structure *sui generis.* Hjelmslev critique la conception, selon lui humaniste, du langage, qui oppose son caractère à celui des phénomènes naturels et le croit insaisissable par une « description simple ». Il est convaincu, quant à lui, qu'« à chaque *processus* correspond un système sur la base duquel le processus peut être analysé et décrit avec un nombre limité de prémisses, ou de validité générale ».

Comment doit être ce discours linguistique qui dégagera la systématicité rigoureuse du langage ? Hjelmslev consacre une partie importante de son travail à la description des procédés méthodologiques de la linguistique qui, avant tout, doit *élaborer* son objet : la langue comme système. « La description doit être non contradictoire *(self-consistent),* exhaustive et aussi simple que possible. L'exigence de non-contradiction l'emporte *(take precedence)* sur l'exigence d'exhaustivité et l'exigence d'exhaustivité l'emporte sur celle de simplicité. » Cette méthode linguistique est désignée comme « nécessairement empirique et nécessairement déductive » : c'est dire que, dans une certaine mesure, la théorie est indépendante de l'expérience, et qu'elle contient des prémisses dont le théoricien n'a pas besoin de démontrer la validité, car les expériences précédentes l'en ont convaincu. La théorie est donc d'abord *arbitraire*, et ensuite *appropriée* aux données empiriques. Quel sera le critère d'acceptation de tel ou tel postulat de base de cette théorie? En préconisant que la théorie linguistique doit comporter le moins de prémisses intuitives ou implicites possibles (n'est-ce pas l'exigence initiale de Husserl?), Hjelmslev considère que le linguiste doit «empiéter sur le domaine de l'épistémologie», car «c'est à l'épistémologie de décider si les prémisses explicitement introduites par notre théorie linguistique ont besoin d'un fondement axiomatique ultérieur». Notre procédure ici est fondée sur la conviction qu' *« il est impossible d'élaborer la théorie d'une science particulière sans une collaboration intime avec l'épistémologie »* (c'est nous qui soulignons).

La linguistique ainsi définie se donne comme objet d'étude des *textes* considérés comme des *processus,* qu'elle doit comprendre en élaborant une description consistante et exhaustive, autrement dit, une description par laquelle elle doit pouvoir trouver *le système* de la langue : or, puisque le processus est composé d'éléments en diverses combinaisons ou en rapport de *dépendance,* la linguistique se donne pour seul but de décrire ces rapports. «Nous appelons *fonction* une dépendance qui satisfait aux conditions de l'analyse… Les termes de la fonction sont appelés *fonctifs.* Le *fonctif* est *constant* (celui dont la présence est une condition nécessaire pour le "fonctif" avec lequel ce premier "fonctif" est en fonction) ou *variable* (celui qui n'est pas une condition nécessaire pour la présence du "fonctif" avec lequel il est en fonction).» A partir de là, les fonctions sont de deux types : *interdépendance* (fonction entre deux constantes), *détermination* (entre une constante et une variable) et *constellation* (entre deux variables). Une autre distinction entre fonctions concerne la fonction *et* (conjonction) et la fonction *ou bien/ou bien* (disjonction). Dans le procès ou le texte, la fonction est conjonctive ; dans le système ou la langue, la fonction est disjonctive. Ainsi, Hjelmslev donne l'exemple de deux mots anglais, *pet* et *man,* qui peuvent illustrer ces deux fonctions. En changeant *p* et *m, e* et *a, t* et *n,* nous obtenons différents mots nouveaux : *pet, pen, pan, pat, met, men, mat, man,* ou des *chaînes* qui font partie du processus linguistique *(texte)*. D'autre part, *p* et *m* ensemble, *e* et *a* ensemble, *t* et *n* ensemble, constituent un paradigme qui fait partie du *système* linguistique. Dans *pet*, il y a conjonction entre *p*, *e* et *t*, de même que dans *man* il y a conjonction de *m*, *a* et *n*. Mais entre *p* et *m* il y a disjonction ou *alternance*, de même qu'entre *t* et *n*.

L'analyse globale du texte suppose que le linguiste coordonne le système, en considérant le texte comme une *classe* de segments. L'*induction* et la *synthèse* fournissent l'objet en tant que segment d'une classe, et non pas en tant que classe divisée. Une fois les entités inventoriées, il faudra les *réduire*, c'est-à-dire les *identifier* pour en trouver les *variants* et les *invariants*. C'est ainsi que sera construit un système rigoureux de la langue.

Une telle conception logico-formelle de la langue, réduite à une structure abstraite de corrélats d'ordre formel sinon mathématique, a besoin nécessairement d'une théorie du *signe*. Le signe est défini d'abord comme une *fonction signe* entre deux grandeurs : un *contenu* et une *expression*. « Le signe est une expression qui désigne un contenu en dehors du signe lui-même. » D'autre part, et en elle-même, cette fonction est *signe* de quelque chose d'autre, le *sens* ou *la matière*, « entité définie uniquement parce qu'ayant une fonction avec le principe structural de la langue et avec tous les facteurs qui font les langues différentes les unes des autres ». Sa structure peut être analysée d'abord par une science non linguistique (physique, anthropologie), tandis que, par une série d'opérations déductives, la science linguistique peut en produire le *schéma linguistique* lui-même manifesté par l'*usage linguistique*.

Ainsi Hjelmslev distingue, d'une part, la matière de l'expression et la matière du contenu, et d'autre part, la forme. En effet, pour lui, chaque langue *forme* de manière différente cette amorphe « masse de pensée » qui n'existe que comme substance pour une forme.

Ainsi :

jeg véd det ikke (danois)
I do not know (anglais)
je ne sais pas (français)
en tiedä (finnois)
naluvara (esquimau)

malgré leurs différences, ont un facteur commun, précisément la « matière » ou la pensée elle-même, le sens.

« Nous reconnaissons dans le *contenu* linguistique, dans son procès, une forme *spécifique*, la *forme du contenu*, qui est indépendante du sens avec lequel elle se trouve dans un rapport arbitraire et qu'elle *transforme en substance du contenu*. » Pareillement, la *forme de l'expression* transforme le *sens de l'expression* en *substance de l'expression*. Les quatre termes peuvent se combiner d'après le schéma suivant, et ces combinaisons découpent différents niveaux dans l'analyse de la langue :

	forme	substance
contenu		
expression		

« Les deux plans du contenu et de l'expression sont structurés de la même façon. »

Si la langue est un processus illimité dans lequel le nombre des signes est aussi illimité, elle se construit en système à l'aide d'un nombre réduit de *non-signes* ou *figures*. Ainsi, la langue peut être considérée comme un *système de signes* du point de vue de ses rapports avec les facteurs non linguistiques et — à l'intérieur d'elle-même — comme un *système de figures* qui construisent les signes.

La langue-objet de cette glossématique doit trouver sa place dans l'ensemble des structures sémiotiques. Hjelmslev envisage le domaine sémiotique comme une *totalité absolue* qui embrasse tous les objets scientifiques susceptibles d'avoir une structure analogue à celle du langage : « La sémiologie est une hiérarchie dont chaque élément admet une division ultérieure en classes définies par relation mutuelle, de telle sorte que chacune de ses classes admette une division en dérivés définis par mutation mutuelle. »

Pour introduire dans la sémiologie les objets autres que les langues naturelles, Hjelmslev délimite d'abord de façon encore plus précise son concept de *langage*, extensible au-delà des langues naturelles. Serait langage, pour lui, toute structure signifiante qui est interprétable sur les deux plans du contenu et de l'expression. Les jeux, par exemple, ne sont pas des langages, car ils ne sont pas interprétables sur ces deux plans : « Les réseaux fonctionnels des deux plans que l'on tentera d'établir seront identiques. » Des systèmes comme celui des symboles mathématiques ou logiques, ou bien la musique, ne sont probablement pas des langages dans le sens de Hjelmslev : il propose de les appeler *systèmes de symboles*.

A l'intérieur des *langages* eux-mêmes, une autre mise au point est faite à l'aide des concepts de *dénotation* et de *connotation*. En effet, tout texte comporte des dérivés qui reposent sur des systèmes différents (style, espèce de style, langue nationale, régionale, etc.). « Les membres particuliers de chacune de ces classes et les unités qui résultent de leur combinaison seront nommés *connotateurs*. » Autrement dit, les connotateurs seront des parties qui entrent dans des « fonctifs » de façon telle qu'ils ne sont jamais sans ambiguïté, mais se retrouvent dans les deux plans du langage. Le langage de connotation s'édifie ou repose sur le langage de dénotation. « Son plan de l'expression est constitué par les plans du contenu et de l'expression d'un langage de dénotation. Ainsi, le ou les schémas et usages linguistiques que nous appelons la langue française sont l'*expression* du connotateur ''français''. C'est donc un langage dont l'un des plans, celui de l'expression, est une langue. »

Au contraire, si un langage fournit le plan du contenu d'un autre langage, celui-ci est le *métalangage* de celui-là. La linguistique par exemple est un métalangage car elle s'édifie sur le plan du contenu du langage. A partir de cette définition, Hjelmslev peut redéfinir la sémiologie : « Un métalangage dont le langage-objet est un langage non scientifique. » Mais cette construction de langages s'imbriquant l'un sur l'autre contient un dernier palier ; la *métasémiologie* : métalangage scientifique dont les langues-objets sont des sémiologies.

Ce projet totalisateur et ambitieux de Hjelmslev est loin d'être réalisé, et son caractère abstrait est sans doute l'obstacle le plus important à sa réalisation. D'autre part, l'orientation logique que prend la théorie du langage avec Hjelmslev est loin d'être strictement rigoureuse, et en pratique se révèle souvent intuitive. Enfin, les descriptions concrètes tentées à partir de cette méthodologie sont d'une complexité extrême. La théorie étant de nos jours en processus d'élaboration, il est difficile de juger de ses qualités. On peut pourtant dès maintenant constater son apriorisme et son anhistorisme qui trahissent la métaphysique bien connue de la « totalité systématisée ». Sans aucune interrogation des présupposés d'un tel constructivisme, la glossématique est un symptôme de la « belle époque » de la Raison systématisante persuadée de l'omnivalence de ses opérations transcendantales. Il reste pourtant que les glossématiciens sont les premiers, sinon les seuls, dans la linguistique structurale moderne, à avoir suggéré des problèmes épistémologiques, échappant ainsi à la naïveté du descriptivisme « objectif », et attirant l'attention sur le rôle du *discours* scientifique pour la construction de son objet.

LE STRUCTURALISME AMÉRICAIN

Dès le début du siècle, la linguistique américaine s'oriente vers le courant de la linguistique structurale par les travaux de savants comme Boas, formé à l'école néo-grammairienne et fondateur en 1917 de l'*International Journal of American linguistics,* mais surtout comme Sapir (1884-1939) et Bloomfield (1887-1949).

Si les linguistes européens entendent par structure « l'arrangement d'un tout en parties et la solidarité démontrée entre les parties du tout qui se conditionnent mutuellement », les linguistes américains ont en vue principalement « la répartition des éléments telle qu'on la constate et leur capacité d'association et de substitution ». Le structuralisme américain est donc sensiblement différent de ce que nous avons vu en Europe : il segmente le tout en éléments constitutifs et « définit chacun de ses éléments par la place qu'il occupe dans le tout et par les variations et les substitutions possibles à cette même place » (Benveniste, *Tendances récentes...*).

L'œuvre de Sapir (son livre *Language,* 1921, de même que l'ensemble de ses travaux, cf. *Selected Writings on Language, Culture and Personality,* éd. par D. G. Mandelbaum, 1949) se distingue par une conception vaste du langage qui tranche à la fois sur le théoricisme de la glossématique et sur la technicité du structuralisme américain qui va suivre. Pour Sapir, le langage est une activité sociale communicative dont il ne néglige pas les différentes fonctions et aspects : il tient compte du langage scientifique et du langage poétique, de l'aspect psychologique de l'énoncé, des rapports entre la pensée, la réalité et le langage, etc. Si sa position est généralement structuraliste, elle est modérée : pour Sapir, le langage est un *produit* historique, « un produit d'un usage social de longue date ». « La parole... varie comme tout effort créateur varie, pas aussi consciemment peut-être, mais tout aussi réellement que le font les religions, les croyances, les coutumes et l'art des différents peuples... La parole est une fonction non-instinctive, acquise, une fonction de culture. » Le langage est une représentation de l'expérience réelle : « L'essence même du langage réside dans le fait de considérer certains sons conventionnels et volontairement articulés, ou leurs équivalents, comme représentant les divers produits de l'expérience. » Les éléments du langage (Sapir a en vue les mots) ne symbolisent pas un objet, mais le « concept », c'est-à-dire « une enveloppe commode des idées qui comprend des milliers d'éléments distincts de l'expérience et qui peut en contenir encore des milliers... L'ensemble du langage lui-même peut s'interpréter comme étant la relation orale de l'établissement de ces concepts dans leurs rapports mutuels ». Pourtant, pour Sapir, « le langage et la pensée ne sont pas strictement coexistants ; tout au plus le langage peut-il être seulement la facette extérieure de la pensée sur le plan le plus élevé, le plus général de l'expression symbolique ». « La pensée la plus intangible peut fort bien n'être que la contrepartie consciente d'un symbolisme linguistique inconscient. » Sapir va jusqu'à envisager l'existence de systèmes de communication « en dehors de la parole », mais ils existent *obligatoirement* par « l'intermédiaire d'un authentique symbolisme linguistique ». La possibilité qu'a ce « symbolisme de la parole » d'investir des systèmes de communication autres que la parole elle-même implique pour Sapir que « les sons de la parole ne sont pas les seuls éléments essentiels du langage, et que ce fait réside plutôt dans la classification, dans le système des formes et dans les rapports des concepts ».

Sapir formule ainsi sa conception structurale du langage : « Le langage en tant que structure constitue, par son aspect intérieur, le moule de la pensée. » Cette structure est universelle : « Il n'y a pas de particularité plus saisissante dans le langage que son universalité... Le moins évolué des Boshimans sud-africains s'exprime en formes d'une grande richesse d'expression et qui, dans leur essence, peuvent parfaitement se comparer à la langue d'un Français cultivé. »

Sapir étudie les éléments de la parole, et en premier lieu des *sons*. S'il décrit leur articulation et leur « valeur », il ne développe pas une théorie phonologique. Mais dans les travaux postérieurs, il commence à distinguer déjà entre « son » et « élément phonique ».

Étudiant, dans *Language*, les *formes du langage*, Sapir analyse « les procédés grammaticaux », c'est-à-dire formels (composition des mots, ordre des mots, etc.), et les « concepts grammaticaux ». Après avoir examiné le « monde du concept dans ses répercussions sur la structure linguistique », sur l'exemple d'une phrase anglaise (1° *concepts concrets :* l'objet, le sujet, l'action, etc., exprimés par un radical ou par dérivation ; 2° *concepts indiquant un rapport :* détermination, modalité, nombre, temps ; etc.), Sapir constate que les mêmes concepts peuvent « se traduire sous une forme différente, et même qu'ils peuvent être différemment groupés entre eux » dans d'autres langues. Sur le fond de cette communauté des structures conceptuelles des langues, Sapir esquisse une *typologie* des structures linguistiques, lui permettant de donner son interprétation du langage dans l'histoire : comment le langage est façonné par l'histoire, comment les lois phonétiques démontrent que la langue est un produit de l'histoire, comment les langues s'influencent réciproquement (emprunts de mots, modification phonétique des mots empruntés, emprunts morphologiques, etc.). Sapir s'est refusé à considérer le langage à travers les méthodes mécanistes et s'est opposé au béhaviorisme qui en découle : il insiste surtout sur le caractère *symbolique* du langage, sur sa complexité due au croisement du *système de configuration, du système symbolique et du système expressif,* et sur sa fonction première qui est pour Sapir la *communication.*

A la tendance de Sapir souvent qualifiée de « mentaliste » s'oppose la conception béhavioriste du langage de Bloomfield, exposée dans son œuvre principale, *Language* (1933). Cette conception matérialiste et mécaniste (cf. G. C. Lepschy, *la Linguistique structurale*, Turin, 1966, trad. fr. 1968) repose sur le fameux schéma *stimulus-réponse* :

$$S \rightarrow r \ldots \ldots \ldots s \rightarrow R$$

Un stimulant (S), qui est un événement réel, peut être médiatisé par le discours : il est donc remplacé par un *mouvement vocal,* la parole (r) ; celui-ci produit une *vibration du tympan* de l'auditeur, la vibration étant pour l'auditeur un *stimulant linguistique* (s) se traduisant dans une réponse pratique (R). La connection r ... s est appelée *speech event* ou *speech-utterance*. En accord avec les doctrines de J. B. Watson (*Behaviorism,* 1924) et d'A. P. Weiss (*A Theoretical Basis of Human Behavior,* 1925), Bloomfield refuse d'admettre toute interprétation psychologique du fait linguistique, et exige une approche strictement *mécanique.* D'après lui, le linguiste ne doit traiter que « les événements accessibles, dans leur temps et dans leur lieu, à tous les observateurs, et à n'importe quel observateur », « les événements placés dans les coordonnées du temps et de l'espace ». Un *physicisme* se substitue au théoricisme : le linguiste doit se servir « de terme dérivables, avec des définitions rigides, d'un ensemble de termes quotidiens qui traitent d'événements physiques ».

Cet extrémisme scientiste était sans doute une réaction au mentalisme imprécis, et répondait à la nécessité de construire une étude du langage sur des bases rigoureuses. On ne peut pas éviter de souligner pourtant l'aveuglement théorique du béhaviorisme et son incapacité génétique de penser l'idéologie mécaniste afférente à ses présupposés technicistes. Il est évidemment impossible d'expliquer la complexité de l'acte discursif par le seul schéma *S-r .... s-R.* Le langage n'est pas une mécanique sensorielle, et refuser l'autonomie relative du signe et du champ de la signification qu'il régit, c'est en fait ne rien expliquer du fonctionnement du langage.

Bloomfield se révolte aussi contre les théories linguistiques du *signifié* et, considérant le signifié comme l'ensemble des événements pratiques liés à l'énoncé, affirme que la science linguistique ne saurait jamais l'aborder sans tenir compte de « l'état du corps du locuteur » et de la « prédisposition de son système nerveux, résultat de toutes ses expériences linguistiques et autres, jusqu'à l'instant en question, ainsi que des facteurs héréditaires et prénataux». La justesse de cette remarque, qui dévoile la faiblesse du mentalisme, désigne sans doute la nécessité d'un travail — qui reste à faire — pour sortir du logicisme et, sans tomber dans le behaviorisme mécaniste, élaborer une théorie du langage liée à la matérialité corporelle et physique du sujet parlant et de son environnement.

Bloomfield propose des descriptions formalistes précises des phénomènes grammaticaux dont nous donnerons ici une partie, résumée dans le schéma suivant :

		lexicale	grammaticale
unité minimale privée de signifié	fémème	phonème	taxème
unité minimale avec signifié	glossème	morphème	tagmème
signifié de telles unités	noème	sémème	épisémème
unité avec signifié (unité minime ou complexe)	forme linguistique	forme lexicale	forme grammaticale

Le morphème est une forme simple qui ne peut pas être analysée ultérieurement : c'est un *composant ultime*, mais à chaque stade de l'analyse on doit chercher les *composants immédiats*. Le sémème est le signifié d'un morphème. Les formes lexicales formées par les phonèmes et les formes grammaticales formées par les taxèmes donnent deux séries parallèles qui constituent les «traits significatifs de la signalisation linguistique».

Quant aux phonèmes eux-mêmes, ils se composent de *traits distinctifs* qu'accompagnent d'autres traits, et jouent un rôle

spécifique dans « la configuration structurale des formes linguistiques » : ils relèvent donc des « faits structuraux » et non pas
uniquement d'une description mécaniste, et sont par conséquent
l'objet d'une *phonologie* distincte de la description phonétique
et de la « phonétique pratique ».

En s'inspirant des travaux de Bloomfield, le structuralisme
américain se consacre exclusivement à la description de la
structure syntagmatique. Cette démarche accentue l'application
rigoureuse des concepts de base, dans la recherche descriptive
aussi bien qu'historique. Ces concepts embrassent le phonème,
le morphème et autres unités d'analyse linguistique que Bloomfield utilisait pour bâtir une théorie générale de la structure
linguistique. L'analyse linguistique est considérée comme un
calcul logique qui entraîne la découverte des unités de base du
langage et de leur arrangement formel, et cette procédure, en
principe, peut être suivie sans aucune référence à la signification
extérieure de la forme linguistique, écrit John B. Carroll (*the
Study of Language, a Survey of Linguistics and Related Disciplines in America*, 1953). Cet auteur constate que « la méthode
des linguistes américains les conduit toujours à des conclusions
logiques même si les résultats peuvent paraître absurdes du
point de vue du sens commun ». Et plus loin : « La caractéristique générale de la méthode de la linguistique descriptive pratiquée par beaucoup d'Américains actuellement consiste dans
leur effort pour analyser la structure linguistique sans se référer
au sens. On a cru théoriquement possible d'identifer les phonèmes et les morphèmes du langage uniquement sur la base de leur
distribution, c'est-à-dire en notant l'environnement linguistique
dans lequel ils apparaissent. On a cru que ce type d'analyse est
préférable, car des voies inconscientes peuvent nous mener à
préformer l'analyse si nous nous référons au sens... »

Une telle conception s'inspire donc du principe bloomfieldien
des *constituants immédiats.* On prend un énoncé, on le divise en
deux parties, qui sont divisées en deux parties, etc., jusqu'à ce
qu'on arrive aux éléments minima qu'on ne peut plus diviser
selon les mêmes critères. On trouve ainsi les constituants immédiats sans pour autant les nommer, « sans étiquette », mais en les
indiquant par des parenthèses *(unlabelled bracketting).* Ainsi la
phrase : *La vieille mère de Jean écrit une longue lettre* se divise
ainsi :

	vieille	mère					longue	lettre
La	vieille	mère	de	Jean		une	longue	lettre
La	vieille	mère	de	Jean		une	longue	lettre
La	vieille	mère	de	Jean	écrit	une	longue	lettre
La	vieille	mère	de	Jean	écrit	une	longue	lettre

ou bien :

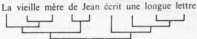

La vieille mère de Jean écrit une longue lettre

Deux segments se trouvant immédiatement à gauche et à droite d'un trait vertical sont des constituants immédiats du segment qu'ils forment.

On voit qu'il s'agit ici d'une description purement formelle qui semble ne pas tenir compte des catégories grammaticales classiques et encore moins des catégories philosophiques qui fondent l'analyse classique de la phrase (sujet, prédicat, etc.). Cette analyse formelle proposée par le structuralisme américain a un avantage important : elle libère des catégories logiques explicitement employées dans l'analyse du langage, et offre la possibilité d'étudier des langues qui n'ont pas besoin de ces catégories logiques pour se construire en système signifiant. La langue chinoise, par exemple, n'a pas besoin de préciser le temps dans la forme verbale ou la détermination par un article ; la langue indienne yana, de son côté, introduit une catégorie grammaticale que les langues indo-européennes ne connaisent pas : elle indique si l'énoncé est assumé par le locuteur ou si celui-ci se réfère à une autorité, etc. Aussi certains linguistes croient-ils que la formalisation peut libérer l'analyse linguistique des présupposés formés sur les langues indo-européennes et, par conséquent de l'européocentrisme.

Mais en fait, ces catégories grammaticales sont implicitement admises, sans être directement mises en question. Car, pour nous en tenir à l'exemple ci-dessus, les coupures qui isolent les constituants immédiats obéissent aux « sentiments intuitifs » de l'analyste ; celui-ci met ensemble « longue » et « lettre », « vieille » et « mère », en se fiant à sa connaissance de la rection de détermination ; il réunit « écrit » et « lettre » en se fiant à sa connaissance du complément, etc. Nous constatons donc qu'en fait tout un savoir traditionnel implicite sous-tend une description qui se donne comme purement formelle. Mais il n'en reste pas moins qu'une mutation épistémologique se manifeste dans cet abandon des principes traditionnels de description linguistique et dans l'emploi d'une méthode qui se veut neutre.

Benveniste suggère que ce changement est dû au fait que les linguistes américains ont eu à décrire de nombreuses langues inconnues, et qu'ils ont été ainsi *obligés* d'opter pour une description neutre, qui n'ait pas à se référer à la façon dont le chercheur pense la langue ; car, ne sachant pas comment cette langue est pensée par l'informateur (une des règles de Bloomfield est de ne pas demander à l'informateur ce qu'il pense de sa langue), le chercheur risquerait d'y transposer les façons de penser sa propre langue. On peut remarquer à cet égard que, si la découverte du sanscrit a obligé les linguistes européens à situer leurs langues nationales par rapport à lui et à promouvoir une méthode comparée, la découverte des langues américaines, très différentes de l'anglais, a contraint la linguistique américaine à une abstraction théorique qui s'accroche aux découpages *techniques* pour ne pas avoir à toucher à la *philosophie* (à l'idéologie) : en effet, celle des informateurs doit être ignorée et celle des chercheurs doit être effacée. Ajoutons à cette situation le fait que la plupart des linguistes américains ignorent les langues étrangères et ne fondent leur réflexion que sur leur propre langue. Ces «contraintes» objectives ne diminuent sans doute pas l'importance du *choix théorique* de la linguistique américaine, qui censure l'investigation psychosociologique de ses propres procédés, et applique une formalisation fondée sur des présupposés lourds de signification, que la philosophie européenne, elle, discute depuis des années. Il en résulte une description technique du langage qui est sans doute mathématiquement maniable et peut servir la traduction automatique quand elle n'est pas inspirée par elle, mais qui ne fournit pas une hypothèse explicative du fonctionnement linguistique. On peut même dire que la mutation épistémologique introduite par le structuralisme, et dont le structuralisme américain est la tendance formalisatrice extrême, consiste *non pas à expliquer*, mais à proposer — en accord avec le logico-positivisme — une *description* plate, aveugle quant à ses propres fondements et technique dans sa procédure, de cet objet statique, sans sujet et sans histoire, qu'est devenu le langage.

Mais quel aspect prennent, à partir de telles bases théoriques, la sémantique, la morphologie, la phonétique?

La linguistique américaine a l'habitude de se présenter sous les six formes suivantes, que Carroll décrit ainsi:

Phonetics est le nom de la discipline qui examine les sons du langage du point de vue articulatoire et acoustique.

Phonemics est une autre science qui classifie les sons du langage en unités dites phonèmes qui jouent un rôle différentiel dans l'énoncé.

Morphology étudie la construction des mots, en identifiant les *morphèmes* (les plus petites unités structurales qui possèdent une signification grammaticale ou lexicale), leur combinaison et leur changement dans les mots et dans les diverses constructions grammaticales.

Morphophonemics, branche de la morphologie, est l'étude de la construction phonétique des morphèmes, de même que des variations phonémiques des morphèmes dans les différentes constructions grammaticales.

Syntax étudie la construction de la proposition, mais se trouve en dépendance immédiate de la morphologie. La syntaxe est même évincée par une morphologie découpant l'ordre phrastique en segments et en unités, et qui se donne comme une analyse tenant lieu d'une syntaxe.

Lexicography, enfin, constitue la liste et l'analyse de tous les éléments porteurs de sens dans le système du langage.

Soulignons d'abord qu'en renonçant aux catégories classiques de la description linguistique et en adoptant une description formelle, le structuralisme américain s'est trouvé contraint de ne pas traiter de la *syntaxe*. Décomposant l'énoncé en segments qu'on essayait par la suite d'ordonner dans des paradigmes d'après leur distribution, la linguistique américaine n'a pas élaboré de propositions concernant les *rapports* des termes dans la phrase. Elle est devenue mécaniquement analytique, sans pouvoir saisir les lois de la synthèse des composants dans l'ensemble des énoncés. Pour remédier à ce manque, Chomsky ne pourra pas se passer d'une théorie du sujet de la signification, autrement dit d'une philosophie: il les trouvera, en remontant de deux siècles en arrière, dans la *Grammaire* de Port-Royal.

Dans le domaine de la *phonémique*, citons les travaux de
M. Swadesh, W. F. Twadell, B. Bloch, et enfin le livre de
C. F. Hockett, *A Manual of Phonology* (1955). Le principe
fondamental de la phonémique est la définition d'un critère
formel pour identifier les phonèmes. Ce critère dit *complemen-
tary distribution* ou *patterned congruence* exige que deux sons
phonétiquement similaires ne contrastent pas au point de produire des différences de sens (ainsi *t* et *t* dans *tone* et *stone* en
anglais, tout en étant phonétiquement différents, l'un aspiré,
l'autre non, ne peuvent pas donner lieu à une différence de
sens). Les deux sons sont dits *allophones* du même phonème.
Pattern congruence consiste plus précisément à grouper les sons
du langage conformément à leur environnement phonétique, ce
qui révèle certains changements du comportement de sons partiellement semblables (cf. Carroll).

Ces procédés d'identification des phonèmes peuvent être ap-
pliqués aux unités morphologiques du langage, de même qu'aux
systèmes signifiants complexes : littérature, danse, etc., et c'est
le point de départ de la méthode structurale dans les sciences
dites humaines (voir, à la fin du présent ouvrage, le chapitre
consacré à la sémiotique).

La *morphémique* occupe une place importante dans la linguistique américaine. Citons, parmi les livres consacrés à ce
problème, *Methods in structural linguistics* (Z. Harris, 1951).
L'analyse des langues autres que les langues indo-européennes a
montré que des catégories morphologiques traditionnelles telles
que le nom (désignant la chose), le verbe (désignant l'action),
etc., correspondant à une analyse logique (cf. Port-Royal), sont
inapplicables. Le mot ne peut pas être identifié avec le concept
qu'il exprime, et l'expérience psychologique et psychanalytique
prouve qu'un mot ne comporte pas un seul concept ou sens.
Aussi a-t-on transposé la méthode formelle de la phonémique en
morphémique : au phonème de la phonémique correspond le
morphème en morphologie. « Toute forme libre ou liée qui ne
peut pas être divisée en plus petites parties (plus petites formes)
est *morphème*. Ainsi *man, play, person* sont des mots qui se
composent d'un seul morphème chacun ; *manly, played, perso-
nal* sont des mots complexes car chacun d'eux contient un
morphème lié *(-ly, -ed, -al)* » ; telles sont les définitions données
par Bloch et Trager dans *Outline of Linguistic Analysis* (1942).

Comme les phonèmes ont des variantes positionnelles dites allophones, les morphèmes ont des variantes positionnelles dites *allomorphes* qui peuvent être souvent très différentes phonétiquement : ainsi parmi les allomorphes de [*be*], on trouve *am, are, is...* Une fois les morphèmes identifiés, nous l'avons dit, la morphologie établit des *classes* de *morphèmes* selon leur « position différentielle dans l'énoncé » : par exemple la classe des morphèmes qui peuvent être substitués à « *courage* » dans « *courageous* » et à « *courage* » dans « *encourage* ». En dernier lieu, et à partir des deux étapes précédentes, on peut établir une analyse en constituants immédiats, cette analyse se substituant à l'analyse syntaxique classique.

Le morphème est, on le voit, l'élément minimal de cette analyse ; il reprend le *sémantème* et le *lexème* de la terminologie courante pour se situer sur le plan du vocabulaire et de la sémantique plutôt que sur celui de la grammaire, tout en regroupant certains problèmes de la syntaxe dans la mesure où chaque morphème est analysé en ses constituants immédiats. En divisant l'énoncé en segments, on peut obtenir une identification des morphèmes sans tenir compte des entités telles que le « mot ».

Après la théorie très complexe que Bloomfield a donnée du morphème, et après un long silence dans ce domaine, ses recherches ont été reprises par des linguistes contemporains. Hockett emploie les termes « entités et procès » pour marquer de façon dynamique la *distinction* de deux formes semblables comme étant un *changement* : ainsi *finissons* (première personne du pluriel) devient *finissez* (seconde personne du pluriel). D'un point de vue statique et en employant les termes d' « entités et dispositions », on peut dire que *finissons* et *finissez* sont deux dispositions de trois morphèmes, pris deux à deux : finiss ô e.

Pour Harris, l'analyse morphématique comporte trois stades : 1) transcrire et isoler les parties minima qui, dans d'autres énoncés, ont la même signification : c'est ce qu'on appelle les alternants morphémiques ; 2) constituer un morphème unique à partir des morphèmes alternants qui ont le même signifié, sont en distribution complémentaire et n'ont pas une distribution plus grande que d'autres alternants particuliers ; 3) donner des définitions générales pour les morphèmes qui ont les mêmes différences entre les alternants.

En 1962, Harris publiait son livre *String Analysis of Sentence Structure*, dans lequel il propose une conception de la proposition qui diffère de l'analyse en constituants immédiats aussi bien que de l'analyse transformationnelle. «Chaque proposition, écrit Harris, se compose d'une proposition élémentaire (son centre) et de zéro ou de plus d'adjonctions élémentaires, c'est-à-dire de séquences de mots d'une structure particulière, qui ne sont pas elles-mêmes des propositions, et qui s'ajoutent immédiatement à droite ou à gauche de la séquence ou de l'adjonction élémentaire, ou bien au segment de la proposition élémentaire...» La différence par rapport à l'analyse en constituants est que cette dernière découpe la phrase en niveaux descriptifs toujours plus bas et qui s'incluent les uns dans les autres. Or, puisqu'il a été remarqué que la plupart des constituants consistent ou bien en un seul mot, ou bien en un mot qui caractérise le constituant et en l'adjonction d'un autre mot, Harris définit un tel constituant dans la proposition A comme *endocentrique*. C'est-à-dire qu'il y a une expansion de sa catégorie caractéristique sur les éléments adjoints, de sorte qu'on peut remplacer chaque constituant par sa catégorie caractéristique, et obtenir une proposition B qui est liée à A comme un constituant-expansion de A... La différence par rapport à la grammaire générative est que celle-ci réduit toute proposition en propositions élémentaires, tandis que l'analyse en *strings* n'isole qu'une seule proposition élémentaire de chaque proposition.

Citons également dans le domaine de l'analyse syntagmatique l'étude d'E. A. Nida (*Morphology*, 1944) qui donne des exemples frappants aussi bien des résultats positifs que des insuffisances de la morphématique.

Les théories de K.L. Pike, *Language in Relation to a Unified Theory of Human Behavior* (1954 et suivantes) se situent dans la perspective de Sapir et essaient d'utiliser les analyses exactes sans pour autant oublier les problèmes sémantiques et les critères culturels. L'auteur distingue deux types d'éléments linguistiques : *étiques* (sur l'exemple de phon-étique) et *émiques* (sur l'exemple de phonémique), les premiers physiques ou objectifs, les seconds significatifs. Il analyse les énoncés en trois couches : lexicale (où l'on retrouve les morphèmes), phonologique (les phonèmes) et grammaticale (composée d'unités dites grammèmes ou tagmèmes). Il appelle sa théorie *gram(m)émique* ou *tagmémique,* et propose des graphes qui représentent les entre-croisements des relations grammaticales complexes.

Dans le domaine de la *sémantique,* les structuralistes améri-cains conservent la méfiance bloomfieldienne à l'égard du si-gnifié, et cherchent des *traits formels* qui puissent le révéler : « Le signifié est un élément de contexte. » Ils proposent la notion de *distribution* pour classer les différents signifiés. Pour trouver si deux mots ont le même signifié, il faut démontrer qu'ils ont la même distribution, c'est-à-dire qu'ils participent au même contexte. Il s'agira moins d'un cadre syntaxique que d'un em-placement lexical ; car un contexte syntaxique peut supporter aisément le remplacement d'un de ses termes par un autre, sans que le sens global puisse servir à différencier les signifiés des deux termes. Mais, même s'il s'agit d'une distribution dans l'emplacement lexical, il est pratiquement impossible de donner la liste de tous les contextes dont participent les deux termes : rien ne prouve que, si l'on choisit dans cette infinité de contex-tes une liste finie, elle contiendra des contextes « critiques ». La synonymie est un autre obstacle à cette théorie : si le contexte *a* signifie *b* (*a* et *b* étant synonymes), cela n'est pas forcément égal à *b* signifie *a*. Il vaudrait donc mieux se référer à des critères extra-linguistiques (le référent) ou à une interprétation théorico-philosophique : mais on se trouverait alors en contra-diction avec les principes bloomfieldiens (cf. Lepschy, *la Lin-guistique structurale*).

LA LINGUISTIQUE MATHÉMATIQUE

La linguistique mathématique a pris naissance pour des rai-sons techniques : la construction des circuits électriques d'ordi-nateurs destinés à lire et à écrire ou de machines destinées à la traduction automatique. Il est évidemment nécessaire, pour que la matière linguistique soit programmable dans les calculatrices, qu'elle soit traitée de la façon la plus rigoureuse et la plus précise. Le structuralisme américain, dont nous venons de dé-gager quelques caractéristiques, a ouvert une telle voie de ri-gueur ; il a du reste été fortement influencé par les exigences de cette linguistique appliquée, dite mathématique.

Mais la linguistique mathématique à proprement parler

constitue un domaine autonome, dans lequel il faut distinguer
deux branches : la linguistique *quantitative ou statistique*, et la
linguistique *algébrique ou algorithmique*. La première opère en
se servant de considérations numériques concernant les faits
linguistiques. La seconde utilise des symboles sur lesquels elle
effectue des opérations.

La linguistique statistique dénombre les éléments linguistiques et, en les mettant en relation avec d'autres, formule des
lois quantitatives que l'intuition aurait pu elle-même suggérer,
mais qui n'auraient pas pris la forme de lois sans une démonstration quantitative. Si de telles recherches ont été admises dans
la linguistique traditionnelle (dénombrement des termes du lexique d'un écrivain donné), elles ne deviennent autonomes qu'à
partir des années 1930, et demandent un dépouillement patient
de grands corpus de même qu'une expérience mathématique de
la part du chercheur. Citons ici les travaux d'un des premiers qui
aient travaillé dans ce domaine, G. K. Zipf (dont la synthèse se
trouve dans son livre *Human Behaviour and the Principle of the
Least Effort, An Introduction to Human Ecology*, 1949) de
même que ceux de Guiraud en France (*Problèmes et Méthodes
de la statistique linguistique*, 1960), de G. Herdan en Angleterre (*Quantitative Linguistics*, 1960), de Hockett (*Language,
Mathematics and Linguistics*, 1967), etc.

La théorie de l'information donne lieu à une autre conception
mathématique du langage. On sait que les fondateurs de cette
théorie, Hartly et Shannon, postulent qu'il est possible de mesurer avec précision un *aspect donné* de la transmission d'un
message, qui est la *fréquence relative* d'un symbole *i* (ou de la
quantité qui en dépend). Précisons avant d'aller plus loin que
sous « quantité d'information » on entend ici une fonction relative à la rareté de certains symboles, et qu'on ne donne pas un
sens sémantique ou psychologique au terme « information ».
Bar-Hillel insiste sur le fait qu'il s'agit là d'une *transmission* de
symboles privés de signifiés. On a découvert que la quantité
d'information est la fonction logarithmique de l'inverse d'une
telle fréquence relative : $\log \dfrac{I}{f\,(i)}$. Le terme employé ici est le
« *binary digit* » *(bit)*, qui est l'unité de mesure dont le logarithme
est à base 2. Le nombre des bits doit correspondre au nombre de
coupures binaires qu'il faut faire pour identifier un élément dans

un inventaire. Ainsi un message qui comporte un symbole choisi entre deux symboles équipotables *a* et *b* aura 1 bit d'information. Mais si le symbole est choisi parmi 26 autres symboles (disons les lettres d'un alphabet) le message aura 5 bits d'information. Ce binarisme évoque celui de Jakobson dans sa théorie phonologique... Si on admet que l'informateur produit une information infinie, la valeur de la fréquence est appelée « probabilité » *p (i)*, et la quantité de l'information associée au symbole est $\log \frac{1}{p(i)}$.

Une autre branche de la linguistique mathématique s'occupe de la traduction dite mécanique ou automatique. Partant d'une langue d'origine, à partir de laquelle on traduit et qu'on appelle *langue-source,* la traduction automatique produit un texte dans la langue dans laquelle on traduit ou *langue-cible*. Pour ce faire, il est nécessaire bien sûr de programmer dans la calculatrice non seulement les correspondances lexicales de la langue-source à la langue-cible, mais aussi les rapports formels entre les énoncés de la langue-source et ceux de la langue-cible, et entre leurs parties.

Une des tendances actuelles de la traduction automatique consiste à analyser les périodes de la langue-source et à synthétiser celles de la langue-cible, sans s'occuper directement de la traduction. Le passage de la langue-source à la langue-cible peut s'effectuer ou bien de façon directe, bilatérale, ou bien par l'intermédiaire d'une troisième langue, langue de la machine, qui sera composée d'universaux linguistiques et, de cette façon, pourra servir de passage de toute source à toute cible. Cette solution, pratiquée actuellement en Union soviétique, se situe dans le sens, actuellement commun à plusieurs linguistes, d'une recherche des universaux de la langue.

Précisons maintenant les termes d'*analyse* de la structure de la langue-source et de *synthèse* des périodes de la langue-cible.

Le principe central est celui de la détermination de la *fonction syntaxique :* on ne recourra pas au contexte et à la sémantique, mais uniquement aux relations syntaxiques formelles des constituants. L'analyse antérieure suppose qu'on distribue les mots dans différentes classes syntaxiques qui, par la suite et pour synthétiser des énoncés satisfaisants, doivent satisfaire aux règles de la machine, comme par exemple la phrase : SN + SV ;

SN = V + SN; SN = A + N; A = les; N = ballon, homme, etc., V = frapper. La machine produira alors : *Les hommes frappent le ballon*. Mais elle pourra aussi produire : *Les hommes frappent les hypoténuses*, qui ne sera pas acceptable. Pour écarter de tels cas, la grammaire doit comporter des règles prohibitives complexes.

Depuis l'invention de la première machine à traduire par le Russe Piotr Petrovic Smirnov-Trojansky en 1933, les travaux de Both et Weaver (1946), et jusqu'aux recherches de Bar-Hillel, la traduction automatique avance et donne des résultats de plus en plus satisfaisants. L'émulation entre les États-Unis et l'Union soviétique, dans ce domaine, a produit des travaux d'un intérêt certain. Mais, passé le premier enthousiasme qui a pu faire croire que toute traduction pourra être faite par une machine, il est apparu clairement que le facteur sémantique, donc le rôle du sujet parlant, est essentiel pour la traduction de beaucoup de textes (littéraires, poétiques, voire le discours quotidien chargé de polysémie) et que la machine n'est pas capable d'en décider. L'affirmation de la toute-puissance traductrice de la machine est considérée aujourd'hui, par Bar-Hillel par exemple, comme une simple expression « de la volonté de travailler dans un certain but, son contenu pratique étant quasiment nul ». D'autre part, les résultats positifs obtenus par les calculatrices dans la traduction automatique n'ont pas approfondi notre connaissance théorique du fonctionnement de la langue. La traduction automatique met en forme rigoureuse, pour un traitement automatique, une conception du langage déjà faite, et dans la recherche d'une rigueur plus parfaite elle peut en effet faire avancer la théorie syntaxique (tel est le cas de Chomsky), sans pour autant bouleverser l'acception générale du fonctionnement linguistique propre à une certaine conception formelle du langage. Au contraire, elle indique peut-être que la voie empruntée par l'analyse formelle — qui se désintéresse du fait que le langage est un système de signes dont il faut creuser les couches — quels que soient ses incontestables apports, n'est pas celle qui nous amènera à connaître les lois du fonctionnement linguistique.

LA GRAMMAIRE GÉNÉRATIVE

La dernière décennie a été marquée par une théorie du langage qui s'impose non seulement en Amérique, mais partout dans le monde, en proposant une conception originale de la *génération* des structures syntaxiques. Il s'agit des travaux du linguiste américain Chomsky, dont le livre *Structures syntaxiques* a paru en 1957 (trad. fr. 1969) et dont les recherches se poursuivent actuellement en précisant et souvent en modifiant sensiblement les postulats initiaux. Cette mutation et cet inachèvement de la théorie chomskienne, d'une part, la technicité poussée de ses descriptions, d'autre part, rendent impossible de présenter ici la totalité de la recherche et d'en tirer l'ensemble des implications concernant la théorie du langage. Nous nous limiterons donc à quelques aspects de la grammaire générative.

Soulignons d'abord le «climat» dans lequel elle s'est développée et auquel elle réagit. Il s'agit bien de la linguistique «post-bloomfieldienne» qui est avant tout une description structurale analytique, décomposant l'énoncé en couches étanches; c'est le principe dit de la «séparation des niveaux» (phonémique, morphémique, etc.), chaque niveau fonctionnant pour soi, sans qu'on puisse se référer à la morphologie si l'on fait une étude phonémique, mais l'inverse étant possible. D'autre part, cette linguistique ne voulait en aucun cas tenir compte du locuteur et de son rôle dans la constitution de l'énoncé, mais proposait une description empirique, qui se prétend «neutre» et «objective», de la chaîne parlée en soi (voir ci-dessus «La Linguistique américaine»).

Chomsky restera fidèle aux exigences de rigueur, de description neutre et formelle des «post-bloomfieldiens», de même qu'à leur méfiance du signifié. S'intéressant de très près aux problèmes que pose la traduction automatique, et soucieux de résoudre certaines difficultés que l'analyse syntagmatique s'avère incapable de lever, Chomsky tentera de créer une théorie grammaticale nouvelle, signe de la technicité et de la scientificité d'une formulation mathématique, et sans recourir à la sémantique. Il aura un maître et un précurseur génial dans la personne de Harris (voir ci-dessus) dont il reprendra certains concepts (y compris celui de *transformation*) et analyses en en donnant une interprétation nouvelle. Mais ces ressemblances avec les prédécesseurs ne doivent pas masquer la nouveauté profonde de la théorie chomskienne.

A la place de l'approche *analytique* des structures, Chomsky propose une description *synthétique*. Il ne s'agira plus de décomposer la phrase en composants immédiats, mais de suivre le *processus de synthèse* qui mène ces composants à une structure syntagmatique, ou transforme cette structure en une autre.

Cette opération s'appuie avant tout et principalement sur l'intuition implicite du locuteur, qui est le seul critère de la *grammaticalité* ou de l'*agrammaticalité* de la phrase. « L'objectif fondamental de l'analyse linguistique d'une langue L est de séparer les suites grammmaticales qui sont des phrases de L, des suites agrammaticales qui ne sont pas des phrases de L, et d'étudier la structure des suites grammaticales », écrit Chomsky. « ... A cet égard, une grammaire reflète le comportement du locuteur qui, à partir d'une expérience finie et accidentelle de la langue, peut produire et comprendre un nombre infini de phrases nouvelles. En vérité, toute explication de la notion "grammatical en L" (c'est-à-dire toute caractérisation de "grammatical en L" en termes d'énoncé observé en L) peut être considérée comme offrant une explication de cet aspect fondamental du comportement linguistique. » Chomsky remarque que la notion de grammaticalité ne peut pas être assimilée à celle de « doué de sens » du point de vue sémantique, car des deux phrases : 1) *Colorless green ideas sleep furiously* (d'incolores idées vertes dorment furieusement) et 2) *Furiously sleep ideas green colorless,* toutes les deux étant dépourvues de sens, la première est grammaticale et la seconde ne l'est pas pour un locuteur anglais. Or, il faut rappeler les observations de Husserl, que nous avons citées plus haut (cf. p. 219-220) et selon lesquelles la grammaticalité recouvre sinon exprime toujours un certain sens : selon ces remarques, la phrase (1) est grammaticale dans la mesure où elle est la forme syntaxique qui tolère un rapport à un objet réel. On voit que la théorie du signe ne peut pas être éludée dès que l'on approfondit un principe apparemment aussi formel que celui de la grammaticalité.

C'est par ce biais de la grammaticalité fondée sur l'« intuition du locuteur » que s'infiltre, dans la théorie rigoureusement formalisée de Chomsky, son fondement idéologique, à savoir le *sujet parlant* que les « bloomfieldiens » voulaient chasser de leur analyse. En 1966, Chomsky publie son livre *la Linguistique cartésienne* (trad. fr. 1969), dans lequel il cherche des ancêtres pour sa théorie du sujet parlant, et les trouve dans les conceptions cartésiennes que l'Europe a connues deux siècles plus tôt, et plus précisément dans le *cogito* de Descartes, qui implique l'universalité des idées innées du sujet, garant de la normalité — Chomsky dirait de la « grammaticalité » — des pensées et/ou des énoncés.

En accord avec ces théories, auxquelles il joint les conceptions de Humboldt, Chomsky distingue la *compétence,* c'est-à-dire la capacité du sujet parlant de former et de reconnaître des phrases grammaticales dans l'infinité des constructions possibles d'une langue, et la *performance,* c'est-à-dire la réalisation concrète de cette capacité. Loin donc d'accepter le postulat béhavioriste que la langue est un « système. d'habitudes », Chomsky opte pour la position cartésienne idéaliste des « idées innées » : le caractère universel de ces idées exige du linguiste une théorie hautement abstraite qui, en partant de chaque langue concrète, puisse trouver le formalisme universel valable pour toutes les langues et dont chaque langue réalise une variation spécifique. « D'une manière plus générale, les linguistes doivent s'intéresser à la détermination des propriétés fondamentales qui sont sous-jacentes aux grammaires adéquates. Le résultat final de ces recherches devrait être une théorie de la structure linguistique où les mécanismes descriptifs utilisés dans les grammaires particulières seraient présentés et étudiés de manière abstraite, sans référence spécifique aux langues particulières. »

On voit donc que, pour Chomsky, la grammaire est moins une description empirique qu'une *théorie de la langue* et qu'elle aboutit par conséquent et en même temps à une « condition de généralité ». La grammaire d'une langue donnée doit être construite conformément à la théorie spécifique de la structure linguistique dans laquelle des termes tels que « phonème » et « syntagme » sont définis indépendamment de toute langue particulière.

Comment Chomsky établit-il les règles de sa théorie ?

Il examine d'abord deux types de descriptions grammaticales : l'un, suggéré dans les termes d'un processus de Markov *(modèle à états finis d'une langue infinie),* est repoussé par

Chomsky comme incapable d'expliquer la capacité qu'a un locuteur de produire et de comprendre de nouveaux énoncés, alors que ce même locuteur rejette d'autres séquences nouvelles comme n'appartenant pas à la langue; l'autre est la description *linguistique syntagmatique*, formulée dans les termes d'une analyse en constituants, et qui modèle des langages terminaux qui ne sont pas forcément finis; elle est également rejetée par Chomsky, car inadéquate pour la description de la structure des phrases anglaises. Voici les éléments de la critique de Chomsky.

Prenons la phrase anglaise *The man hit the ball (l'homme frappe la balle)* et appliquons-lui les règles d'une analyse en constituants. Cette analyse se fera en trois temps: (1) analyse grammaticale; (2) dérivation de l'analyse (1) appliquée à la phrase particulière *The man hit the ball;* et (3) diagramme récapitulatif.

(1) I.   Phrase ⟶ SN (syntagme nominal) + SV (syntagme verbal)
     II.   SN ⟶ Art (article) + N (nom)
     III. SV ⟶ V (verbe) + SN
     IV. Art ⟶ *The*
      V.   N ⟶ *man, ball*, etc.
     VI.   V ⟶ *hit, love*, etc.

(2) Phrase

        SN + SV   I
        Art + N + SV   II
        Art + N + V + SN   III
        The + N + V + SN   IV
        The + *man* + V + SN   V
        The + *man* + *hit* + SN   VI
        The + *man* + *hit* + Art + N VII
        The + *man* + *hit* + *the* + N VIII
        The + *man* + *hit* + *the* + *ball* IX

(3)

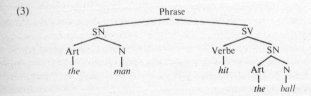

On voit que, dans le tableau (1), chaque règle signifie simplement qu'on peut «récrire» Y à la place de X et que le tableau (2) n'est que l'application de ces règles, chaque ligne du tableau (2) renvoyant à une règle de la grammaire (1). Pour préciser la signification de ces règles, on peut ajouter des indications supplémentaires (marquant par exemple que l'article peut être *a* ou *the,* que SN et SV peuvent être singuliers ou pluriels, etc.). Le diagramme (3) ne fait que présenter plus clairement la dérivation.

Ce modèle syntagmatique semble ainsi fort probant. Mais, par quelques exemples, Chomsky en montre les limitations. En effet, il découle de ce qui précède que si l'on a deux phrases : Z + X + W et Z + Y + W, X et Y étant les «constituants» de ces phrases, on peut en principe former une nouvelle phrase Z-X + *et* + Y-W, dont voici un exemple :

(4)   I A : *La scène du film était à Chicago*
         B : *La scène de la pièce était à Chicago*
      II C : *La scène du film et de la pièce était à Chicago.*

Mais s'il se trouve que X et Y *ne sont pas* des «constituants» on ne peut pas appliquer la formule, car cela donnerait par exemple :

(5)   III A : *Les capitaux ont quitté le pays*
          B : *Les policiers ont quadrillé le pays*
       IV C : *Les capitaux ont quitté et les policiers ont quadrillé le pays.*

Ces exemples prouvent que, pour que les règles syntagmatiques soient applicables à une langue comme l'anglais, il faut connaître non seulement la forme finale des phrases mais aussi la structure de leurs constituants ou leur «histoire dérivationnelle». Or Chomsky a démontré que c'est seulement en fonction du *contenu effectif* d'une séquence donnée que chaque règle «X → Y» de la grammaire syntagmatique s'applique ou ne s'applique pas à cette séquence : la question de la *formation progressive* de cette séquence n'est donc pas pertinente dans la grammaire syntagmatique ; ce qui amène Chomsky à formuler de nouvelles règles, qui n'étaient pas nécessaires dans cette grammaire. Voici une de ces règles, applicable au cas précédent :

(6)   Si S_1 et S_2 sont des phrases grammaticales et que S_1 ne diffère de
      S_2 que par la présence de X et S_1 à l'endroit où Y apparaît dans S_2
      (autrement dit : si $S_1 = \ldots X \ldots$ et $S_2 = \ldots Y \ldots$), si d'autre part
      X et Y sont des constituants du même type dans S_1 et S_2 respecti-
      vement, alors une phrase S_3 résultant du remplacement de X par :
      $X + et + Y$ dans la phrase S_1 (ce qui donne : $S_3 = \ldots X + et +$
      $Y \ldots$) est une phrase grammaticale.

On voit que, selon Chomsky, la grammaire syntagmatique est
inadéquate pour une langue comme l'anglais, sauf si on y
incorpore de nouvelles règles. Mais justement cette incorpora-
tion change complètement la conception de la structure linguistique. Chomsky propose donc le concept de « transformation
grammaticale », qu'il formule ainsi : *une transformation grammaticale T opère sur une séquence donnée ou sur un ensemble
de séquences possédant une structure donnée et la convertit en
une nouvelle séquence ayant une nouvelle structure syntagmatique dérivée*.

Le principe de la grammaire transformationnelle est ainsi
formulé. Il s'agira par la suite de préciser ses propriétés essentielles, comme par exemple l'ordre d'application de ces transformations. Par ailleurs, certaines transformations sont obligatoires, d'autres sont facultatives. La transformation qui règle
l'adjonction des affixes à une racine verbale est nécessaire si
l'on veut obtenir une phrase grammaticale : elle est donc obligatoire ; tandis que la transformation passive peut ne pas s'appliquer à chaque cas particulier ; elle est facultative. On appelle
noyau de chaque langue, dans la terminologie de la grammaire
transformationnelle, l'ensemble des phrases produites par l'application des transformations obligatoires aux séquences terminales de la grammaire syntagmatique ; les phrases obtenues par
l'application de transformations facultatives sont dites *dérivées*.

La grammaire possédera donc une suite de règles de la forme
$X \rightarrow Y$ (comme dans la formule (1) ci-dessus) et correspondant
au niveau syntagmatique, une suite de règles morpho-phonologiques ayant la même forme de base, et une suite de règles
transformationnelles reliant les deux premiers niveaux. Voici
comment Chomsky exprime ce processus :

« Pour produire une phrase à partir de cette grammaire, nous
construisons une dérivation élargie commençant par *Phrase*. En

passant par les règles F, nous construisons une séquence terminale qui sera une suite de morphèmes, pas nécessairement dans l'ordre correct. Nous passons alors par la suite de transformations $T_i \rightarrow T_j$ appliquant celles qui sont obligatoires et, peut-être, certaines de celles qui sont facultatives. Ces transformations peuvent réordonner les séquences, ajouter ou effacer des morphèmes. Elles ont pour résultat la production d'une séquence de mots. Nous passons alors par les règles morpho-phonologiques qui convertissent cette séquence de mots en une séquence de phonèmes. La partie syntagmatique de la grammaire comprendra des règles telles que (1). La partie transformationnelle comprendra des règles telles que (6) formulées correctement dans les termes qui doivent être développés en une théorie achevée des transformations. »

L'analyse transformationnelle a, pour Chomsky, un pouvoir qu'il appelle explicatif. Ainsi, la phrase *La guerre est commencée par l'agresseur,* du point de vue transformationnel, est le résultat d'une série de transformations opérées sur la proposition-noyau *L'agresseur a commencé la guerre*. C'est dire que la structure $SN_1 V_t SN_2$ (où V_t est un verbe transitif) est devenue une structure $SN_2 V_p$ par SN_1 (où V_p est le verbe passif : être + participe passé du verbe), laquelle correspond lexicalement à la phrase initiale que nous voulions expliquer.

D'autre part, la description transformationnelle peut résoudre l'ambiguïté d'une séquence sans recourir à des critères sémantiques et en se contentant de rétablir les règles de transformation qui la produisent.

Il est évident que l'approche chomskienne offre une vision dynamique de la structure syntagmatique, qui manque à la grammaire structurale, et élimine l'atomisation de la langue, propre aux méthodes « post-bloomfieldiennes », pour proposer une conception de la langue comme processus de production dont chaque séquence et chaque règle tiennent à un ensemble cohérent axé sur la conscience du sujet-locuteur, dont la liberté consiste à se plier aux normes de la grammaticalité.

Rappelons à ce sujet le travail considérable effectué par la *Grammaire générale de Port-Royal,* et surtout par les grammairiens de l'*Encyclopédie*, pour élaborer une conception syntaxique de la langue. Chomsky reprend visiblement cette démarche à laquelle l'apparente en outre sa conception du sujet, libre possesseur d'idées dont il contrôle la transformation. La recherche de *structures syntaxiques* contre le morcellement morpho-sémantique auquel était soumise la langue dans les études antérieures, révèle une conception de la langue comme ensemble de termes coordonnés. On peut dire qu'il ne s'agit plus là d'une *linguistique* au sens où ce mot fut forgé au XIXᵉ siècle comme science des spécificités du corps de la langue. Car la langue s'évanouit sous le réseau formel qui engendre la couverture linguistique du raisonnement, et l'analyse transformationnelle présente le schéma syntaxique d'un processus psychique envisagé selon une conception rationaliste du sujet. La *Grammaire générale de Port-Royal* n'était pas une linguistique, car elle était une science du raisonnement ; la grammaire générative, elle, est à la fois plus et moins qu'une linguistique, car elle est la description syntaxique d'une doctrine psychologique. La syntaxe, qui a été science du raisonnement, est devenue science d'un comportement psychique normatif.

La nouveauté chomskienne peut donc apparaître comme une variation de l'ancienne conception du langage, formulée par les rationalistes et axée sur les catégories logiques forgées à partir des langues indo-européennes et du discours communicatif-dénotatif. Il est frappant que l'*universalisme* de cette conception linguistique ne s'intéresse pas (encore) aux langues autres que les langues indo-européennes, ni à des fonctions du langage différentes de la fonction purement informative (tel le langage poétique, par exemple, ou le langage du rêve, etc.). La finesse de la description chomskienne et le plaisir qu'elle provoque par sa rigueur méthodique et dynamique chez un lecteur à la recherche d'une certitude rationnelle, ne cachent pas le fondement profond de cette approche. Elle n'étudie pas la langue dans sa diversité, le discours dans ses fonctions multiples : elle démontre la cohérence du système logique sujet-prédicat, mis en évidence par Port-Royal, se transformant en diverses séquences terminales qui obéissent toutes à une raison, celle qui fonde le sujet, son « intuition grammaticale » et son analyse logique. Chomsky lui-même se veut moins linguiste qu'analyste des structures psychologiques. Il est sans doute un descripteur en détail d'une certaine structure, celle qui a été mise au jour par les rationalistes du XVIIᵉ siècle. Est-elle la seule ? Faut-il subordonner l'immense variabilité du fonctionnement linguistique à cette seule structure ? Que veulent dire des concepts comme « sujet », « intuition », « idées innées » aujourd'hui, après Marx et Freud ? L'analyse cartésienne-chomskienne n'est-elle pas, théoriquement, trop bloquée par ses propres présupposés et, par là, incapable de voir la pluralité des systèmes signifiants enregistrés dans d'autres langues et d'autres discours ? Ce n'est là qu'une série de problèmes généraux que les travaux de Chomsky posent, et que la rigueur de ses analyses (qui ne sont que l'apogée du positivisme ayant reconnu son père en Descartes) ne doivent pas laisser passer sous silence.

La grammaire transformationnelle, de façon plus marquée et plus révélatrice, accomplit la même réduction que la linguistique structurale, et surtout la linguistique américaine, opèrent dans leur étude du langage. Signifiant pur, sans signifié ; grammaire sans sémantique ; *indices* à la place des *signes :* l'orientation est nette, et s'accentue dans les derniers travaux inédits de Chomsky. On dirait que le formalisme du projet de Husserl s'accomplit en abandonnant ce qu'il y avait chez Husserl de sémantisme et de théorie objectale de la vérité. En effet, pour neutraliser la *subjectivité empirique* dans l'étude du langage, la linguistique a réduit les éléments constitutifs de la chaîne parlée, les signes, en indices ou en marques qui montrent sans démontrer des éléments ne voulant rien dire d'autre que leur pureté grammaticale. Ensuite, revenant à la subjectivité constituante et retrouvant le sujet cartésien générateur de la langue, la grammaire transformationnelle opte pour un éclectisme qui, pour l'instant, concilie une théorie du sujet psychologique avec une indexation de composants linguistiques de plus en plus inexpressifs... Cette conciliation (difficile, car on ne voit guère comment un sujet raisonnant peut s'accorder à une grammaire non expressive) se trouve affrontée à l'alternative suivante : ou bien les indices formels qui constituent l'opération générative-transformationnelle vont se charger de sens, devenir porteurs de significations qui auront besoin de s'intégrer dans une théorie de la vérité et de son sujet ; ou bien les concepts mêmes de « sujet », de « vérité » et de « sens » seront écartés comme incapables de résoudre l'ordre du langage indexé, et, dans ce cas, la linguistique ne se voudra plus une *grammaire cartésienne,* mais s'orientera vers d'autres théories qui proposent une vision différente du sujet : un sujet qui se détruit et se reconstruit dans et par le signifiant. En faveur de cette seconde éventualité jouent la pression de la psychanalyse et l'immense remaniement de la conception même de *signification* qu'annonce la sémiotique. Que cette voie semble pouvoir ouvrir l'enclos cartésien dans lequel la grammaire transformationnelle veut enfermer la linguistique ; qu'une telle démarche peut permettre de reprendre la maîtrise du signifiant et de rompre l'isolement métaphysique où se tient actuellement la linguistique, pour en faire la théorie, au pluriel, *des* signes et *des* modes de signification dans l'histoire, c'est ce que nous essayons d'indiquer dans les chapitres qui suivent.

Troisième partie

Langage
et
langages

1. Psychanalyse et langage

Nous venons de voir que la linguistique contemporaine s'est engagée dans des voies qui l'ont conduite à une description rigoureuse, voire mathématique, de la structure formelle du système de la langue. Mais ce n'est pas là l'unique manière dont les sciences actuelles ont abordé l'étude du langage : en tant que système signifiant où se *fait* et se *défait* le sujet parlant, celui-ci est aussi au centre des études psychologiques et plus particulièrement psychanalytiques.

Dès le début du siècle, on s'en souvient, les problèmes psychologiques posés par le langage préoccupaient certains linguistes[1] ; par la suite, ils furent abandonnés par la linguistique mais les philosophes et les psychologues continuèrent à explorer le langage pour y étudier le sujet parlant. Parmi les écoles psychologiques récentes qui, pour analyser les structures psychiques, se réfèrent souvent à l'usage linguistique, il faut citer avant tout l'école de Piaget et toute la psychologie génétique. L'apprentissage de la langue par l'enfant, les catégories logiques qu'il élabore lors de sa croissance pour appréhender le monde, toutes ces recherches sont constamment orientées vers le langage et jettent sur son fonctionnement une lumière que la linguistique formelle serait bien incapable de donner.

Mais le moment capital de l'étude du rapport entre le sujet et son langage a sans doute été marqué, dès avant le début du XXᵉ siècle, par l'œuvre magistrale de Freud (1856-1939), qui a

1. Citons parmi eux J. Van Ginneken et ses *Principes de linguistique psychologiques* (1907).

ouvert une perspective nouvelle dans la représentation du fonctionnement linguistique et qui a bouleversé les conceptions cartésiennes sur lesquelles s'appuyait la science linguistique moderne. Les répercussions de l'œuvre de Freud — dont on ne peut encore mesurer toute la portée — sont parmi les plus importantes qui aient marqué la pensée de notre époque[1]

Le problème des rapports étroits entre psychanalyse et langage est complexe, et nous n'aborderons ici que quelques-uns de ses aspects. Soulignons d'abord le fait que la psychanalyse voit son objet dans la *parole* du patient. Le psychanalyste n'a pas d'autre moyen, d'autre réalité à sa portée pour explorer le fonctionnement conscient ou inconscient du sujet que la parole, ses structures et ses lois; c'est là que l'analyste découvre la posture du sujet.

En même temps, la psychanalyse considère tout *symptôme* comme langage : elle en fait donc une espèce de système signifiant dont il faudrait repérer les lois, qui sont semblables à celles d'un langage.

Le rêve que Freud étudie est également considéré avant tout comme un système linguistique à déchiffrer, mieux, comme une *écriture*, aux règles semblables à celles des hiéroglyphes.

Ces quelques postulats de départ rendent la psychanalyse inséparable de l'univers linguistique. Inversement, les principes psychanalytiques, tels que la découverte de l'inconscient, les lois du travail « du rêve », etc., modifient profondément la conception classique du langage.

Si le psychiatre cherche une lésion physique pour en faire la raison d'un trouble, le psychanalyste, lui, ne se réfère qu'au dire du sujet, mais ce n'est pas pour y déceler une « vérité » objective qui serait la « cause » des troubles. Il écoute avec autant d'intérêt, dans ce que le sujet lui dit, le réel que le fictif car l'un et l'autre ont une égale *réalité discursive*. Ce qu'il découvre dans ce discours, c'est la *motivation* d'abord inconsciente, ensuite plus ou moins consciente, qui produit les symptômes. Une fois cette motivation dévoilée, tout le comportement névrotique dénote une logique évidente, et le symptôme apparaît comme étant le symbole de cette motivation enfin retrouvée.

1. Voir, à ce sujet, J.-C. Sempé, J.-L. Donnet, J. Say, G. Lascault et C. Backès, *La Psychanalyse*, Éd. SGPP, coll. « Le point de la question ».

« Pour bien comprendre la vie psychique, il est indispensable de cesser de surestimer la conscience. Il faut voir dans l'inconscient le fond de toute vie psychique. L'inconscient est pareil à un grand cercle qui enfermerait le conscient comme un cercle plus petit. Il ne peut y avoir de fait conscient sans stade antérieur inconscient, tandis que l'inconscient peut se passer de stade conscient et avoir cependant une valeur psychique. L'inconscient est le psychique lui-même et son essentielle réalité », écrit Freud *(l'Interprétation des rêves)*.

Si elle se présente comme une remontée verticale ou historique dans le passé du sujet (souvenirs, rêves, etc.), cette quête de la motivation inconsciente dans et à travers le discours s'effectue en fait dans et à travers une situation discursive, horizontale : le rapport entre le sujet et l'analyste. Dans l'acte psychanalytique, nous retrouvons la chaîne sujet-destinataire, et le fait fondamental que tout discours est destiné à un autre. « Il n'y a pas de parole sans réponse, même si elle ne rencontre que le silence, pourvu qu'elle ait un auditeur » (Jacques Lacan, *Écrits,* 1966). Et plus loin : « Ne s'agit-il pas plutôt d'une frustration qui serait inhérente au discours même du sujet ? Le sujet ne s'y engage-t-il pas dans une dépossession toujours plus grande de cet être de lui-même, dont, à force de peintures sincères qui n'en laissent pas moins incohérente l'idée, de rectifications qui n'atteignent pas à dégager son essence, d'états et de défenses qui n'empêchent pas de vaciller sa statue, d'étreintes narcissiques qui se font souffle à l'animer, il finit par reconnaître que cet être n'a jamais été que son œuvre dans l'imaginaire et que cette œuvre déçoit en lui toute certitude. Car, dans ce travail qu'il fait de la reconstruire *pour un autre,* il retrouve l'aliénation fondamentale qui la lui a fait contruire *comme une autre,* et qui l'a toujours destitué à lui être dérobée *par un autre...* Cet *ego...* est la frustration par essence... »

En interrogeant le lieu de l'autre (de l'analyste dans l'acte discursif du sujet analysé), la théorie lacanienne fait de l'étude de l'inconscient une science, car elle lui assigne les bases scientifiquement abordables d'un discours, par la formule désormais célèbre : « L'inconscient du sujet est le discours de l'autre. »

Il ne s'agit pas du tout, ici, de bloquer l'acte discursif dans les termes d'une relation sujet-destinataire, comme le fait couramment la théorie de la communication. La psychanalyse constate une «résonance dans les réseaux communicants de discours» qui indique l'existence d'«une omniprésence du discours humain» que la science sans doute abordera un jour dans sa complexité. Dans ce sens, la psychanalyse ne fait qu'un premier pas en posant la structure duelle du sujet et de son interlocuteur, tout en marquant que «c'est là le champ que notre expérience polarise dans une relation qui n'est à deux qu'en apparence, car toute position de sa structure en termes seulement duels, lui est aussi inadéquate en théorie que ruineuse en pratique».

Dans la structure ainsi esquissée de l'acte discursif, le sujet parlant se sert de la langue pour y construire la syntaxe ou la logique de son discours : une langue (subjective, personnelle) dans la langue (structure sociale neutre). «Le langage est donc ici utilisé comme parole, converti en cette expression de la subjectivité instante et élusive qui forme la condition du dialogue. La langue fournit l'instrument d'un discours où la personnalité du sujet se délivre et se crée, atteint l'autre et se fait reconnaître par lui.» (Benveniste, "Remarques sur la fonction du langage dans la découverte freudienne", in *Problèmes de linguistique générale*.)

C'est dire que le langage qu'étudie la psychanalyse ne saurait se confondre avec cet objet-système formel qu'est la langue pour la linguistique moderne. Le langage pour la psychanalyse est un système signifiant pour ainsi dire secondaire, appuyé sur la langue et en rapport évident avec ses catégories, mais lui superposant une organisation propre, une logique spécifique. Le système signifiant de l'inconscient, accessible dans le système signifiant de la langue à travers le discours du sujet, est, remarque Benveniste, «supra-linguistique du fait qu'(il) utilise des signes extrêmement condensés, qui, dans le langage organisé, correspondraient plutôt à des grandes unités du discours qu'à des unités minimales».

Les signes extrêmement condensés de la symbolique du rêve (donc de l'inconscient), Freud a été le premier à en désigner le caractère. Il considère le système du rêve comme analogue à celui d'un *rébus* ou d'un *hiéroglyphe :* «... on peut dire que la figuration dans le rêve, qui *n'est certes pas faite pour être comprise*, n'est pas plus difficile à saisir que les hiéroglyphes pour leurs lecteurs.» *(Le travail du rêve.)* Et plus loin : «[Les symboles du rêve] ont souvent plusieurs sens, quelquefois beaucoup de sens, si bien que, comme dans l'écriture chinoise, c'est le contexte qui seul donne une compréhension exacte. C'est grâce à cela que le rêve permet une surinterprétation et qu'il peut représenter par un seul contenu diverses pensées et diverses impulsions de désir *(Wunschregungen)* souvent très différentes de nature. »

Pour illustrer cette logique onirique, Freud se réfère à un exemple d'interprétation de rêve rapporté par Artémide et qui repose sur un jeu de mots. « Il me paraît qu'Aristandre a donné une très heureuse explication à Alexandre de Macédoine, alors que celui-ci ayant cerné et assiégé Tyr s'impatientait et, dans un moment de trouble, avait eu le sentiment qu'il voyait un satyre danser sur son bouclier. Il se trouva qu'Aristandre était alors dans les environs de Tyr et dans la suite du roi. Il décomposa le mot satyre en σά et τύρος — et obtint que le roi s'étant occupé du siège plus activement prît la ville (σα-τύρος = à toi Tyr). » Et Freud ajoute : « Au reste, le rêve est si intimement lié à l'expression verbale que, comme le remarque avec raison Ferenczi, *toute langue a sa langue de rêve.* » (C'est nous qui soulignons.)

Nous avons ici formulé le principe de base de l'interprétation du discours en psychanalyse, que Freud élaborera et précisera au cours de son œuvre ultérieure, mais qui peut se résumer comme une *autonomie relative du signifiant* sous lequel se glisse un *signifié* qui n'est pas forcément inclus dans l'unité morpho-phonologique telle qu'elle se présente dans l'énoncé communiqué. En effet pour la langue grecque *satyre* est une unité dont les deux syllabes n'ont pas de sens en elles-mêmes. Or, en dehors de cette unité, les signifiants *sa* et *tyr*, qui composent *satyre*, peuvent avoir un signifié autre, à savoir la ville de Tyr dont la conquête imminente *motive* le rêve du sujet. Deux unités signifiantes se trouvent donc, dans la logique du rêve, condensées en une seule qui, elle, peut avoir un signifié indépendant (de celui de ses composants) et qui peut être représenté par une image : *le satyre.*

En analysant le travail du rêve, Freud en dégage trois opérations fondamentales qui marquent le fonctionnement de l'inconscient comme une « langue » : *déplacement, condensation* et *figuration.*

A propos de la *condensation*, Freud remarque que, « quand
on compare le contenu du rêve et les pensées du rêve, on
s'aperçoit tout d'abord qu'il y a eu là un énorme *travail de
condensation*. Le rêve est bref, pauvre, laconique, comparé à
l'ampleur et à la richesse des pensées du rêve... ». On peut
penser que la condensation s'opère par « voie d'omission, le
rêve n'étant pas une traduction point par point de la pensée du
rêve, mais une restitution très incomplète et très lacunaire ».
Mais, plus que d'omission, il s'agit là de *nœuds* (comme celui
du « satyre »), « où les pensées du rêve ont pu se rencontrer en
grand nombre, parce qu'ils offraient à l'interprétation des sens
nombreux. On peut exprimer autrement encore le fait qui explique tout cela et dire : chacun des éléments du contenu du rêve
est *surdéterminé,* comme représenté plusieurs fois dans les
pensées du rêve ». Freud introduit ici le concept de *surdétermination* qui deviendra indispensable à toute analyse de la logique
du rêve et de l'inconscient, et de tout système signifiant qui leur
est apparenté.

Le principe du *déplacement* joue un rôle non moins important
dans la formation du rêve. « Ce qui visiblement est essentiel des
pensées du rêve n'est parfois pas du tout représenté dans celui-ci. Le rêve est *autrement centré,* son contenu est rangé
autour d'éléments autres que les pensées du rêve. » « Par la vertu
de ce déplacement, le contenu du rêve ne restitue plus qu'une
déformation du désir qui est dans l'inconscient. Or nous
connaissons déjà la déformation et nous savons qu'elle est
l'œuvre de la censure qu'exerce une des instances psychiques
sur l'autre instance. Le déplacement est donc l'un des procédés
essentiels de la déformation. »

Après avoir établi que « la condensation et le déplacement
sont les deux facteurs essentiels qui transforment le matériel des
pensées latentes du rêve en son contenu manifeste », Freud
envisage les « procédés de figuration du rêve ». Il constate que
« le rêve exprime la relation qui existe à coup sûr entre tous les
fragments de ses pensées en unissant ces éléments en un seul
tout, tableau ou suite d'événements. Il présente les *relations
logiques* comme simultanées; exactement comme le peintre
réunit en une école d'Athènes ou en un Parnasse tous les
philosophes ou tous les poètes, alors qu'ils ne se sont jamais
trouvés ensemble dans ces conditions; ils forment pour la pen-

sée une communauté de cette sorte ». La seule *relation logique* qu'utilisera le rêve, telle une langue hiéroglyphique comme le chinois, est construite par la simple *application* des symboles : c'est, dit Freud, la *ressemblance, l'accord, le contact,* le « de même que ».

Ailleurs, Freud signale une autre particularité des relations de l'inconscient : il ne connaît pas la contradiction, la loi du tiers exclu lui est étrangère. L'étude que Freud a consacrée à la *dénégation (Verneinung)* démontre le fonctionnement particulier de la négation dans l'inconscient. D'une part, Freud constate que « l'accomplissement de la fonction du jugement n'est rendu possible que par la *création du symbole de la négation* ». Mais la négation d'un énoncé peut signifier, à partir de l'inconscient, l'aveu explicite de son refoulement, sans que ce qui est refoulé soit admis par le conscient : « [Il n'existe] aucune preuve plus forte qu'on est arrivé à découvrir l'inconscient, que si l'analysé réagit avec cette phrase : "Je n'ai pas pensé à ça", ou même "Je suis loin d'avoir (jamais) songé à cela". » A partir de là Freud peut constater que la négation, pour l'inconscient, n'est pas un refus, mais une constitution de ce qui se donne comme nié, et conclure : « A cette façon de comprendre la dénégation correspond très bien que l'on ne découvre dans l'analyse aucun "non" à partir de l'inconscient... »

On voit bien que, pour Freud, le rêve ne se réduit pas à un symbolisme, mais qu'il est un véritable *langage,* c'est-à-dire un système de signes, voire une *structure* avec une syntaxe et une logique propres. Il faut insister sur ce *caractère syntaxique* de la vision freudienne du langage qui a souvent été passée sous silence au profit d'une accentuation de la symbolique freudienne.

Or, quand Freud parle de langage, il n'entend pas seulement le système discursif dans lequel se fait et se défait le sujet. Pour la psychopathologie psychanalytique, le corps lui-même parle. Rappelons que Freud a fondé la psychanalyse à partir des symptômes hystériques qu'il a su voir comme des « corps parlants ». Le symptôme corporel est surdéterminé par un réseau symbolique complexe, par un langage dont il s'agit de cerner les lois syntaxiques pour résoudre le symptôme. « S'il nous a appris à suivre dans le texte des associations libres la ramification ascendante de cette lignée symbolique, pour y repérer aux points où les formes s'entrecroisent les nœuds de sa structure, il est déjà tout à fait clair que le symptôme se résout tout entier dans une analyse de langage, parce qu'il est lui-même structuré comme un langage, qu'il est langage dont la parole doit être délivrée. » (Lacan.)

Nous n'avons relevé ici que les règles schématiques du fonctionnement du langage du rêve et de l'inconscient, telles que Freud les a découvertes. Insistons encore une fois sur le fait que ce langage n'est pas identique à la langue qu'étudie la linguistique, mais qu'il se fait dans cette langue ; soulignons d'autre part que cette langue elle-même n'existe réellement que dans le discours dont Freud cherche les lois, et que, par conséquent, la recherche freudienne élucide des spécificités linguistiques qu'une science ne tenant pas compte du *discours* n'atteindra jamais. A la fois intra-linguistique et supra-linguistique, ou *trans-linguistique,* le système signifiant qu'étudie Freud a une universalité qui « traverse » les langues nationales constituées, car il s'agit bien d'une *fonction du langage* propre à toutes les langues. Freud a supposé que cette communauté du système signifiant du rêve et de l'inconscient est génétique ; et, en effet, la psychanalyse anthropologique a démontré que le concept freudien et les opérations de l'inconscient qu'il a dégagées sont applicables aussi aux sociétés dites primitives. « Ce qui est aujourd'hui lié symboliquement fut vraisemblablement lié autrefois par une identité conceptuelle et linguistique, écrit Freud. Le rapport symbolique paraît être un reste et une marque d'identité ancienne. On peut remarquer à ce propos que, dans toute une série de cas, la communauté du symbole va bien au-delà de la connaissance linguistique. Un certain nombre de symboles sont aussi anciens que la formation même des langues. »

Sans aller jusqu'à l'hypothèse qui suppose que la « langue primitive » serait conforme aux lois de l'inconscient — hypothèse que la linguistique n'admet pas et qu'aucune langue ancienne ou primitive ne semble confirmer dans l'état actuel de la connaissance —, il serait plus pertinent de chercher les règles logiques découvertes par Freud dans l'organisation de *certains systèmes signifiants* qui sont des types de langages par eux-mêmes. Freud le remarque lui-même : « Cette symbolique n'est pas spéciale au rêve, on la retrouve dans toute l'imagerie inconsciente, dans toutes les représentations collectives, populaires notamment : dans le folklore, les mythes, les légendes, les dictons, les proverbes, les jeux de mots courants : elle y est même plus complète que dans le rêve. »

On comprend maintenant que la portée de la psychanalyse dépasse largement la zone du discours troublé d'un sujet. On peut dire que l'intervention psychanalytique dans le champ du langage a pour conséquence majeure d'empêcher l'écrasement du signifié par le signifiant, qui fait du langage une surface compacte logiquement découpable ; la psychanalyse permet au contraire de feuilleter le langage, de séparer le signifiant du signifié, de nous obliger à penser chaque signifié en fonction du signifiant qui le produit, et vice versa. C'est dire que l'intervention psychanalytique empêche le geste métaphysique qui identifiait les diverses pratiques langagières à Une Langue, Un Discours, Une Syntaxe, et qu'elle incite à chercher les différences des langues, des discours, ou plutôt des systèmes signifiants construits dans ce qu'on a pu prendre pour La langue ou Le discours. En conséquence, un ensemble immense de pratiques signifiantes à travers la langue s'ouvre désormais aux linguistes ; deux discours en langue grecque par exemple, tout en étant grammaticaux l'un et l'autre, n'ont pas forcément la même syntaxe sémiotique ; l'un peut relever de la logique d'Aristote et l'autre s'approcher de celle des hiéroglyphes, si ces deux discours se construisent d'après des règles syntaxiques différentes, qu'on pourrait qualifier de trans-linguistiques.

Freud a été le premier à appliquer ses conclusions tirées de la syntaxe du rêve et de l'inconscient à l'étude de systèmes signifiants complexes. Analysant *le Mot d'esprit et son rapport avec l'inconscient,* Freud découvre des procédés de formation des mots d'esprit que nous avons déjà observés dans le travail du rêve : concision (ou ellipse), compression (condensation avec formation substitutive), inversion, double sens, etc. D'autre part, les conclusions que Freud tire du langage du rêve lui permettent d'aborder des systèmes symboliques complexes et autrement indéchiffrables comme le tabou, le totem et d'autres prohibitions dans les sociétés primitives.

Les travaux freudiens offrent aujourd'hui une vision nouvelle du langage, que la psychanalyse a essayé de systématiser et de préciser dans les recherches de ces dernières années.

Il est vrai que la théorie analytique du langage n'a pas la rigueur exemplaire propre aux théories formalisées ou mathématisées qui couronnent la linguistique moderne. Il est vrai aussi que les linguistes s'intéressent peu à ce que la psychanalyse découvre dans le fonctionnement linguistique, et l'on voit d'ailleurs mal comment il peut être possible de concilier les formalisations du structuralisme américain et de la grammaire générative, par exemple, avec les lois du fonctionnement linguistique telles que la psychanalyse moderne les formule après Freud. Il est clair que ce sont là deux tendances contradictoires ou au moins *divergentes* dans la conception du langage. Freud n'est pas linguiste et l'objet « langage » qu'il étudie ne coïncide pas avec le système formel que la linguistique aborde et dont nous avons pu dégager l'abstraction lente et laborieuse à travers l'histoire. Mais la différence entre l'approche psychanalytique du langage et la linguistique moderne est plus profonde qu'un changement du volume de l'objet. C'est la *conception générale* du langage qui diffère radicalement dans la psychanalyse et dans la linguistique.

Nous essaierons de résumer ici les points essentiels de cette divergence.

La psychanalyse rend impossible l'habitude communément admise par la linguistique actuelle de considérer le langage en dehors de sa *réalisation* dans le *discours,* c'est-à-dire en oubliant que le langage n'existe pas en dehors *du discours d'un sujet,* ou en considérant ce sujet comme *implicite,* égal à lui-même, unité fixe qui coïncide avec son discours. Ce postulat cartésien, qui sous-tend la procédure de la linguistique moderne et que Chomsky met au jour, est ébranlé par la découverte freudienne de l'inconscient et de sa logique. Il est désormais difficile de parler d'un sujet sans suivre les diverses configurations que révèlent les différents rapports des sujets à leur discours. Le sujet n'*est* pas, il se fait et se défait dans une *topologie*[1] complexe où s'incluent l'autre et son discours ; on ne saurait donc plus parler du *sens* d'un discours sans tenir compte de cette topologie. Le sujet et le sens ne sont pas, ils se

---

1. Topologie : étude mathématique des espaces et des formes ; par extension, ici, étude de la configuration de l'espace discursif du sujet par rapport à l'autre et au discours.

produisent dans le *travail discursif* (Freud a parlé du *travail* du rêve). La psychanalyse substitue, à la structure plate qu'est la langue pour la linguistique structurale et ses variations transformationnelles, la problématique de la production du sens (du sujet à cerner théoriquement). Non pas une production dans l'acception de la grammaire générative qui, elle, ne produit rien du tout (car elle ne met pas en cause le sujet et le sens), et se contente de synthétiser une structure au cours d'un procès qui n'interroge pas un instant les fondements de la structure; mais une production effective qui traverse la surface du discours *énoncé,* et dans l'*énonciation* — nouvelle strate ouverte dans l'analyse du langage — engendre un certain sens avec un certain sujet.

Jakobson avait déjà attiré l'attention sur cette distinction entre l'énonciation elle-même et son objet (la matière énoncée) pour démontrer que certaines catégories grammaticales, dites *shifters,* peuvent indiquer que le procès de l'énoncé et/ou ses protagonistes se réfèrent au procès de l'énonciation et/ou ses protagonistes (par exemple, le pronom « je », « les particules et les flexions fixant la présence comme sujet du discours, et avec elle le présent de la chronologie »). Lacan emploie cette distinction pour saisir au-delà de l'énoncé, dans l'énonciation, un signifié (inconscient) qui reste caché à la linguistique : « Dans l'énoncé ''Je crains qu'il ne vienne'', *je* est le sujet de l'énoncé, non pas le sujet du vrai désir, mais un *shifter* ou l'index de la présence qui l'énonce. » « Le sujet de l'énonciation en tant que perce son désir, n'est pas ailleurs que dans ce *ne* dont la valeur est à trouver dans une hâte en logique… »

Cette distinction énonciation/énoncé n'est qu'un exemple du remaniement de la conception du langage en vue de la constitution d'une théorie du langage en tant que *production*.

Liée à cette problématique de la production du sens et du sujet dans le langage, la psychanalyse en promet une autre : celle du *primat (sychronique) du signifiant sur le signifié*. Nous sommes loin ici de la méfiance à l'égard du signifié propre à la linguistique bloomfieldienne et post-bloomfieldienne. Au contraire, le signifié est présent dans chaque analyse, et ce sont des relations logiques entre des signifiés qu'écoute l'analyste dans le discours, condensé et déplacé, du rêve. Mais ce signifié n'est pas indépendant du signifiant, au contraire : le signifiant devient

autonome, se détache du signifié auquel il adhère lors de la
communication du message, et se découpe en unités signifiantes
qui, elles, véhiculent un signifié nouveau, inconscient, invisible
sous le signifié du message consciemment communiqué (tel le
cas cité plus haut du « satyre » ou de « je crains qu'il ne
vienne »). Une telle analyse du rapport signifiant-signifié dans le
langage démontre « comment le signifiant entre en fait dans le
signifié ; à savoir sous une forme qui, pour n'être pas immaté-
rielle, pose la question de sa place dans la réalité », écrit Lacan
qui précise : « La primauté du signifiant sur le signifié y apparaît
déjà impossible à éluder de tout discours sur le langage, non
sans qu'elle déconcerte trop la pensée pour avoir pu, même de
nos jours, être affrontée par les linguistes. » « Seule la psychanalyse est en mesure d'*imposer à la pensée* cette primauté en
démontrant que le signifiant se passe de toute cogitation, fût-ce
des moins réflexives, pour exercer des regroupements non douteux dans les significations qui asservissent le sujet, bien plus :
pour se manifester en lui par cette intrusion aliénante dont la
notion de *symptôme* en analyse prend un sens émergent : le sens
du signifiant qui connote la relation du sujet au signifiant [1]. »

Enfin, le principe de la primauté du signifiant instaure dans le
langage analysé une *syntaxe* qui saute le sens linéaire de la
chaîne parlée, et relie des unités signifiantes localisées dans
divers morphèmes du texte, suivant une logique combinatoire.
« La surdétermination est à tenir d'abord comme un fait de
syntaxe. » De ce morcellement, ramification, recoupement de la
chaîne signifiante, il résulte un réseau signifiant complexe dans
lequel le sujet évoque la complexité mouvante du réel, sans
pouvoir y fixer aucun *nom* à sens précis (sauf au niveau du
concept) car « il n'est aucune signification qui se soutienne
sinon du renvoi à une autre signification » (Lacan).

Ce résumé schématique de quelques-uns des principes fondamentaux de la conception analytique du langage, dans leur
nouveauté radicale par rapport à la vision linguistique moderne,
pose inévitablement la question de la possibilité de leur introduction dans le savoir linguistique. Il est impossible de prévoir

---

1. Saussure, dans ses *Anagrammes*, fut le premier linguiste qui ait *entendu* ce
« primat du signifiant » formuler une théorie de la signification dite « poétique »
(cf. p. 284).

aujourd'hui l'éventualité, et encore moins le résultat, d'une telle pénétration. Mais il est évident que l'attitude analytique vis-à-vis du langage n'épargnera pas la systématicité neutre du langage scientifique, et qu'elle obligera la linguistique formelle à changer de discours. Ce qui nous semble plus probable encore, c'est que l'attitude analytique investira le champ de l'étude des systèmes signifiants en général, cette *sémiologie* dont rêvait Saussure, et que, par ce biais, elle modifiera la conception cartésienne du langage, pour permettre à la science de saisir la multiplicité des systèmes signifiants élaborés dans la langue et à partir de la langue.

2. La pratique du langage

Objet d'une science particulière, matière où se font le sujet et sa connaissance, le langage est avant tout une *pratique*. Pratique quotidienne qui remplit chaque seconde de notre vie, y compris le temps de nos rêves, élocution ou écriture, il est une fonction sociale qui se manifeste et se connaît dans son exercice.

Pratique de la communication ordinaire : conversation, information.

Pratique oratoire : discours politique, théorique, scientifique.

Pratique littéraire : folklore oral, littérature écrite ; prose, poésie, chant, théâtre…

La liste peut être prolongée : le langage investit tout le champ de l'activité humaine. Et si, dans la communication courante, nous pratiquons le langage quasi automatiquement, comme si nous ne prêtions pas attention à ses règles, l'*orateur* et l'*écrivain* sont constamment affrontés à cette matière, et la manient avec une connaissance implicite de ses lois que la science n'a certainement pas encore décelées dans sa totalité.

ORATEURS ET RHÉTEURS

L'histoire rapporte l'exemple d'orateurs grecs et latins célèbres dont la maîtrise éblouissait et subjuguait les foules. On sait

que ce n'était pas, ou pas seulement, la « pensée » des orateurs
qui exerçait cette emprise sur les masses, mais la technique dont
ils usaient pour la faire passer dans la langue nationale.

L'éloquence ne s'est développée en Grèce qu'à la fin du
Vᵉ siècle sous l'influence des rhéteurs et des sophistes, dans
l'enceinte de l'Assemblée où tout citoyen participait à la politique en prenant la parole. On croit pourtant que la rhétorique est
d'origine sicilienne, et doit sa naissance aux discours de défense
des citoyens lors des procès. C'est là, à Syracuse, que Korax et
Tisias ont écrit le premier traité de rhétorique, en distinguant
comme parties du discours : l'exorde, la narration, la discussion
et la péroraison. Mais ils ont aussi inventé le concept si vague et
si servile de *vraisemblance,* qui joue un rôle important dans les
affaires publiques. Si un homme faible est accusé d'avoir frappé
un blessé, c'est invraisemblable ; mais si un homme fort est
accusé d'avoir frappé un blessé, c'est aussi invraisemblable, car
la force l'expose automatiquement à cette accusation. Une telle
élasticité du concept de vraisemblance est évidemment utile à
ceux qui ont le pouvoir...

Les sophistes avec Protagoras (485-411) ont joué un rôle
décisif dans la formation de l'art oratoire. Dans son *Art de
disputer* il professe que « sur tout sujet il existe deux thèses
opposées », et l'orateur parfait doit pouvoir « faire triompher la
thèse faible de la thèse forte ». Gorgias (485-380) est un des plus
grands sophistes : styliste impeccable, dialecticien, il est l'inventeur de procédés classiques dans l'art oratoire, telle la technique de faire correspondre des mots de forme semblable dans
deux membres de phrase consécutifs. Nous devons à son art une
Pythique, une *Olympique,* une *Oraison funèbre,* et des *Éloges*
(Éloge d'Hélène, Défense de Polamède). Antiphon (480-411),
mais surtout Andocide, Lysias et Isée furent logographes et
orateurs judiciaires, les trois derniers ayant laissé des discours
écrits. Isocrate (né en 436) abandonnera ce style pour cultiver
une éloquence mesurée, parfaite par sa composition, pondérée,
qui connaît les ressources de la langue, les lois de la logique et
les exigences de l'euphonie, comme en témoigne son discours
panégyrique à la gloire d'Athènes. Dans le domaine de l'éloquence politique, c'est Démosthène (384-322) qui excelle. On
connaît trop bien la légende qui le représente, enfant chétif et
bégayant, s'exerçant, la bouche emplie de cailloux, à acquérir

une diction parfaite et une stature élégante. Ses célèbres *Philippiques*, dirigées contre la politique de Philippe de Macédoine, lui valurent sa renommée de patriote. Il lutta contre Philippe, puis contre Alexandre ; après la mort de celui-ci, fuyant les soldats d'Antipatros qui exigeait qu'on lui livrât les principaux orateurs, il s'empoisonna dans un temple de Poséidon.

Cette illustre école d'orateurs était, bien sûr, le produit d'une vie publique intense qui devait disparaître avec la décadence et la chute d'Athènes.

C'est au contact de cette pratique oratoire, qui a pu faire des grands orateurs les grands maîtres du peuple, qu'une science du discours s'est formée. Non pas étude du système formel (grammatical) de la langue et de ses catégories (grammaticales), mais de grandes unités construites à l'intérieur du système de la langue, et au moyen desquelles (en connaissant bien sûr parfaitement la grammaire de cette langue) l'orateur bâtit un univers signifiant de preuves et de démonstrations. C'est ainsi qu'en Grèce est apparue la nécessité de codifier les lois de cette construction : ce fut la *rhétorique*. Une fois constituée, comme nous l'avons indiqué plus haut, elle s'est divisée en deux écoles : les disciples d'Isocrate d'une part qui distinguaient quatre parties du discours (poème, narration, preuve et épilogue) ; les disciples d'Aristote d'autre part, qui, suivant l'enseignement de leur maître, prêtaient une attention particulière à l'influence du discours sur l'auditoire, et distinguaient dans le discours les *preuves* (ou contenu matériel), le *style* et la *disposition*. On sait que le système des preuves est le cœur de la rhétorique aristotélicienne ; Aristote entend par là les fonctions du discours et en fait la théorie en trois parties : théorie des *arguments* rhétoriques (à base logique, avec analyse du syllogisme), théorie des *émotions* et théorie du *caractère* de l'auteur.

Rome a connu aussi sa gloire oratoire sobre et mesurée au temps de Cicéron (106-43) et de Hortensius. La vie mouvementée de Marcus Tullius Cicéron mêlé étroitement à l'activité politique de Rome au Ier siècle avant notre ère, ayant participé à la montée et à la chute de Sylla, de Catilina, de Pompée, de César, est l'exemple parfait de la puissance et de la vulnérabilité de l'orateur antique. Proclamé Père de la patrie, puis exilé, puis de nouveau repris par une Rome qui l'accueille triomphalement, il compose son éloge de Caton auquel César répond par un anti-Caton; il écrit ses célèbre *Philippiques* contre Antoine, pour être finalement mis à mort par les soldats du triumvir, sur l'ordre d'Antoine. Cicéron a créé une langue nouvelle; il a apporté à Rome la logique et la philosophie grecques et, dans un style irrésistible, a servi un idéal politique, mélange d'aristocratie et de gouvernement populaire; mais surtout il a porté à son comble l'ivresse de s'ériger en possesseur et maître d'une parole qui lui assure la domination de ses destinataires, auxquels est dévolu l'unique rôle d'être le silence qui supporte son verbe.

La célébrité de Sénèque (55 avant notre ère-39 de notre ère) devait éclipser pendant quelque temps la gloire cicéronienne, jusqu'à ce que vînt Quintilien. Né vers le milieu du premier siècle, il étudia la rhétorique chez Domitius Afer, un des plus célèbres orateurs de son temps, et exposa l'art rhétorique dans ses *Institutions oratoires*. Il enseigna vingt ans à Rome et eut des élèves célèbres : Pline et Suétone, qui a écrit une biographie des rhéteurs. Pour former un orateur parfait, Quintilien considère qu'il faut le prendre au berceau et le conduire jusqu'au tombeau. Il apprenait à ses élèves la grammaire, l'orthographe, la musique, la géométrie, attachait une importance particulière à l'éducation, aux exercices de mémoire et de déclamation, avant de spécifier les différentes parties et les procédés du discours parfait. Selon lui, loin d'être un artifice, le parfait usage de la parole ne pouvait être l'attribut que d'un homme sage : « Que l'orateur soit donc tel qu'on puisse l'appeler véritablement sage. Je n'entends pas dire seulement qu'il soit irréprochable dans ses mœurs, car cela même, quoi qu'on en ait dit, ne me paraît pas suffisant, mais qu'il soit versé dans toutes les sciences et dans tous les genres d'éloquence. Jamais un tel phénix n'existera peut-être? En doit-on moins, pour cela, tendre à la perfection? N'est-ce-pas ce qu'ont fait la plupart des Anciens qui, tout en reconnaissant qu'on n'avait pas encore trouvé un vrai sage, nous ont cependant laissé des préceptes sur la sagesse? Non, l'éloquence parfaite n'est point une chimère; c'est quelque chose de très réel, et rien n'empêche l'esprit humain d'y atteindre… »

L'art oratoire qui dominait l'Antiquité semble fléchir de nos jours. La religion l'a alimenté au XVIIᵉ siècle (avec Bossuet par exemple), mais les grands orateurs sont rares dans la vie quotidienne, et seuls les mouvements révolutionnaires semblent offrir aujourd'hui la mise en scène adéquate à l'exercice du pouvoir de la parole. Dans ce dernier cas, c'est la rhétorique de l'anti-rhétorique qui se fait jour, le discours transmettant aux masses une parole impersonnelle, scientifique, qui puise sa force dans l'analyse rigoureuse de l'économie et de l'idéologie, et tire son influence de sa capacité de se rendre conforme au désir (signifié et signifiant) de ses destinataires.

Toute caste ou classe dominante a su exploiter la pratique du langage, et avant tout la pratique oratoire, pour consolider sa suprématie. Car, si la langue d'une nation ne change presque pas ou qu'imperceptiblement, les langages qui s'y forment — les types de rhétorique, de style, les systèmes signifiants — comportent et imposent chacun une idéologie, une conception du monde, une position sociale différentes. La «façon de parler», comme on dit communément, est loin d'être indifférente au contenu de la parole, et chaque contenu idéologique trouve sa forme spécifique, son langage, sa rhétorique.

On comprend donc pourquoi c'est une loi objective que toute transformation sociale s'accompagne d'une transformation rhétorique, que toute transformation sociale soit en un sens et très profondément une mutation rhétorique. L'exemple de la Révolution française est à cet égard très frappant.

Non seulement la Révolution s'est appuyée sur l'immense travail novateur qu'ont opéré au niveau même du langage et de la littérature française des écrivains comme Voltaire, Diderot, Sade, etc.; non seulement elle a préconisé dans ses lois un changement de vocabulaire; mais elle a été littéralement faite, et non seulement annoncée, par les discours et les écrits de ses dirigeants. On pourrait suivre l'éclosion et la marche de la Révolution française à travers l'éclosion et la marche d'une nouvelle rhétorique, d'un nouveau style qui a ébranlé la langue française du XVIIe au XVIIIe siècle pour aboutir à la phrase de Robespierre…

Si la Constituante est encore dominée par la rhétorique traditionnelle qui s'inspire de Quintilien, avec la Législative on commence à se libérer de l'académisme et de l'éloquence d'apparat. Mais c'est la Montagne (parti du peuple insurgé) qui renouvellera l'art oratoire, et Robespierre en sera le maître. Après sa chute, le Directoire est verbeux, et le Consulat et l'Empire sont muets. Mirabeau, Barnave, Condorcet, Vergniaud, Danton, Robespierre, Saint-Just, héritant des principes de Montesquieu, Diderot, Rousseau, manient un discours qui s'émancipe lentement et sûrement de la rhétorique formaliste et pompeuse des Anciens, laquelle dominait encore les juristes de la Constituante, et du classicisme décadent des salons littéraires. L'éloquence de la République ira chercher son exemple chez Tacite et Tite-Live, et tour à tour recourra à des accents dignes d'un auditoire aristocratique (Mirabeau), aux notes élégiaques d'un humanisme déçu et d'un individualisme navrant chez les vaincus (Vergniaud), au pathos légiférant et incorruptible (Robespierre), avant de redevenir vainement déclamatoire sous la Restauration pour nourrir la nostalgie des romantiques. Même si le souci d'éloquence est resté constant lors de cette mutation où diverses couches sociales s'emparaient de la parole, chacune la marquait à sa façon : « En ce temps-là la langue de Racine et de Bossuet vociféra le sang et le carnage ; elle rugit avec Danton ; elle hurla avec Marat ; elle siffla comme un serpent dans la bouche de Robespierre. Mais elle resta pure », écrit le royaliste Desmarais.

Mirabeau [1]

Necker venait de proposer une contribution exceptionnelle d'un quart du revenu.

« ... Messieurs, au milieu de tant de débats tumultueux, ne pourrai-je donc pas ramener à la délibération du jour par un petit nombre de questions bien simples ?

« Daignez, messieurs, daignez me répondre !

« Le premier ministre des Finances ne vous a-t-il pas offert le tableau le plus effrayant de notre situation actuelle ?

« Ne vous a-t-il pas dit que tout délai aggravait le péril ? Qu'un jour, une heure, un instant pouvaient le rendre mortel ?

« Avons-nous un plan à substituer à celui qu'il nous propose ?

« ... Mes amis, écoutez un mot, un seul mot. Deux siècles de déprédations et de brigandage ont creusé le gouffre où le royaume est près de s'engloutir. Il faut le combler ce gouffre effroyable ! eh bien, voici la liste des propriétaires français.

---

1. Discours « *Sur la banqueroute* », 26 septembre 1789. *Les Orateurs de la Révolution française*, Larousse, 1939.

Choisissez parmi les plus riches, afin de sacrifier moins de citoyens ; mais choisissez ; car ne faut-il pas qu'un petit nombre périsse pour sauver la masse du peuple ? Allons, ces deux mille notables possèdent de quoi combler le déficit. Ramenez l'ordre dans vos finances, la paix et la prospérité dans le royaume... Frappez, immolez sans pitié ces tristes victimes ! précipitez-les dans l'abîme ! il va se refermer... vous reculez d'horreur... Hommes inconséquents ! hommes pusillanimes ! Eh ! ne voyez-vous donc pas qu'en décrétant la banqueroute, ou, ce qui est plus odieux encore, en la rendant inévitable, sans la décréter, vous vous souillez d'un acte mille fois plus criminel, car enfin cet horrible sacrifice ferait du moins disparaître le déficit. Mais croyez-vous, parce que vous n'avez pas payé, que vous ne devrez plus rien ? Croyez-vous que les milliers, les millions d'hommes qui perdront en un instant, par l'explosion terrible ou par ses contrecoups, tout ce qui faisait la consolation de leur vie, et peut-être leur unique moyen de la sustenter, vous laisseront paisiblement jouir de votre crime ?

« Contemplateurs stoïques des maux incalculables que cette catastrophe vomira sur la France, impassibles égoïstes qui pensez que ces convulsions du désespoir et de la misère passeront comme tant d'autres, et d'autant plus rapidement qu'elles seront plus violentes, êtes-vous bien sûrs que tant d'hommes sans pain vous laisseront tranquillement savourer les mets dont vous n'aurez voulu diminuer ni le nombre ni la délicatesse ?... Non, vous périrez, et dans la conflagration universelle que vous ne frémissez pas d'allumer, la perte de votre honneur ne sauvera pas une seule de vos détestables jouissances... »

Vergniaud [1]

Depuis la déroute des armées de Dumouriez à Aix-la-Chapelle, le 1er mars 1793, et le renforcement du Tribunal révolutionnaire, la Montagne grandit en importance.

Au cours du dernier mois, les événements se sont précipités : le 10 mars a éclaté le soulèvement vendéen ; le 4 avril, Dumouriez est passé à l'ennemi ; le 5, le Comité de salut public est

1. *Op. cit.*

créé. Les circonstances exigent une direction plus ferme. Ro-
bespierre l'a montré. La défense de Vergniaud est déjà désespé-
rée : elle précède de quelques semaines l'arrestation des chefs
girondins.

« ... Robespierre nous accuse d'être devenus tout à coup des
"modérés", des "feuillants".

«Nous, "modérés"? Je ne l'étais pas le 10 août, Robespierre, quand tu étais caché dans ta cave! Des "modérés"!
Non, je ne le suis pas dans ce sens que je veuille éteindre
l'énergie nationale; je sais que la liberté est toujours active
comme la flamme, qu'elle est inconciliable avec ce calme parfait qui ne convient qu'à des esclaves : si l'on n'eût voulu que
nourrir ce feu sacré, qui brûle dans mon cœur aussi ardemment
que dans celui des hommes qui parlent sans cesse de l'impétuo-
sité de leur caractère, de si grands dissentiments n'auraient pas
éclaté dans cette Assemblée. Je sais aussi que dans des temps
révolutionnaires, il y aurait autant de folie à prétendre calmer à
volonté l'effervescence du peuple, qu'à commander aux flots de
la mer d'être tranquilles quand ils sont battus par les vents; mais
c'est au législateur à prévenir autant qu'il peut les désastres de la
tempête par de sages conseils; et si sous prétexte de révolution il
faut, pour être patriote, se déclarer le protecteur du meurtre et
du brigandage, je suis "modéré"!

«Depuis l'abolition de la royauté, j'ai beaucoup entendu
parler de révolution. Je me suis dit : il n'y en a plus que deux
possibles : celle des propriétés, ou la loi agraire, et celle qui
nous ramènerait au despotisme. J'ai pris la ferme résolution de
combattre l'une et l'autre, et tous les moyens indirects qui
pourraient nous y conduire. Si c'est là être modéré, nous le
sommes tous, car tous nous avons voté la peine de mort contre
tout citoyen qui proposerait l'une ou l'autre... »

Robespierre [1]

« ... Le gouvernement de la Révolution est le despotisme de
la liberté contre la tyrannie.

« ... Jusqu'à quand la fureur des despotes sera-t-elle appelée
justice, et la justice du Peuple barbarie ou rébellion?

1. Réponse aux accusations de despotisme, *op. cit.*

« … Indulgence pour les royalistes, s'écrient certaines gens : grâce pour les scélérats ! Non : grâce pour l'innocence, grâce pour les faibles, grâce pour les malheureux, grâce pour l'humanité !

« … Les ennemis intérieurs du Peuple français se sont divisés en deux sections, comme en deux corps d'armée. Elles marchent sous des bannières de différentes couleurs, et par des routes diverses ; mais elles marchent au même but.

« Ce but est la désorganisation du gouvernement populaire, la ruine de la Convention, c'est-à-dire le triomphe de la tyrannie. L'une de ces deux factions nous pousse à la faiblesse, l'autre aux excès. L'une veut changer la liberté en bacchante, l'autre en prostituée.

« … On a donné aux uns le nom de modérés ; il y a plus de justesse dans la dénomination d'ultra-révolutionnaires, par laquelle on a désigné les autres.

« … Le faux révolutionnaire est peut-être plus souvent en deçà qu'au-delà de la révolution. Il est modéré, il est fou de patriotisme, selon les circonstances. On arrête dans les comités prussiens, autrichiens, anglais, moscovites même, ce qu'il pensera le lendemain. Il s'oppose aux mesures énergiques, et les exagère quand il n'a pu les empêcher. Sévère pour l'innocence mais indulgent pour le crime ; accusant même les coupables qui ne sont point assez riches pour acheter son silence, ni assez importants pour mériter son zèle ; mais se gardant bien de jamais se compromettre au point de défendre la vertu calomniée ; découvrant quelquefois des complots découverts ; arrachant le masque à des traîtres démasqués et même décapités ; mais prônant les traîtres vivants et encore accrédités ; toujours empressé à caresser l'opinion du moment, et non moins attentif à ne jamais l'éclairer et surtout à ne jamais la heurter ; toujours prêt à adopter les mesures hardies, pourvu qu'elles aient beaucoup d'inconvénients ; calomniant celles qui ne présentent que des avantages, ou bien y ajoutant tous les amendements qui peuvent les rendre nuisibles ; disant la vérité avec économie, et tout autant qu'il faut, pour acquérir le droit de mentir impunément ; distillant le bien goutte à goutte, et versant le mal par torrents, plein de feu pour les grandes résolutions qui ne signifient rien ; plus qu'indifférent pour celles qui peuvent honorer la cause du Peuple et sauver la Patrie ; donnant beaucoup aux formes du patriotisme; très attaché, comme les dévots dont il se déclare l'ennemi, aux pratiques extérieures, il aimerait mieux user cent bonnets rouges que de faire une bonne action.

« ... Faut-il agir ? Ils pérorent. Faut-il délibérer ? Ils veulent commencer par agir. Les temps sont-ils paisibles ? ils s'opposent à tout changement utile. Sont-ils orageux ? ils parlent de tout réformer pour bouleverser tout. Voulez-vous contenir les séditieux ? ils vous rappellent la clémence de César. Voulez-vous arracher les patriotes à la persécution ? ils vous proposent pour modèle la sévérité de Brutus. Ils découvrent qu'un tel a été noble lorsqu'il sert la République, ils ne s'en souviennent plus dès qu'il la trahit. La paix est-elle utile ? ils vous étalent les palmes de la victoire. La guerre est-elle nécessaire ? il vous vantent les douceurs de la paix. Faut-il reprendre nos forteresses ? ils veulent prendre d'assaut les églises et escalader le ciel ; ils oublient les Autrichiens pour faire la guerre aux dévotes... »

Le discours porte et impose une idéologie ; et chaque idéologie trouve son discours. On comprend donc pourquoi toute classe dominante veille particulièrement sur la pratique du langage et contrôle ses formes et les moyens de sa diffusion : l'information, la presse, la littérature. On comprend pourquoi une classe dominante a ses langages favoris, sa littérature, sa presse, ses orateurs, et tend à censurer tout autre langage.

LA LITTÉRATURE

La littérature est sans doute le domaine privilégié où le langage s'exerce, se précise et se modifie. Du mythe à la littérature orale, du folklore et de l'épopée au roman réaliste et à la poésie moderne, le langage littéraire offre une diversité dont la science littéraire étudie les genres, mais il n'en reste pas moins uni par une seule et même caractéristique qui le différencie du langage de la communication simple. Si la *stylistique* analyse les différentes particularités de tel ou tel texte, et contribue ainsi à la constitution d'une théorie des genres, la *poétique* essaie de cerner cette fonction commune au langage dans ses diverses manifestations littéraires. On a appelé *fonction poétique* cette spécificité de la fonction du langage dans la littérature. Comment préciser la fonction poétique ?

Jakobson donne le schéma suivant de la communication linguistique :

Si le message est orienté vers le *contexte*, sa fonction est
cognitive, dénotative, référentielle. Si l'énoncé vise à exprimer
l'attitude du *destinateur* par rapport à ce dont il parle, la fonction est *émotive*. Si l'énoncé accentue le *contexte*, la fonction est
phatique. Si le discours est centré sur le *code*, il remplit une
fonction *métalinguistique*. Or « la visée *(Einstellung)* du message en tant que tel, l'accent mis sur le message pour son propre
compte, est ce qui caractérise la fonction *poétique* du langage ».
Il est important de citer la définition entière que Jakobson donne
de la fonction poétique : « Cette fonction ne peut être étudiée
avec profit si on perd de vue les problèmes généraux du langage, et, d'un autre côté, une analyse minutieuse du langage
exige que l'on prenne sérieusement en considération la fonction
poétique. Toute tentative pour réduire la sphère de la fonction
poétique à la poésie, ou de confiner la poésie à la fonction
poétique, n'aboutirait qu'à une simplification excessive et
trompeuse. La fonction poétique n'est pas la seule fonction de
l'art du langage, elle en est seulement la fonction dominante,
déterminante, cependant que dans les autres activités verbales
elle ne joue qu'un rôle subsidiaire, accessoire. Cette fonction
qui *met en évidence le côté palpable des signes*, approfondit par
là même la dichotomie fondamentale des signes et des objets.
Aussi, traitant de la fonction poétique, la linguistique ne peut se
limiter au domaine de la poésie. »

Il est évident que cette « fonction poétique » du langage n'est
pas propre à un seul type de discours, par exemple la poésie ou
la littérature. Tout exercice du langage, en dehors de la poésie,
peut donner lieu à cette fonction poétique.

En ce qui concerne la poésie à proprement parler, cette
accentuation du message pour son propre compte, cette dichotomie des signes et des objets, se marque d'abord par l'importance qu'y joue l'*organisation du signifiant*, ou de l'aspect
phonétique du langage. La similarité des sons, les rimes, l'into-

nation, la rythmique des différents types de vers, etc., ont une fonction qui, loin d'être purement ornementale, véhicule un nouveau signifié qui se surajoute au signifié explicite. «Courant sous-jacent de signification», dit Poe; «Le son doit sembler un écho du sens», déclare Pope; «Le poème, cette hésitation prolongée entre le son et le sens», indique Valéry. La science moderne qui s'occupe de cette organisation signifiante — la prosodie — parle d'un symbolisme des sons.

Pour préciser davantage la fonction poétique, Jakobson introduit les termes de *sélection* et de *combinaison*. Admettons par exemple que le thème d'un message soit «enfant» : le locuteur peut choisir parmi les mots de toute une série *(enfant, gosse, mioche, gamin)* pour noter ce thème; et pour commenter le thème, il a aussi le choix entre plusieurs mots : *dort, sommeille, repose, somnole*. «Les deux mots choisis se combinent dans la chaîne parlée. La sélection est produite sur la base de l'équivalence, de la similarité ou de la dissimilarité, de la synonymie et de l'antinomie, tandis que la combinaison, la construction de la séquence, reposent sur la contiguïté. *La fonction poétique projette le principe d'équivalence de l'axe de la sélection sur l'axe de la combinaison*. L'équivalence est promue au rang de procédé constitutif de la séquence. En poésie, chaque syllabe est mise en rapport d'équivalence avec toutes les autres syllabes de la même séquence; tout accent de mot est sensé être égal à tout autre accent de mot; et de même, inaccentué égale inaccentué; long (prosodiquement) égale long, bref égale bref; frontière de mot égale frontière de mot, absence de frontière égale absence de frontière; pause syntaxique égale pause syntaxique, absence de pause égale absence de pause. Les syllabes sont converties en unités de mesure, et il en va de même des accents.»

Rappelons que nous avons déjà rencontré ce principe d'équivalence des séquences contiguës dans la syntaxe du rêve.

A de telles particularités du langage littéraire, la science de la littérature, constituée sur la base de la linguistique et de l'expérience des descriptions littéraires traditionnelles, en ajoute d'autres pour démontrer que la fonction poétique est en effet une «réévaluation totale du discours et de toutes ses composantes quelles qu'elles soient». Cette réévaluation consiste en général, comme le Cercle linguistique de Prague l'avait déjà montré, «dans le fait que tous les plans du système linguistique qui n'ont dans le langage de communication qu'un rôle de service, prennent, dans le langage poétique, des valeurs autonomes plus ou moins considérables. Les moyens d'expression groupés dans ces plans ainsi que les relations mutuelles existant entre ceux-ci et tendant à devenir automatiques dans le langage de la communication, tendent au contraire dans le langage poétique à s'actualiser». Dans certains cas, cette recherche de l'autonomie du signifiant, imprégné d'un signifié qui est comme superposé au signifié du message explicite, est tellement poussée que le texte poétique constitue un langage nouveau, brisant les règles mêmes du langage de la communication d'une langue donnée, et se présente comme une *algèbre* supra- ou infra-communicative ; tels les poèmes de Browning et de Mallarmé... La traduction de tels textes, qui semblent détruire la langue de la communication habituelle pour construire sur elle un autre langage, est quasi impossible : ils tendent, à travers la matière d'une langue naturelle, vers l'établissement de relations signifiantes qui obéissent moins aux règles d'une grammaire qu'aux lois universelles (communes à toutes les langues) de l'inconscient.

Mallarmé écrivait pour créer un tel langage *autre* à travers le français. Si *Igitur* et *Un coup de dés*... portent témoignage de ce langage, les conceptions théoriques de Mallarmé en révèlent les principes. D'abord, ce langage n'est pas celui de la communication : « Le meilleur qui se passe entre deux gens, toujours leur échappe, en tant qu'interlocuteurs. » Le langage nouveau, à construire, traverse la langue naturelle et sa structure, ou la transpose : « Cette visée, je la dis Transposition, — Structure, une autre. » Il décentre l'apparente structure de la communication et produit un sens — un chant — supplémentaire : « L'air ou chant sous le texte, conduisant la divination d'ici là... » Comment construire cette *langue* dans la langue ? D'abord, en accord avec la linguistique comparée de son temps (qui venait de découvrir le sanscrit et recherchait la genèse des langues), Mallarmé se propose de connaître les lois des langues de tous les peuples du monde, pour atteindre non plus une langue originelle — comme le voulait le fantasme linguistique — mais les principes générateurs, universels et, de ce fait, anonymes, de toute langue : « Ne semble-t-il point à première vue que pour bien percevoir un idiome et l'embrasser dans son ensemble, il faille connaître tous ceux qui existent et ceux même qui ont existé... »

(dans *les Mots anglais*). Lire le texte, c'est prêter l'oreille à la génération de chaque élément qui compose la structure présente : « mais plutôt des naissances sombrèrent en l'anonymat et l'immense sommeil l'ouïe à la génératrice, les prostrant, cette fois, subit un accablement et un élargissement de tous les siècles… »

La langue que l'écriture cherche se trouve dans les mythes, les religions, les rites — dans la mémoire inconsciente de l'humanité que la science découvrira un jour en analysant les divers systèmes de sens. « Pareil effort magistral de l'Imagination désireuse, non seulement de se satisfaire par le symbole éclatant dans les spectacles du monde, mais d'établir un lien entre ceux-ci et la parole chargée de les exprimer, touche à l'un des mystères sacrés et périlleux du Langage ; et qu'il sera prudent d'analyser seulement le jour où la science, possédant le vaste répertoire des idiomes jamais parlés sur la terre, écrira l'histoire des lettres de l'alphabet à travers tous les âges et quelle était presque leur absolue signification, tantôt devinée, tantôt méconnue par les hommes créateurs des mots : mais il n'y aura plus, dans ce temps, ni science pour résumer cela, ni personne pour le dire. Chimère, contentons-nous, à présent, des lueurs que jettent à ce sujet des écrivains magnifiques. »

La fonction de la littérature est de travailler pour éclaircir les lois de cette langue immémoriale, de cette algèbre inconsciente qui traverse le discours, de cette logique de base qui établit des *rapports* (logique d'équivalence, dirait Jakobson) : « une extraordinaire appropriation de la structure, limpide, aux primitives foudres de la logique. » (« Le Mystère dans les lettres. ») Ou bien : « Mais la littérature a quelque chose de plus intellectuel que cela ; les choses existent, nous n'avons pas à les créer ; nous n'avons qu'à en saisir les rapports ; et ce sont les fils de ces rapports qui forment les vers et les orchestres. » (« Sur l'évolution littéraire. »)

Dans quel but ? Atteindre, à travers le langage présent, à travers la langue, les lois des rêves de l'homme, pour en faire un théâtre de la symbolicité reprise à sa source : « Je crois que la Littérature, reprise à sa source qui est l'Art et la Science, nous fournira un théâtre, dont les représentations seront le vrai culte moderne ; un Livre, explication de l'homme, suffisante à nos plus beaux rêves. » (« Sur le théâtre. »)

Dans d'autres textes littéraires, cette autonomie du signe qui caractérise la fonction poétique est moins accentuée, et le langage littéraire ne présente pas de particularités par trop différentes de celles du langage de la communication. Une lecture superficielle en effet ne découvre pas de différences frappantes entre le langage d'un roman réaliste et celui de la communication courante, sauf bien sûr une différence de style. En effet, certains genres comme l'épopée ou le roman n'ont pas pour fonction primordiale de désarticuler le signifiant, comme c'est le cas pour la poésie et surtout pour la poésie moderne. Ils empruntent les règles communes de la phrase grammaticale dans leur langue nationale, mais organisent l'*ensemble de l'espace littéraire* comme un système, disons un *langage,* particulier, dont on peut décrire la structure spécifique. Rappelons les travaux de Croce, de Spitzer, etc., qui consacrent leur attention à l'étude du langage de la littérature ou de la littérature comme langage.

Sur un plan plus positif et débarrassé d'esthétisme, et en liaison étroite avec les recherches linguistiques, le formalisme russe et particulièrement l'OPOIAZ ont pu déceler les règles fondamentales (et quasi omnivalentes dans tous les cas) d'une telle organisation dans le récit. Propp a analysé le conte populaire russe en distinguant les lignes générales de sa structure, ses protagonistes principaux et la logique de leur action. Jakobson, Eichenbaum, Tomachevski, etc., ont été les premiers à considérer les textes littéraires comme un système signifiant structuré. Avec beaucoup plus de précision Lévi-Strauss a décrit la structure du langage des mythes *(le Cru et le Cuit, Du miel aux cendres).* Depuis lors, la collaboration des linguistes et des littéraires est beaucoup plus étroite, et la transposition des règles linguistiques appliquées à l'analyse de la phrase, à l'ensemble plus vaste du mythe, du récit et du roman, est plus fréquente et plus fructueuse. De telles recherches sont aujourd'hui consacrées également à la littérature moderne, et on ne saurait trop mettre l'accent sur l'importance de ces travaux, qui joignent à la pratique la plus avancée du langage une analyse inspirée de la science la plus récente.

Les études de Saussure qu'on a publiées récemment sont d'une importance majeure dans ce domaine. En abordant le système de la langue poétique, Saussure dans ses *Anagrammes* (partiellement publiés par Starobinski, *Mercure de France,* 1964; *Tel Quel,* 37, 1969) s'est livré à des démonstrations qui semblent même mettre en cause la notion du signe linguistique. Il étudie le vers saturnien et la poésie védique, et constate que dans chaque vers il y a comme sous-jacent un nom de divinité ou de chef guerrier ou d'un autre personnage, qui se reconstitue par les syllabes dispersées dans divers mots. De sorte que chaque message contient un message sous-jacent qui est en même temps un double code, chaque texte est un autre texte, chaque unité poétique a au moins une signification double, sans doute inconsciente et qui se reconstitue par un jeu du signifiant. Il est probable que Saussure s'est trompé quant à la régularité de cette loi qui exige l'existence d'un nom caché sous le texte manifeste, mais l'important est qu'il dégage par cette « erreur » une particularité du fonctionnement poétique où des sens supplémentaires s'infiltrent dans le message verbal, déchirent son tissu opaque et réorganisent une autre scène signifiante : comme une écriture phrasographique qui se sert du matériel des signes verbaux pour écrire un message transverbal, se superposant à celui qui est transmis par la ligne de la communication, et amplifiant cette ligne en volume. On voit de quelle manière une telle conception réfute la thèse de la linéarité du message poétique, et lui substitue celle du langage poétique comme un réseau complexe et stratifié de niveaux sémantiques.

Or, parallèlement à ces études que la science consacre à l'organisation des textes littéraires, la littérature elle-même *se pratique* comme une recherche des lois de sa propre organisation. Le roman moderne devient une désarticulation des constantes et des règles du récit traditionnel, une exploration du langage du récit, qui met au jour ses procédés avant de les faire éclater. Le « nouveau roman » est devenu une véritable grammaire du récit ; *la Modification* de Michel Butor, *le Voyeur* ou *les Gommes* de Alain Robbe-Grillet, *Tropismes* de Nathalie Sarraute, explorent les unités du récit traditionnel : la situation narrative (destinateur-auteur/destinataire « -vous ») ; les personnages, entités anonymes qui deviennent des pronoms personnels ; leur confrontation ; la ligne montante, descendante ou circulaire de l'action, etc., avec souvent la conscience manifeste des auteurs d'écrire pour mettre à nu le *code* du récit et, avec lui, les règles de la situation discursive. La littérature

moderne devient ainsi non seulement une science du récit, mais
encore une science du discours, de ses sujets, de ses figures, de
ses représentations, et, par là, de la *représentation* dans et par le
langage ; science implicite, parfois même explicite, mais que la
science positive n'a pas encore systématisée.

Plus encore, en accentuant ce que nous avons appelé « la
fonction poétique du langage », le roman moderne devient une
exploration non seulement des structures narratives, mais aussi
de la structure proprement phrastique, sémantique et syntaxique, de la langue. L'exemple de Mallarmé ou d'Ezra Pound est
repris actuellement dans le roman français qui s'écrit, tel *Nombres* de Philippe Sollers (nous n'abordons pas ici l'aspect idéologique de ce texte), comme une analyse précise des ressources
phoniques, lexicales, sémantiques et syntaxiques de la langue
française, sur laquelle se construit une logique inconnue pour le
locuteur qui communique dans cette langue, une logique qui
atteint le degré de condensation du rêve et se rapproche des lois
des idéogrammes ou de la poésie chinoise — dont les hiéroglyphes, tracés dans le texte français, viennent nous arracher à ce
que toute une science « logocentrique » (celle que nous avons
suivie au cours de l'analyse précédente) a voulu nous faire
accepter comme étant l'image de notre langue.

3. La sémiotique

Au cours de notre exposé, et surtout dans les deux derniers
chapitres, nous avons eu l'occasion de traiter de quelques systèmes signifiants (le rêve, le langage poétique) en tant que types
particuliers de « langage ». Il est évident que le terme de langage
est employé ici dans un sens qui ne correspond pas à celui de
langue telle que la grammaire la décrit, et n'a en commun avec
celle-ci que d'être un système de signes. Quels sont ces signes ?
Quelles en sont les relations ? Quelle est leur différence par
rapport à la langue-objet de la grammaire ?

Ces problèmes n'ont cessé de se poser avec plus ou moins
d'insistance, depuis les Stoïciens, puis le Moyen Age avec ses
modi significandi, à travers les Solitaires et leur théorie logique

du signe, jusqu'aux premiers «sémiologues» du XVIIIe siècle qui se sont acheminés vers une théorie générale du langage et de la signification : Locke, Leibniz, Condillac, Diderot, etc. Mais les *modi significandi* du Moyen Age reflétaient et démontraient une théologie transcendantale qu'il s'agissait d'asseoir sur la langue. Et les Idéologues du XVIIIe siècle, au contraire, voyaient dans le signe le lieu névralgique de l'idéalisme qu'ils ont voulu récupérer pour démontrer son enracinement dans le réel et sa réalisation dans les sens des sujets libres d'une société organisée. La *sémiotique* reprend aujourd'hui cette démarche interrompue après la Révolution bourgeoise et étouffée par l'historicisme hégélien et l'empirisme logico-positiviste. En lui ajoutant une *interrogation* de la matrice même du signe, des types de signes, de leurs limites et de leur basculement, la sémiotique devient le lieu où la science s'interroge sur la conception fondamentale du langage, sur le signe, les systèmes signifiants, leur organisation et leur mutation.

En abordant ces questions, la science linguistique est donc amenée actuellement à réviser profondément sa conception du langage. Car, si plusieurs systèmes signifiants sont possibles dans la langue, celle-ci n'apparaît plus comme *un* système, mais comme une pluralité de systèmes signifiants dont chacun est une strate d'un vaste ensemble. Autrement dit, le langage de la communication directe décrit par la linguistique apparaît de plus en plus comme *un* des systèmes signifiants qui se produisent et se pratiquent en tant que *langages* — mot qu'on devrait écrire désormais au pluriel.

D'autre part, plusieurs systèmes signifiants semblent pouvoir exister sans se construire nécessairement à l'aide de la langue ou sur son modèle. Ainsi la gestualité, les divers signaux visuels, et jusqu'à l'image, la photographie, le cinéma et la peinture, sont autant de langages dans la mesure où ils transmettent un message entre un sujet et un destinataire en se servant d'un code spécifique, sans pour autant obéir aux règles de construction du langage verbal codifié par la grammaire.

Étudier tous ces systèmes verbaux ou non verbaux en tant que langages, c'est-à-dire en tant que systèmes où des signes s'articulent en une syntaxe de différences, c'est l'objet d'une science vaste qui commence à peine à se former, la *sémiotique* (du mot grec σημεῖον, signe).

Deux savants, presque simultanément mais indépendamment l'un de l'autre, ont fixé la nécessité et les larges cadres de cette science : Peirce (1839-1914), en Amérique et Saussure en Europe.

Peirce, logicien et axiomaticien, a bâti la théorie des signes pour y asseoir la logique. Il écrivait (1897) que la logique, dans un sens général, est l'autre nom de la sémiotique : une doctrine quasi nécessaire ou formelle des signes, fondée sur l'observation abstraite, et qui devrait s'approcher, dans ses réalisations, de la rigueur du raisonnement mathématique. La sémiotique devrait donc embrasser en un calcul logique l'ensemble des systèmes signifiants et devenir ce *« calculus ratiocinator »* dont rêvait Leibniz. Elle aurait trois parties : la *pragmatique,* qui implique le sujet parlant ; la *sémantique,* qui étudie le rapport entre le signe et la chose signifiée *(designatum) ;* et la *syntaxe,* description des relations formelles entre les signes.

Chez Saussure, le projet sémiotique est plus orienté vers les langues naturelles. « On peut concevoir une science qui étudie la vie des signes au sein de la vie sociale ; elle formerait une partie de la psychologie sociale, et par conséquent de la psychologie générale ; nous la nommerons *sémiologie* (du grec *séméîon,* signe). Elle nous apprendra en quoi consistent les signes, quelles lois les régissent. Puisqu'elle n'existe pas encore, on ne peut dire ce qu'elle sera ; mais elle a droit à l'existence, sa place est déterminée d'avance. La *linguistique n'est qu'une partie* de cette science générale, les lois que découvrira la sémiologie seront applicables à la linguistique, et celle-ci se trouvera ainsi rattachée à un domaine bien défini dans l'ensemble des faits humains. C'est au psychologue à déterminer la place exacte de la sémiologie » *(Cours de linguistique générale).*

Ainsi, dans la mesure où la linguistique adopte le concept de signe « arbitraire » et pense la langue comme un système de différences, elle rendra la sémiologie possible : en effet, c'est en raison de la possibilité du système verbal de se réduire en *marques autonomes* que Saussure prévoit la linguistique comme « patron général de toute sémiologie » : « ... les signes entièrement arbitraires réalisent mieux que les autres l'idéal du procédé sémiologique ; c'est pourquoi la langue, le plus complexe et le plus répandu des systèmes d'expression, est aussi le plus caractéristique de tous ; en ce sens la linguistique peut devenir le patron général de toute sémiologie, bien que la langue ne soit qu'un système particulier. »

Pourtant, Saussure signale que la sémiologie ne saurait être cette science neutre, purement formelle et même abstraitement mathématisée qu'est la logique et même la linguistique, car l'univers sémiotique est le vaste domaine du social, et l'explorer c'est se joindre à la recherche sociologique, anthropologique, psychologique, etc. La sémiotique aura donc à puiser dans toutes ces sciences, et à se faire d'abord une *théorie* de la signification, avant de formaliser ses systèmes abordés. La science du signe devient donc inséparable d'une théorie de la signification et de la connaissance, d'une *gnoséologie*.

Vers les années 1920, le développement de la logique a suscité un courant sémiotique nettement formalisateur : nous en avons vu l'exemple dans la théorie sémiologique de Hjelmslev (cf. p. 230 *sq.*) mais il trouva son apogée dans les travaux du Cercle de Vienne, et plus spécialement dans l'œuvre de R. Carnap, *Construction logique*. Si, de nos jours, la sémiotique semble prendre une autre direction, cette tendance reste très vivace. Citons parmi les travaux proposant une théorie formelle de la sémiotique ceux de Ch. Morris. Pour lui, comme Cassirer, l'homme est moins un « animal rationnel » qu'un « animal symbolique », pris dans un processus général de symbolisation, ou *semiosis* que Morris (*Signification and Significance,* 1964) définit comme suit : « Sémiosis (ou le procès de signe) est une relation à cinq temps — *v, w, x, y, z* — où *v* provoque en *w* la disposition de réagir d'une certaine façon *x* à certain objet *y* (n'agissant pas alors comme stimulant), sous certaines conditions *z*... *v* est signe, *w* interpréteur, *x* interprétant, *y* signification, *z* contexte. »

La sémiotique, attentive à l'enseignement de Saussure, prend une orientation sensiblement différente.

D'abord, pour construire les systèmes des langages qu'elle aborde, elle prend comme modèle la linguistique et les différentes façons dont celle-ci ordonne, structure ou explique le système du langage. On s'aperçoit maintenant que, comme d'ailleurs Saussure l'avait indiqué, la langue n'est qu'un système particulier de l'univers complexe de la sémiotique, et les recherches se poursuivent en vue de systématiser les langages autres que la langue de la communication directe (le geste, le langage poétique, la peinture, etc.), sans mimer forcément les catégories valables pour les langues de la communication ordinaire. D'autre part, comme l'a déjà exprimé Saussure, il est clair que cette formalisation des systèmes signifiants ne peut pas être une pure mathématisation, car le formalisme a besoin d'une théorie pour assurer la valeur sémantique de ses marques et de leur combinaison.

On touche ici au problème fondamental des sciences humaines telles qu'elles s'élaborent aujourd'hui. Si la réflexion dans les divers domaines de l'activité humaine tend vers une exactitude et une rigueur sans précédent, elle cherche à s'appuyer sur le plus rationalisé de ces domaines. Il se trouve que c'est la linguistique qui, parmi les sciences traitant de la pratique humaine, s'est construite la première comme une science exacte, en limitant au maximum, comme nous l'avons vu, l'objet qu'elle s'est donné pour étude. Les sciences humaines n'ont donc qu'à transposer cette méthode dans les autres domaines de l'activité humaine, en commençant par les considérer comme des langages. On voit que toute science humaine est ainsi, implicitement au moins, rattachée à la sémiotique ; ou, autrement dit, que la sémiotique comme science générale des signes et des systèmes signifiants, imprègne toutes les sciences humaines : la sociologie, l'anthropologie, la psychanalyse, la théorie de l'art, etc. (Cf. Roland Barthes, *Éléments de sémiologie*, 1966.)

Mais d'autre part, si, dans un premier moment, on a cru pouvoir se passer d'une théorie, en proposant uniquement un schéma formel des unités, des niveaux et des relations à l'intérieur du système étudié — et cela en se tenant au plus près de tel ou tel schéma emprunté à la linguistique — il devient de plus en plus évident que la sémiotique non accompagnée d'une théorie socio-logique, anthropologique, psychanalytique, reste une naïve description sans grande force explicative. Les sciences humaines ne sont pas des sciences au sens où la physique ou la chimie le sont. Dans leur cas, on ferait mieux de mettre le mot *science* entre guillemets (en se référant ici à l'opération théorique qui *fonde* les formalisations et met les guillemets). En effet, une réflexion critique sur les méthodes de formalisation empruntées à la linguistique et sur leurs principes de base (signe, système, etc.) peut amener à une révision de ces catégories mêmes et à une reformulation de la théorie des systèmes signifiants, susceptibles de changer l'orientation de la science du langage en général. Car une chose est au moins acquise grâce à l'avènement de la sémiotique : l'amincissement de l'objet langage que s'est confectionné la linguistique moderne, apparaît dans toute son étroitesse et avec toutes ses insuffisances. Et à nouveau — comme si l'on revenait à l'époque où le langage signifiait une cosmogonie ordonnée — la pensée saisit à travers un langage plein une réalité complexe. Mais cette fois la science est présente à l'exploration...

L'ANTHROPOLOGIE STRUCTURALE

Après la littérature, soumise à une analyse quasi structurale par les formalistes russes qui se sont inspirés du développement de la linguistique au milieu de notre siècle, l'*anthropologie* est devenue le domaine principal auquel a été appliquée une méthodologie proche de celle de la linguistique. On peut dire par conséquent que, sans se donner explicitement comme une sémiotique et sans se livrer proprement à une réflexion et à une exploration sur la nature du signe, l'anthropologie structurale *est* une sémiotique, dans la mesure où elle considère comme des langages les phénomènes anthropologiques et leur applique la procédure de description propre à la linguistique.

Certes les anthropologues, depuis Mauss, s'intéressaient aux méthodes linguistiques pour leur emprunter une information, surtout étymologique, éclairant les rites et les mythes; mais c'est la *phonologie* de Troubetskoï (cf. p. 223) qui s'est trouvée être la puissante rénovatrice de cette collaboration, de même que la conception de la langue comme système de *communication*.

Lévi-Strauss, fondateur de l'anthropologie structurale basée sur la méthodologie phonologique, avait écrit en 1945 : « La phonologie ne peut manquer de jouer, vis-à-vis des sciences sociales, le même rôle rénovateur que la physique nucléaire, par exemple, a joué pour l'ensemble des sciences exactes. » La procédure phonologique a en effet été appliquée aux systèmes de parenté des sociétés dites primitives.

Avant cette rencontre de la phonologie avec l'anthropologie, les détails terminologiques et les règles de mariage étaient, chacun pour sa part, attribués à telle ou telle coutume, sans qu'on y discerne une systématicité : or, tout en étant le résultat de l'action de plusieurs facteurs historiques hétérogènes, les systèmes de parenté, considérés dans leur ensemble synchronique, témoignent d'une régularité certaine. En effet, il y a des systèmes patrilinéaires ou matrilinéaires dans lesquels on échange les femmes dans un certain ordre, les mariages étant permis avec tel parent ou tel membre de la même tribu ou d'une tribu proche ou lointaine, et défendus avec un autre type de parent ou avec un membre d'une tribu d'un autre type. C'est face à cette régularité que Lévi-Strauss pose l'analogie entre les systèmes de parenté et les systèmes du langage : « Dans l'étude des problèmes de parenté (et sans doute aussi dans l'étude d'autres problèmes), le sociologue se voit dans une situation formellement semblable à celle du linguiste phonologue : comme les phonèmes, les termes de parenté sont des éléments de signification ; comme eux, ils n'acquièrent cette signification qu'à condition de s'intégrer en système ; les "systèmes de parenté", comme les "systèmes phonologiques", sont élaborés par l'esprit à l'étage de la pensée inconsciente ; enfin, la récurrence, en des régions éloignées du monde et dans des sociétés profondément différentes, de formes de parenté, règles de mariage, attitudes pareillement prescrites entre certains types de parents, etc., donne à croire que, dans un cas comme dans l'autre, les phénomènes observables résultent du jeu de lois générales, mais cachées. Le problème peut donc se formuler de la façon suivante : dans *un autre ordre de réalité,* les phénomènes de parenté sont des phénomènes du *même* type que les phénomènes linguistiques. Le sociologue peut-il, en utilisant une méthode analogue *quant à la forme* (sinon quant au contenu) à celle introduite par la phonologie, faire accomplir à sa science un progrès analogue à celui qui vient de prendre place dans les sciences linguistiques ? »

Il est évident qu'à partir de ce principe de base, l'anthropologie structurale devra définir *les éléments* d'un système de parenté, comme la linguistique définit les unités de base d'un système linguistique, et en même temps les rapports spécifiques de ces éléments dans la structure. Les observations ethno-logiques ont démontré que l'*avunculat* (l'importance primordiale de l'oncle maternel) est la structure de parenté la plus simple qu'on puisse concevoir. Elle repose sur quatre termes : frère, sœur, père, fils, unis entre eux (comme en phonologie) en deux couples d'oppositions corrélatives (frère/sœur, mari/femme, père/fils, oncle maternel/fils de la sœur), tels que, dans chacune des deux générations en cause, il existe toujours une relation positive et une relation négative. L'axe des *beaux-frères* est inévitable et central pour que se construise autour de lui la structure parentale.

Évidemment, l'établissement de telles règles rappelant les règles phonologiques n'est possible que si l'on considère la parenté comme un système de *communication,* et qu'on l'apparente ainsi au langage. Et en effet, il en est un pour Lévi-Strauss qui constate que le « message » d'un système de parenté, ce sont « les *femmes* du groupe, qui *circulent* entre les clans, lignées ou familles (et non, comme dans le langage lui-même, par les *mots du groupe* circulant entre les individus) ». A partir de cette conception des règles de parenté comme règles de communication sociale, Lévi-Strauss s'oppose à l'habitude que les anthropologues de classer ces règles en catégories hétérogènes et appelées de termes divers : prohibition de l'inceste, types de mariage préférentiels, etc. ; il trouve qu'« elles représentent tout autant de façons d'assurer la circulation des femmes au sein du groupe social, c'est-à-dire de remplacer un système de relations consanguines, d'origine biologique, par un système sociologique d'alliance. Cette hypothèse de travail une fois formulée, on n'aurait plus qu'à entreprendre l'étude mathématique de tous les types d'échange concevables entre *n* partenaires pour en déduire les règles de mariage à l'œuvre dans les sociétés existantes. Du même coup, on en découvrirait d'autres, correspondant à des sociétés possibles. Enfin, on comprendrait leur fonction, leur mode d'opération et la relation entre des formes différentes ».

Notre tâche n'est pas ici d'analyser toute la subtilité avec laquelle Lévi-Strauss établit les systèmes de parenté au cours de sa recherche et dont son livre *les Structures élémentaires de la parenté* (1949) est la somme magistrale. Nous voulons uniquement souligner comment la problématique du langage, voire même une science particulière de la langue, la phonologie, est devenue le levier d'une nouvelle science dans un autre domaine, l'anthropologie structurale, lui permettant ainsi de découvrir les lois fondamentales sur lesquelles s'appuie la communication, c'est-à-dire la communauté humaine.

Est-ce à dire que l'ordre du langage est absolument analogue à celui de la culture? S'il n'y avait aucune relation entre les deux, l'activité humaine aurait été un désordre disparate, sans aucun rapport entre ses diverses manifestations. Or ce n'est pas ce qu'on observe. Mais si, au contraire, la correspondance des deux ordres était totale et absolue, elle se serait imposée sans soulever des problèmes. Lévi-Strauss, ayant fait cette réflexion, opte pour une position moyenne qu'on ne saurait trop rappeler à ceux qui travaillent pour la construction d'une science nouvelle, la sémiotique, comprise comme une science des lois du fonctionnement symbolique : « Certaines corrélations sont probablement décelables, entre certains aspects et à certains niveaux, et il s'agit pour nous de trouver quels sont ces aspects et quels sont ces niveaux. Anthropologues et linguistes peuvent collaborer à cette tâche. Mais la principale bénéficiaire de nos découvertes éventuelles ne sera ni l'anthropologie ni la linguistique telles que nous les concevons actuellement : ces découvertes profiteront à une science à la fois très ancienne et très nouvelle, une *anthropologie* entendue au sens le plus large, c'est-à-dire une connaissance de l'homme associant diverses méthodes et diverses disciplines, et qui nous révélera un jour les secrets ressorts qui meuvent cet hôte, présent sans avoir été convié à nos débats : l'esprit humain. »

LE LANGAGE DES GESTES

Abordant les problèmes du langage littéraire ou du langage poétique, nous avons indiqué que, considéré comme un système signifiant distinct de la langue dans laquelle il se produit, système dont il faut isoler les éléments spécifiques et trouver les lois précises de leur articulation, il est l'objet d'une partie de la science des signes, la *sémiotique littéraire*. Depuis les travaux des formalistes russes et du Cercle linguistique de Prague, qui se consacre en grande partie à l'étude du langage poétique comme partie essentielle sinon première de la sémiotique, les études ont sensiblement progressé. Avec le structuralisme, la sémiotique littéraire est devenue la manière la plus originale d'aborder les

textes littéraires, et ses méthodes imprègnent aussi bien la critique que l'enseignement de la littérature.

Moins évidente peut paraître la possibilité d'étudier comme
des langages les pratiques gestuelles : le geste, la danse, etc.
S'il est clair que la gestualité est un système de communication
transmettant un message, et peut par conséquent être considérée
comme un langage ou un système signifiant, il est encore
difficile de préciser certains éléments de ce langage : quelles
sont les unités minimales de ce langage (qui correspondraient
aux phonèmes, aux morphèmes ou aux syntagmes du langage
verbal) ? Quelle est la nature du signe gestuel : a-t-il un signifié
assigné de façon aussi stricte que le signifié l'est au signe du
langage verbal ? Quel est le rapport du geste et du verbe lorsqu'ils coexistent dans un message ? Et ainsi de suite.

Avant d'esquisser la solution que propose à ces problèmes la
sémiotique gestuelle aujourd'hui, signalons que la valeur du
geste comme acte primordial de la signification, ou plutôt
comme processus où celle-ci s'*engendre* avant de se *fixer* dans
le mot, a attiré depuis toujours l'attention des différentes civilisations, des religions et des philosophies. Nous avons mentionné l'importance attribuée au geste dans l'étude de la genèse
de la symbolicité et de l'écriture en particulier. Ajoutons à ces
remarques l'exemple du dieu dogon *Ama* qui « créa le monde en
le *montrant* » ; ou bien celui des Bambaras pour lesquels « les
choses ont été *désignées* et nommées silencieusement avant
d'avoir existé et ont été appelées à être par leur nom et leur
signe ». Le geste indicatif, ou le geste tout court, semble être
une esquisse primordiale de la *signifiance* sans être une *signification*. C'est sans doute cette propriété de la pratique gestuelle
d'être l'espace même où *germe* la signification qui fait du geste
le domaine privilégié de la religion, de la danse sacrée, du rite.
Évoquons ici l'exemple des traditions secrètes du théâtre japonais Nô, ou bien du théâtre indien Kathakali, ou du théâtre
balinais sur l'exemple duquel Antonin Artaud a pu proposer une
transformation radicale de la conception théâtrale de l'Occident
(*le Théâtre et son double*)...

Décrivant cette pratique gestuelle qui ouvre une zone d'activité symbolique inconnue aux langues naturelles telles que les
étudie la grammaire, Artaud (*Lettre sur le langage,* 1931) écrivait : « ...A côté de la culture par mots il y a la culture par

gestes. Il y a d'autres langages au monde que notre langage occidental qui a opté pour le dépouillement, pour le dessèchement des idées et où les idées nous sont présentées à l'état inerte sans ébranler au passage tout un système d'analogies naturelles connues dans les langues orientales. »

Lorsque au XVIIIᵉ siècle la philosophie recherchait le mécanisme du signe, le *geste* devint un objet important de sa réflexion. De Condillac à Diderot, du geste originel au langage gestuel des sourds-muets, les problèmes de la gestualité ont été un des terrains les plus importants sur lesquels les encyclopédistes avaient esquissé la théorie matérialiste de la signification.

Pour Condillac, le langage gestuel est le langage originel : « Les gestes, les mouvements du visage et les accents inarticulés, voilà les premiers moyens que les hommes ont eus pour se communiquer leurs pensées. Le langage qui se forme avec ces signes se nomme *langage d'action.* » (*Principes généraux de grammaire,* 1775.) Étudiant l'évolution du langage, Condillac (*Essai sur l'origine des connaissances humaines,* 1746) insiste sur le fait que le premier langage humain, à la suite de la constitution des cris-signes des passions, serait ce langage d'action, qu'il définit ainsi :

« Il paraît que ce langage fut surtout conservé pour instruire le peuple des choses qui l'intéressaient davantage : telles que la police et la religion. C'est que, agissant sur l'imagination avec plus de vivacité, il faisait une impression plus durable. Son expression avait même quelque chose de fort et de grand, dont les langues, encores stériles, ne pouvaient approcher. Les Anciens appelaient ce langage du nom de *danse :* voilà pourquoi il est dit que David dansait devant l'arche.

« Les hommes, en perfectionnant leur goût, donnèrent à cette *danse* plus de variété, plus de grâce et plus d'expression. Non seulement on assujettit à des règles les mouvements des bras et les attitudes du corps, mais encore on traça les pas que les pieds devaient former. Par là, la danse se divisa naturellement en deux arts qui lui furent subordonnés : l'un, qu'on me permette une expression conforme au langage de l'Antiquité, fut la *danse des gestes ;* il fut conservé pour concourir à communiquer les pensées des hommes ; l'autre fut principalement la *danse des pas ;* on s'en servit pour exprimer certaines situations de l'âme, et particulièrement la joie; on l'employa dans les occasions de réjouissance, et son principal objet fut le plaisir... »

Étudiant plus loin le rapport du geste avec le chant, Condillac est amené à analyser la *pantomime* chez les Anciens comme un art, ou plutôt comme un système signifiant, particulier.

De tels thèmes sont fréquents dans les écrits des idéologues et des matérialistes du XVIIIe siècle. Si aujourd'hui ils peuvent paraître abrupts ou naïfs, il est important de souligner que, d'une part, ils représentent la première tentative d'un aperçu systématique des diverses pratiques sémiotiques que la science commence à peine à aborder sérieusement, et que, d'autre part, l'étude de la gestualité jointe à celle de l'écriture, en tant que recherche de l'origine du langage ou plutôt d'une symbolicité pré-verbale, semble constituer à cette époque une zone rebelle à l'enseignement cartésien de l'équivalence du sujet à son verbe, et introduire ainsi dans la raison verbale un élément subversif, le pré-sens... N'est-ce pas la problématique de la production, de la mutation et de la transformation de sens qui s'infiltre ainsi, par le geste, dans le rationalisme des matérialistes... ?

Lorsque notre siècle s'est de nouveau occupé des problèmes du geste, ce fut ou bien dans les cadres de la constitution d'une doctrine générale des langues (cf. P. Kleinpaul, *Sprache ohne Worte. Idee einer Allgemeinen Wissenschaft der Sprache,* Leipzig, 1884), ou bien dans les cadres de la médecine et de la psychologie (telles les études du comportement gestuel des sourds-muets). Mais dans les deux cas le geste était envisagé comme opposé au langage verbal et irréductible à celui-ci. Certains psychologues ont montré que les catégories grammaticales, syntaxiques et logiques sont inapplicables à la gestualité parce que ces catégories coupent et morcellent l'ensemble signifiant et, de cette façon, ne rendent pas compte de la spécificité gestuelle, irréductible à ce morcellement. Car « le langage mimique, écrit P. Oléron (1952), n'est pas seulement langage, mais encore action et participation à l'action et même aux choses ». On a constaté que, comparé au langage verbal, le geste traduit aussi bien que lui les modalités du discours (ordre, doute, prière) mais de façon imparfaite les catégories grammaticales (substantif, verbe, adjectif). D'autres ont remarqué que le signe gestuel est polysémique (doté de plusieurs sens) et que l'ordre « syntaxique » habituel (sujet-prédicat-objet) n'est pas respecté dans le message gestuel. Celui-ci ressemble plus au discours enfantin et aux langues «primitives» : ainsi il accentue le *concret* et le *présent,* il procède par antithèse, il met la négation et l'interrogation en position finale, etc. Enfin, on est retourné à l'intuition du XVIIIᵉ siècle, selon laquelle le langage gestuel est le véritable moyen d'expression authentique et original, à l'intérieur duquel le langage verbal est une manifestation tardive et limitée...

Nous nous trouvons ici face au problème essentiel que pose le geste : est-il un système de communication comme les autres, ou plutôt une *pratique* où s'engendre le sens qui se transmet au cours de la communication? Opter pour la première solution signifie qu'on étudiera le geste en lui appliquant les modèles élaborés par la linguistique pour le message verbal, et qu'on réduira donc le geste à ce message. Opter pour la deuxième solution veut dire au contraire qu'on essaie, à partir du geste, de renouveler la vision générale du langage : si le geste est non seulement un système de communication, mais aussi la production de ce système (de son sujet et de son sens), alors on pourrait peut-être concevoir tout langage comme autre chose que ce que nous révèle le schéma désormais courant de la communication. Notons tout de suite que cette deuxième option est pour l'instant théorique, et que les recherches — d'ailleurs toutes récentes — qui y sont consacrées sont uniquement d'ordre méthodologique. La conception qui domine actuellement dans l'étude de la gestualité est celle de la *kinésique* américaine.

On a pu la définir comme une méthodologie qui étudie «les aspects communicatifs du comportement appris et structuré du corps en mouvement». Elle a pris naissance en Amérique en relation étroite avec l'ethnologie qui devait rendre compte du comportement général, linguistique aussi bien que gestuel, des sociétés primitives. Par quel système gestuel l'homme structure-t-il son espace corporel au cours de la communication? Quels gestes caractérisent une tribu ou un groupe social? Quel est leur sens? Quelle est leur insertion dans la complexité de la communication sociale? L'anthropologie et la sociologie, averties de l'importance du langage et de la communication pour l'étude des lois de la société, ont été les premières à esquisser une étude du geste.

Or, depuis lors, la kinésique s'est spécifiée comme science,

et pose de façon plus directe le problème de savoir dans quelle
mesure le geste est un langage.

La kinésique admet d'abord que le comportement gestuel est
une « strate » particulière et autonome dans le canal de la communication. On appliquera à cette strate une analyse qui s'inspire, sans les imiter à la lettre, des procédés phonologiques,
dans la mesure où la phonétique est reconnue comme la
science humaine la plus avancée dans la systématisation de son
objet. On isole donc l'élément *minimal* de la position ou du
mouvement, on trouve les axes d'*opposition,* et sur ceux-ci on
établit les relations des éléments minimaux dans une structure
à plusieurs paliers. Quels seront ces paliers? On peut les
concevoir comme analogues aux niveaux linguistiques : phonématique et morphématique. D'autres chercheurs, plus réti-
cents à l'analogie absolue entre le langage verbal et le langage
gestuel, proposent une analyse autonome du code gestuel en
kiné (le plus petit élément perceptible des mouvements corporels, par exemple le fait de hausser et de baisser les sourcils) et
kinème (le même mouvement répété en un seul signal avant de
s'arrêter à la position initiale); ceux-ci se combinent comme
des préfixes, des suffixes et des transfixes et forment ainsi des
unités d'un ordre supérieur : *kinémorphes* et *kinémorphèmes.*
Ainsi, le kiné « mouvement de sourcil » peut être *allokinique*
avec des kinés « hochement de tête », « mouvement de
mains » etc., ou avec des accents, et former ainsi des kinémorphes. La combinaison des kinémorphes donne des constructions kinémorphiques complexes. On voit nettement l'analogie
d'une telle analyse avec celle du discours verbal en sons, mots,
propositions, etc.

Une partie spécialisée de la kinésique, la *parakinésique,*
étudie les phénomènes individuels et accessoires de gesticula-
tion, qui s'ajoutent au code gestuel courant pour caractériser un
comportement social ou individuel. Ici encore, l'analogie avec
la linguistique est évidente : de même, la *paralinguistique* définie par Sapir étudie les phénomènes accessoires de la vocalisation et en général de l'articulation du discours.

De telles études, si elles sont encore loin de saisir toute la
complexité de la gestualité quotidienne, et encore moins l'univers complexe de la gestualité rituelle ou de la danse, ne sont
que les premiers pas vers une science des pratiques complexes,

une science pour laquelle le nom de « langage des gestes » ne
sera pas une expression métaphorique.

LE LANGAGE MUSICAL

Très rares et très récentes sont les études du langage musical
qui ne se bornent pas à reproduire l'impressionnisme habituel de
la théorie de la musique. Encore ces études se limitent-elles
principalement à se démarquer du discours subjectif et vague
qui submerge les traités de musique, aussi bien que des études
précises, mais purement techniques (acoustique, évaluation
quantitative des durées, des fréquences, etc.), et à poser de
façon théorique le rapport de la musique au langage : dans quelle
mesure la musique est-elle un langage, et qu'est-ce qui la
distingue radicalement du langage verbal ?

Parmi les premiers à avoir abordé la musique comme un
langage, citons Pierre Boulez, *Relevés d'apprenti* (1966), qui
parle de « langage musical », de « sémantique », de « morphologie » et de « syntaxe » de la musique... La sémiotique de la
musique, qui hérite de tels travaux, s'efforce de préciser le sens
de ces termes, en les incluant dans le système spécifique que
sera pour elle le système signifiant de la musique.

En effet, les ressemblances entre les deux systèmes sont
considérables. Le langage verbal et la musique se réalisent tous
deux dans le temps en utilisant le même matériel (le son) et en
agissant sur les mêmes organes réceptifs. Les deux systèmes ont
respectivement des systèmes d'*écriture* qui marquent leurs entités et leurs relations. Mais si les deux systèmes signifiants sont
organisés d'après le principe de la *différence* phonique de leurs
composants, cette différence n'est pas du même ordre dans le
langage verbal et dans la musique. Les oppositions binaires
phonématiques ne sont pas pertinentes en musique. Le code
musical s'organise sur la différence *arbitraire* et *culturelle* (imposée dans les cadres d'une certaine civilisation) entre les diverses valeurs vocales : *les notes*.

Cette différence n'est que la conséquence d'une différence
capitale : si la fonction fondamentale du langage est la fonction
communicative et s'il transmet un *sens,* la musique déroge à ce
principe de communication. Elle transmet un « message » entre

un sujet et un destinataire, mais il est difficile de dire qu'elle *communique* un *sens* précis. Elle est une combinatoire d'éléments différentiels, et évoque plutôt un système algébrique qu'un discours. Si le destinataire entend cette combinatoire comme un message sentimental, émotif, patriotique, etc., il s'agit là d'une interprétation subjective donnée dans les cadres d'un système culturel, plutôt que d'un « sens » implicite au « message ». Car si la musique est un système de *différences,* elle n'est pas un système de *signes.* Ses éléments constitutifs n'ont pas de signifié. Référent-signifié-signifiant semblent ici fondus en une seule marque, qui se combine avec d'autres dans un langage qui ne veut rien dire. Stravinsky écrit dans ce sens : « Je considère la musique, par son essence, comme impuissante à *exprimer* quoi que ce soit : un sentiment, une attitude, un état psychologique, un phénomène de la nature, etc. L'*expression* n'a jamais été la propriété immanente de la musique... Le phénomène de la musique nous est donné à la seule fin d'instituer un ordre dans les choses. Pour être réalisé, il exige donc nécessairement et uniquement une construction. La construction faite, l'ordre atteint, tout est dit. Il serait vain d'y chercher ou d'y entendre autre chose. »

La musique nous amène donc à la limite du système de signe. Voilà un système de différences qui n'est pas un système qui *veut dire,* comme c'est le cas dans la plupart des structures en langage verbal. Nous avons observé la même particularité dans le langage gestuel lorsque nous avons indiqué le statut spécifique du sens dans le geste, celui-ci étant une *production* de sens qui n'arrive pas à se fixer dans le produit signifié. Mais dans la pratique gestuelle, le dépouillement du code producteur qui n'est pas chargé du signifié produit, est moins visible que dans la musique, car le geste accompagne la communication verbale et n'est pas encore étudié dans son autonomie (rite, danse, etc.). La musique, elle, rend évidente cette problématique qui arrête la sémiotique et remet en question l'omnivalence du signe et du sens. Car la musique est bien un système différentiel sans sémantique, un formalisme qui ne signifie pas...

Cela établi, que pourra donc dire la sémiotique du système musical ?

D'une part, elle pourra étudier l'organisation formelle des différents textes musicaux.

D'autre part, elle pourra établir le « code » commun, la « langue » musicale commune d'une époque ou d'une culture. Le degré de communicabilité d'un texte musical particulier (c'est-à-dire sa probabilité d'atteindre le destinataire) dépendra de sa ressemblance ou de sa différence avec le code musical de l'époque. Dans des sociétés monolithiques, comme les sociétés primitives, la « création » musicale exigeait une obéissance stricte aux règles du code musical considéré comme donné et sacré. Inversement, la période dite *classique* de la musique témoigne d'une tendance à la variation, de sorte que chaque texte musical invente ses propres lois et n'obéit pas à celles de la « langue » commune. C'est la fameuse perte de l' « universalité » que l'histoire de la musique attribue principalement à Beethoven. Pour qu'un tel texte musical, rompant ses liens avec la langue musicale commmune, soit communicable, il est nécessaire qu'il s'organise intérieurement comme un système réglementé : ainsi, la répétition exacte de certaines parties de la mélodie, qui tracent les coordonnées d'une œuvre musicale comme système particulier en soi, diffèrent par exemple chez Bach et chez les compositeurs suivants… « Depuis le début du XIXᵉ siècle, écrit Boris de Schlœzer *(Introduction à Jean-Sébastien Bach),* le style est mort », le style étant « le produit en quelque sorte collectif où se cristallisent certains modes de penser, de sentir, d'agir d'un siècle, d'une nation, d'un groupe même, s'il parvient à imposer son esprit à une société ».

A l'époque moderne l'œuvre de Schönberg est, au dire de Boulez, « l'exemple même de la recherche d'un langage. Arrivant à une période de désagrégation, il pousse cette désagrégation jusqu'à sa conséquence extrême : la ''suspension'' du langage tonal… Découverte importante, s'il en fut, dans l'histoire de l'évolution morphologique de la musique. Car ce n'est peut-être pas le fait d'avoir réalisé au moyen de la série de douze sons une organisation rationnelle du chromatisme qui donne sa véritable mesure du phénomène Schönberg, mais bien plutôt, nous semble-t-il, l'institution du principe sériel lui-même ; principe qui — nous serions volontiers enclin à le penser — pourra régir un monde sonore aux intervalles plus complexes que le demiton. Car, de même que les modes ou les tonalités engendrent non seulement les morphologies musicales, mais, à partir d'elles, la syntaxe et les formes, de même le principe sériel recèle de nouvelles morphologies, ainsi que — également à partir de cette nouvelle répétition de l'espace sonore, où la notion de son en soi vient à occuper la place prépondérante — une syntaxe rénovée et de nouvelles formes spécifiques...

« En revanche, chez Webern, l'*évidence sonore* est atteinte par l'engendrement de la structure à partir du matériau. Nous voulons parler du fait que l'architecture de l'œuvre dérive directement de l'agencement de la série. Autrement dit — d'une façon schématique —, alors que Berg et Schönberg limitent, en quelque sorte, le rôle de l'écriture sérielle au plan sémantique du langage — l'invention d'éléments qui seront combinés par une rhétorique non sérielle —, chez Webern, le rôle de cette écriture est étendu jusqu'au plan de la rhétorique elle-même... »

Enfin, la sémiotique musicale peut établir les lois concrètes d'organisation d'un texte musical à une époque précise, pour les comparer aux lois respectives des textes littéraires ou du langage pictural de la même période, et établir les différence, les divergences, les retards et les avances des systèmes signifiants les uns par rapport aux autres.

LE LANGAGE VISIBLE : LA PEINTURE

Dans une conception classique de l'art, la peinture est considérée comme une *représentation* du réel, devant lequel elle serait mise en position de miroir. Elle *raconte* ou *traduit* un fait, un récit réellement existant. Pour cette traduction elle emploie un langage particulier de formes et de couleurs qui, dans chaque tableau, s'organise en système fondé sur le *signe* pictural.

Il est clair qu'à partir d'une telle conception le tableau peut être analysé comme une structure avec des entités propres et des règles selon lesquelles elles s'articulent. Parmi les recherches, d'ailleurs toutes récentes, effectuées dans ce domaine, il faut citer celles de Meyer Schapiro ; elles s'occupent de définir d'abord le signe pictural, appelé *signe iconique,* dans la mesure où il est une image (*« icône »*) d'un référent existant en dehors du système du tableau. Plusieurs problèmes différents, et jusqu'à présent non résolus, se posent dans cette optique : quels sont les composants du signe iconique ? Appellera-t-on signe iconique l'objet peint par rapport à l'objet réel ? Mais alors ne détruit-on pas la spécificité du langage pictural en réduisant ses composants aux composants d'un spectacle en dehors du tableau, alors que le langage propre au tableau est un langage de lignes, de formes, de couleurs?...

On s'aperçoit donc qu'avant de résoudre de tels problèmes qui nous amèneraient à définir le signe pictural, c'est le concept même de *représentation*, sur lequel repose la peinture représentative, qui est à mettre en question.

Si l'on prend en effet un tableau classique, c'est-à-dire un tableau dont les signes iconiques sont analogues aux réels représentés (par exemple *les Joueurs d'échecs* de Paris Bordone, comme l'a fait J.-C. Schefer dans *Scénographie d'un tableau*, 1969), on peut remarquer que la lecture du langage de ce tableau passe par trois pôles : 1) l'organisation interne des éléments en nombre fini du tableau dans une structure close (la combinaison des éléments en oppositions corrélatives : les figures humaines, les objets, les formes, les perspectives, etc.) : c'est le *code figuratif ;* 2) le *réel* auquel ce mode renvoie ; 3) le discours dans lequel s'énoncent le code figuratif et le réel. C'est le troisième élément, le *discours* énonçant, qui réunit tous les composants du tableau ; autrement dit, le tableau n'est pas autre chose que le *texte qui l'analyse*. Ce texte devient un carrefour de signifiants, et ses unités syntaxiques et sémantiques renvoient à d'autres textes différents qui forment l'espace culturel de la lecture. On *déchiffre* le code du tableau en chargeant chacun de ses éléments (les figures, les formes, les positions) d'un ou de plusieurs sens qu'auraient pu leur donner les textes (traités philosophiques, romans, poésies, etc.) évoqués dans le procès de la lecture. Le code du tableau s'articule sur l'histoire qui l'entoure et produit ainsi le texte que le tableau constitue.

Dans ce «devenir-texte» du tableau, on comprend que le tableau (et par conséquent le signe iconique) ne représente pas un réel, mais un «simulacre-entre-le-monde-et-le-langage», sur lequel s'appuie toute une constellation de textes qui se recoupent et s'adjoignent en une lecture dudit tableau, lecture qui n'est jamais achevée. Ce qu'on a cru être une simple représentation s'avère être une destruction de la structure représentée dans le jeu infini des corrélations du langage.

Deux conséquences découlent d'une telle conception du langage pictural :

D'abord, le code proprement pictural est dans un rapport étroit avec le langage qui le constitue, et la représentation picturale se réfère donc au réseau de la langue, qui émane du simulacre représenté par le code pictural, mais le dissout en le dépassant.

Ensuite, le concept de structure semble bien n'être applicable qu'au code pictural lui-même, mais il est décentré dans le texte que le tableau devient par la lecture. Le tableau, même classique et représentatif, n'est pas autre chose qu'un code structuré ; ce code déclenche un processus signifiant qui l'ordonne. Et le processus en question n'est lui-même que l'histoire d'une culture qui se représente en passant par le filtre d'un code pictural donné.

On voit dans quelle mesure une telle acception du signe iconique et de son système nous conduit à explorer les lois de la symbolisation, dont celles du signe linguistique apparaissent de plus en plus comme un cas particulier.

Selon une observation judicieuse de M. Pleynet, l'intervention de Paul Cézanne (1839-1906) dans la peinture européenne a modifié les conditions du langage pictural. En effet, dans l'œuvre de Cézanne et beaucoup de celles qui l'ont suivie, le processus qui « décentre » la structure du tableau et dépasse le code pictural lui-même — processus qui, dans la peinture classique, se réfugie dans le « texte » du tableau (ou dans celui du sujet qui le regarde) — pénètre dans l'objet lui-même. L'objet cesse alors d'être un objet peint, pour devenir un processus infini qui prend en considération l'ensemble des forces qui le produisent et le transforment, dans toute leur diversité. Rappelons à l'appui de cette thèse la quantité de toiles non finies et non signées que Cézanne a laissées, la répétition des mêmes formes, l'utilisation de divers types de perspectives, et sa célèbre phrase : « Je ne me laisserai pas mettre le grappin dessus. » Rappelons aussi le passage d'une vision en perspective monoculaire au morcellement en profondeur d'une vision de type binoculaire, etc. Après Cézanne, note Pleynet, sa révolution a pu être interprétée de deux manières : soit comme une pure recherche formelle (les cubistes), soit comme un remaniement des rapports objet/processus pictural, et c'est cette dernière interprétation qui reste la plus fidèle à la transformation cézanienne de l'objet en processus retraçant son histoire (Duchamp, dada, anti-art).

Il en résulte que le tableau n'est plus un objet : on substitue à la représentation d'un tableau le procès de sa reproduction. On peut donc opposer au *tableau* — structure close traversée par la langue —, la *peinture* — processus qui traverse l'objet (le signe, la structure) qu'il produit.

Avec Matisse, Pollock, Rothko, pour ne citer que ces noms, la peinture et la sculpture modernes illustrent « l'articulation productivo-transformatrice d'une pratique sur son histoire ». Autrement dit, la peinture est devenue un processus de production qui ne représente aucun signe ou aucun sens, sinon la possibilité à partir d'un code limité (peu de formes, quelques oppositions de couleurs, les rapports d'une certaine forme avec une certaine couleur) d'élaborer un processus signifiant qui analyse les composants de ce qui a pu se donner à l'origine comme assises de la représentation. C'est ainsi que la *peinture* (moderne) fait taire le langage verbal, lequel d'habitude s'ajoutait au *tableau* (classique) qui se voulait *représentation*. Devant une peinture, les phantasmes cessent, la parole s'arrête.

LE LANGAGE VISIBLE : LA PHOTOGRAPHIE ET LE CINÉMA

Si l'on a souvent traité de la nature de la photographie et du cinéma, surtout d'un point de vue phénoménologique, la démarche qui consiste à les envisager en tant que *langages* est toute récente.

A cet égard, on a pu observer la différence entre la structure photographique et celle du cinéma, en ce qui concerne leur façon de saisir la réalité. Ainsi, Barthes a vu dans la temporalité de la photographie une nouvelle catégorie de l'espace-temps : « locale immédiate et temporelle antérieure », « conjonction illogique de l'*ici* et l'*autrefois* ». La photographie nous montre une réalité antérieure, et même si elle donne une impression d'idéalité, elle n'est jamais sentie comme purement illusoire : elle est le *document* d'une « réalité dont nous sommes à l'abri ».

Au contraire, le cinéma appelle la projection du sujet dans ce qu'il voit, et se présente non pas comme l'évocation d'une réalité passée, mais comme une fiction que le sujet est en train de vivre. On a pu voir la raison de cette impression de réalité imaginaire que provoque le cinéma, dans la possibilité de représenter le *mouvement*, le *temps*, le *récit*, etc.

D'autre part, indépendamment de la critique phénoménologique, les metteurs en scène eux-mêmes se sont penchés sur les caractéristiques du cinéma, dès ses débuts, et ils ont été les premiers à dégager ses lois. Nous faisons ici allusion à des théoriciens comme Eisenstein, Vertov. C'est à Eisenstein par exemple que nous devons les premiers traités magistraux sur la forme et la signification au cinéma dans lesquels il démontre l'importance du *montage* dans la production cinématographique et, par là, dans toute production signifiante. Le cinéma ne copie pas de façon « objective », naturaliste ou continue une réalité qui lui est proposée : il découpe des séquences, isole des plans, et les recombine par un nouveau montage. Le cinéma ne reproduit pas des choses : il les manipule, les organise, les structure. Et c'est seulement dans la nouvelle structure obtenue par le montage des éléments que ceux-ci prennent un sens. Ce principe du montage, ou mieux de la jonction d'éléments isolés, semblables ou contradictoires, et dont le heurt provoque une signification qu'ils n'ont pas par eux-mêmes, Eisenstein l'avait trouvé dans l'écriture hiéroglyphique. On connaît son intérêt pour l'art oriental, on sait qu'il avait appris le japonais... Selon lui, le film doit être un texte hiéroglyphique dont chaque élément isolé n'a de sens que dans la combinatoire contextuelle et en fonction de sa place dans la structure. Évoquons l'exemple des trois statues différentes de lion qu'Eisenstein filme dans *le Cuirassé Potemkine* : isolées en plans indépendants et agencées l'une après l'autre, elles forment un « énoncé filmique » dont le sens serait d'identifier la force du lion à la révolution bolchevique.

Ainsi, dès ses débuts, le cinéma se considère comme un langage et cherche sa syntaxe, et l'on peut même dire que cette recherche des lois de l'énonciation filmique a été plus accentuée à l'époque où le cinéma se construisait en dehors de la parole : muet, le cinéma cherchait une langue à structure différente de celle de la parole.

Une autre tendance, s'opposant à celle du montage, s'oriente vers une narrativité cinématographique où les plans ne sont pas découpés et ensuite agencés, mais où le plan est une séquence, un mouvement libre de la caméra (le « pano-travelling ») ; comme si le film renonçait à montrer la *syntaxe de sa langue* (travelling avant, travelling arrière, panoramique horizontal.

panoramique vertical, etc.), mais se contentait de parler un *langage*. Tel est le cas chez Antonioni, chez Visconti; chez certains autres (Orson Welles, Godard), les deux procédés semblent également admis.

Ces brèves remarques indiquent déjà que le cinéma peut non seulement être considéré comme un langage, avec ses entités et sa syntaxe propres, mais qu'il l'est déjà. Nous avons pu même déceler une différence entre la conception du cinéma comme langue et la conception du cinéma comme langage. Plusieurs études sont consacrées de nos jours aux règles internes du langage cinématographique. On dépasse même le cadre du film proprement dit et on étudie le langage des bandes dessinées, cette succession de dessins qui, sans doute, imite l'agencement des images cinématographiques, et par ce moyen dépasse le statisme de la photo et du dessin pour introduire le temps et le mouvement dans le récit. L'image (ou la photo) isolée est un énoncé; agencée à d'autres elle donne une narration. On voit s'ouvrir ici un champ d'exploration intéressant: le rapport entre le langage cinématographique et celui des bandes dessinées d'une part, et le texte linguistique (la parole, le verbe) qui correspond à ce langage, le traduit et lui sert de support, d'autre part.

Mais on s'aperçoit bien vite que le terme « langage » employé ici n'est pas compris dans son sens linguistique. Il s'agit plutôt d'un emploi analogique: puisque le cinéma est un système de différences qui transmet un message, il peut être baptisé langage. Le problème se pose de savoir si, après les nombreuses études psychologiques qui ont été faites sur le phénomène cinématographique, la conception linguistique du langage peut être utile dans l'analyse du film, pour donner lieu à une sémiotique du cinéma.

Dans son *Essai sur la signification du cinéma* (1968), Christian Metz constate que, dans le système cinématographique, il n'y a rien qui puisse être comparé au niveau phonologique du langage: le cinéma n'a pas d'unité de l'ordre du phonème. Mais il n'a pas non plus de « mots »: on considère souvent l'image comme un mot, et la séquence comme une phrase, mais pour Metz l'image équivaut à une ou plusieurs phrases, et la séquence est un segment complexe du *discours*. C'est dire que l'image est «toujours parole, jamais unité de langue». Par conséquent, s'il y a une syntaxe du cinéma, elle est à faire sur des bases syntaxiques et non morphologiques.

La sémiotique du cinéma peut être conçue soit comme une sémiotique de connotation soit comme une sémiotique de dénotation. Dans le second cas on étudiera le cadrage, les mouvements d'appareil, les effets de lumière du cinéma, etc. Dans le premier cas il s'agira de déceler différentes significations, « atmosphères », etc., que provoque un segment dénoté. D'autre part, il est évident que la sémiotique cinématographique s'organisera comme une sémiotique *syntagmatique* — étude de l'organisation des éléments à l'intérieur d'un ensemble synchronique — plutôt que comme une sémiotique paradigmatique : la liste des unités susceptible d'apparaître à un endroit précis dans une chaîne filmique n'est pas toujours limitée.

Il est possible d'envisager la façon dont peut se présenter cette sémiotique du cinéma comme étude de sa syntaxe, de la logique d'agencement de ses unités. Un exemple de cette logique est le *syntagme alternant :* image d'une statue égyptienne, image d'un haut fourneau, image d'une statue égyptienne, image d'un haut fourneau, etc. Le heurt répété de ces images, vues sous divers angles et amenées de divers côtés, peut reconstruire dans le langage du cinéma tout un récit que la littérature aurait introduit entre les deux syntagmes polaires (statue-fourneau) pour expliquer la raison de leur agencement. Dans un tel récit, le syntagme alternant cerne une histoire qui, dans ce cas précis, est celle de la civilisation méditerranéenne (*Méditerranée*, de Jean-Daniel Pollet).

Le problème de l'analyse syntagmatique du film, pour saisir le mode de signification propre au cinéma, est, on le voit, complexe : quelle sera l'unité minimale supérieure de l'exemple filmé ? Comment articuler les composants image-son-parole en une seule unité ou en plusieurs unités se combinant elles-mêmes, etc. ? Il est évident que la transposition des principes linguistiques dans l'analyse cinématographique ne donne de résultat qu'à force d'être totalement réinterprétée et adaptée au système spécifique du film. Il s'agirait moins d'un emploi de *notions linguistiques* que de *méthodes* linguistiques : distinction signifiant/signifié, découpage, communication, pertinence, etc. Ici comme dans les autres systèmes signifiants, l'importance de l'étude sémiotique consiste dans le fait qu'elle révèle des lois d'organisation des systèmes signifiants qui n'ont pas pu être remarquées dans l'étude de la langue verbale ; avec ces lois, on pourrait probablement un jour reconsidérer le langage pour y retrouver des zones de signifiance censurées ou refoulées dans l'état actuel de la science linguistique : zones que ce qu'on a pu appeler l'« art » s'approprie pour s'y déployer et pour les explorer.

LA ZOOSÉMIOTIQUE

L'observation du comportement des animaux fournit des données intéressantes qui témoignent de l'existence d'un système de communication souvent hautement développé dans le monde animal. En effet la variété des « expressions » du corps animal, dénotant un état ou une fonction précise (voir illustration), les divers cris des animaux et les chants des oiseaux, à différents niveaux semblent indiquer que les animaux manient un code spécifique de signalisation. Des recherches ont été entreprises dans cette direction par des biologistes et des zoologistes, qui ont en effet fourni un matériel abondant, allant de la communication des insectes aux communications des primates. Ces données viennent d'être publiées par Thomas A. Sebeok dans le recueil *Animal Communication* publié en 1968.

Nous nous arrêterons à deux exemples : la communication « gestuelle » des abeilles, et la communication « vocale » des dauphins.

Les textes de Kircher dans *Misurgia Universalis* (1771) sont parmi les plus anciens qui traitent du problème du langage animal. Mais c'est surtout depuis les années 1930 que la science dispose de moyens d'investigation précis pour l'étude du code animal.

Karl von Frisch, professeur à Munich, a observé en 1923 la danse des abeilles ; une abeille butineuse, de retour dans sa ruche, exécute devant les autres habitants de la ruche une danse dont on décèle deux composants essentiels : des cercles horizontaux et des imitations de la figure du chiffre 8. Ces danses semblent indiquer aux autres abeilles l'emplacement exact de la fleur dont revient la butineuse : en effet, peu de temps après, on retrouve les abeilles de sa ruche sur la même fleur. Von Frisch

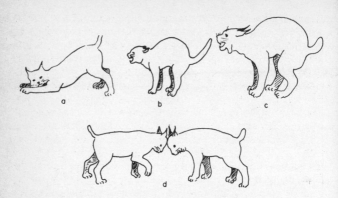

Langage des animaux : diverses postures du lynx (en haut) et du renard (en bas) correspondant à l'agressivité ou à la sociabilité. Page de droite : tentatives de notation musicale de divers cris d'animaux par Athanase Vircher, Misurgia Universalis. D'après Th. Sebeok « Animal Communication », Éd. Mouton La Haye. © Indiana University Press, Bloomington, Indiana, U.S.A., 1968.

Langage des animaux : diverses postures du lynx (en haut) et du renard (en bas) correspondant à l'agressivité ou à la sociabilité. D'après Th. Sebeok, *Animal communication,* Éd. Mouton, La Haye. © Indiana University Press, Bloomington, Indiana, USA, 1968.

Tentatives de notation musicale de divers cris d'animaux par A. Kircher, *Misurgia Universalis*. D'après Th. Sebeok, *Animal Communication,* Éd. Mouton, La Haye. © Indiana University Press, Bloomington, Indiana, USA, 1968.

suppose qu'elles y sont guidées par le langage dansant de la butineuse, dont les cercles horizontaux indiqueraient l'existence de nectar, et la figure en forme de 8 le pollen. Entre 1948 et 1950, Von Frisch a précisé les résultats de ces observations ; les danses indiquent la distance des ruches au butin : la danse circulaire annonce une distance de cent mètres au plus, tandis que la danse en 8 peut annoncer une distance allant jusqu'à six kilomètres. Le nombre de figures en un temps déterminé désigne la distance, tandis que l'axe du 8 révèle la direction par rapport au soleil.

Nous sommes ici en face d'un *code subtil* qui ressemble beaucoup au langage humain. Les abeilles peuvent transmettre des messages qui comportent plusieurs données : existence de nourriture, position, distance ; elles possèdent une mémoire, puisqu'elles sont capables de retenir l'information pour la transmettre ; enfin, elles *symbolisent,* car une séquence gestuelle indique ici autre chose qu'elle-même : une nourriture, sa position, sa distance… Pourtant, Benveniste note qu'il serait difficile d'assimiler ce système de communication, bien que hautement élaboré, au langage humain. En effet, la communication des abeilles est gestuelle, et non vocale ; elle ne suppose pas une réponse de la part du destinataire mais une réaction : autrement dit, il n'y a pas de *dialogue* entre les abeilles ; l'abeille qui reçoit le message ne peut pas le transmettre à une troisième (donc on ne construit pas de message à partir de message) ; enfin, la communication semble concerner uniquement la nourriture. Benveniste conclut que la communication des abeilles n'est pas un langage, mais un *code de signaux* qui, pour se développer et s'exercer, a besoin d'une *société :* le groupe des abeilles et leur vie commune.

En observant, d'autre part, la communication des dauphins, on a pu révéler des faits supplémentaires sur le langage animal. Certains dauphins donnent des signaux vocaux qui peuvent se répandre soit sous l'eau, soit dans l'air. Ils peuvent recevoir une réponse de la part du destinataire qui permet au groupe de se retrouver. Ces signaux ne sont pas destinés uniquement à indiquer l'emplacement de la nourriture ou à relier les membres d'un groupe. Plusieurs d'entre eux semblent être un vrai chant qu'on exécute pour le plaisir de l'entendre : tel est le cas de certains dauphins sous la glace arctique. Ces signaux commencent à la fréquence de sept kHz et comportent plusieurs pulsations, comme des sauts de quelques centaines de Hz, suivis d'une décroissance rapide au-dessous de la fréquence précédant le saut. Certains signaux peuvent durer une minute et tomber à une fréquence de moins de cent Hz. Le changement de fréquence d'un signal coupe celui-ci en séquences qui ont une valeur distinctive dans la communication. Enfin, les signaux des animaux sous-marins servent souvent à localiser la nourriture ou l'ennemi : l'envoi et le retour d'un signal réfléchi par un obstacle aide à l'orientation de l'animal.

La communication animale nous met en face d'un système d'information qui, tout en étant un langage, ne semble pas être fondé sur le signe et le sens. Le signe et le sens apparaissent de plus en plus comme des phénomènes spécifiques d'un certain type de communication humaine, et sont loin d'être les universaux de toute signalisation. Une typologie des signaux et des signes devient ainsi nécessaire, qui assignerait sa juste place au phénomène de la communication verbale.

Ce que la zoosémiotique permet de découvrir, c'est l'existence de *codes d'information* chez tous les organismes vivants. « C'est parce que les organismes terrestres, des protozoaires à l'homme, sont si semblables dans leurs détails biochimiques, écrit Sebeok, qu'on est virtuellement certain qu'ils proviennent tous d'une seule et même instance où la vie a pris son origine. La variété des observations vient en appui à l'hypothèse que le monde organique entier descend de façon linéaire de la vie primordiale, le fait le plus important étant l'ubiquité de la molécule d'ADN. Le matériel génétique de tous les organismes connus de la terre se compose généralement des acides nucléiques ADN et ARN qui contiennent dans leur structure une information transmise et reproduite de génération en génération, et possède, en plus, une capacité d'autoréponse et de mutation. Bref, le code génétique est « universel » ou « à peu près… ».

D'autre part, le mathématicien soviétique Lapunov (1963) souligne que tous les systèmes vivants transmettent, à travers des canaux strictement définis et constants, de petites quantités d'énergie matérielle contenant une quantité importante d'informations et qui contrôlent par la suite toute une série d'organismes. Sebeok conclut de son côté que les phénomènes biologiques aussi bien que les phénomènes culturels peuvent être envisagés comme des aspects du processus d'information; et même la reproduction peut être considérée comme une information-réponse ou comme un type de contrôle qui semble être une propriété universelle de la vie terrestre, indépendamment de sa forme et de sa substance.

Pour l'instant, étant donné le nombre relativement peu élevé des recherches qui ont été faites dans ce domaine, toute conclusion est prématurée, et la vision cybernétique de la vie peut s'avérer un présupposé métaphysique qui fonde une connaissance, mais la limite en même temps. Chez certains savants persiste la conviction que l'effort commun de la génétique, de la théorie de l'information, de la linguistique, de la sémiotique, peut contribuer à la compréhension de la « *semiosis* » qui, d'après Sebeok, peut être considérée comme la définition de la vie. Nous voilà devant un postulat phénoménologique qui se donne ici comme démontré empiriquement : l'ordre du *langage* unit celui de la *vie* et de l'*idéalité ;* l'élément de la signification, la substance de l'expression qu'est la parole réunit en un parallélisme le *sens* (transcendantal) et la *vie*.

Conclusion

Les représentations et les théories du langage que nous venons de parcourir sommairement, abordent sous le nom de langage un objet à chaque fois sensiblement différent; en l'éclairant de divers points de vue, en le faisant connaître de façons différentes, ces théories témoignent surtout du type de connaissance particulier propre à une société ou à une période historique. A travers l'histoire des connaissances linguistiques ce n'est pas tellement l'évolution ascendante d'une connaissance du langage qui apparaît: ce qui se dégage, c'est l'histoire de la pensée s'attaquant à cet inconnu qui la constitue.

Dans ce qu'il est convenu d'appeler la préhistoire, la réflexion sur le langage se confondait avec une cosmogonie naturelle et sexuelle dont il était inséparable et qu'il ordonnait en s'ordonnant, agent, acteur et spectateur. L'écriture phrasographique — base de la logographie et de la morphographie — annonce ce type de fonctionnement où le message s'absente des mots et se transmet dans une articulation transverbale, que le rêve, ou la poésie moderne, ou l'hiéroglyphe de tout système esthétique, commémore.

L'atomisme indien et l'atomisme grec essaient de concilier l'acte de signifier, perçu désormais dans sa différence, avec ce qu'il signifie, en cherchant une atomisation, un poudroiement des deux séries fondues l'une dans l'autre ou réfléchies l'une par l'autre; avant que l'Idée grecque — ce « signifié transcendantal » (cf. Derrida, *De la Grammatologie*) — ne se soit mise au jour, pour constituer l'acte de naissance de la *philosophie*, et conjointement de la *grammaire* en tant que soutien empirique et reflet subordonné d'une théorie philosophique ou logique. La grammaire sera, dès ses débuts et jusqu'aujourd'hui, didactique et pédagogique, instrument premier qui *enseigne* l'art de bien penser décrété par la philosophie.

L'*objet langage* — substance sonore porteuse d'un sens — se dégage du cosmos pour être *étudié* en lui-même. Ce fait d'extraire le langage de ce qu'il n'est pas, mais qu'il nomme et ordonne, est sans doute le premier saut important dans le courant qui mène à la constitution d'une *science* du langage. Il s'offre, accompli, dans la philosophie et la grammaire grecques. Le sens devient désormais cette région énorme et inconnue que la grammaire, la logique et toute autre approche de la langue vont rechercher à travers les avatars de l'épistémologie.

D'abord, le langage, isolé et délimité comme objet particulier, est considéré comme un ensemble d'éléments dont on cherche le rapport au sens et aux choses : la représentation du langage est *atomistique*. Plus tard une *classification* intervient qui distingue les catégories linguistiques : c'est la *morphologie*, antérieure de deux siècles à la syntaxe (au moins en ce qui concerne la Grèce et l'Europe) qui témoigne d'une pensée *relationnelle*.

Le Moyen Age entendra le langage comme l'écho d'un sens transcendantal, et approfondira l'étude de la *signification*. A cette époque, il est moins un ensemble de règles morphologiques et syntaxiques que la réplique d'une ontologie ; il est *signe* : *significans* et *significatum*.

Avec la Renaissance et le XVIIᵉ siècle, la connaissance classificatrice de langues nouvellement découvertes n'abolit pourtant pas les buts métaphysiques : les langues concrètes sont représentées sur le fond universel d'une logique commune, dont Port-Royal fixera les lois. La Renaissance *structuraliste* laissera la place à la *science du raisonnement :* la *Grammaire générale*.

Le XVIIIᵉ siècle essaiera de se dégager du fond logique, sans pour autant l'oublier ; il tentera d'organiser la surface, la langue, en une syntaxe proprement linguistique ; mais il n'abandonnera pas pour autant la recherche destinée à expliquer, par l'intermédiaire des signes, le lien de la langue avec l'ordre perdu du réel, du cosmos.

Avec le comparatisme, cette recherche du lieu originel de la langue se dirigera non plus vers un *réel*, dont il s'agissait auparavant de trouver la façon d'être signifié, mais vers une langue mère dont les langues présentes seraient les descendantes historiques. Le problème langue-réalité est remplacé par le problème d'une histoire idéale des langues. Ces langues sont déjà des systèmes formels avec des sous-systèmes : phonétique, grammatical, flexionnel, de déclinaisons, syntaxique. Avec les néo-grammairiens l'étude de la langue sera une étude opérationnelle des transformations : l'histoire idéale est systématisée sinon structurée.

Le structuralisme du XXe siècle abandonnera cet axe vertical qui orientait la linguistique précédente soit vers le réel extra-linguistique, soit vers l'histoire, et appliquera la méthode de composition relationnelle à l'intérieur d'une même langue. Ainsi, coupée et cernée en elle-même, la langue deviendra système chez Saussure, structure dans le Cercle de Prague et chez Hjelmslev. Stratifiée en couches de plus en plus formelles et autonomes, elle se présentera dans les recherches les plus récentes comme un système de relations mathématiques entre des termes sans noms (sans sens). Arrivée à cette extrême formalisation, où la notion même du *signe* s'évanouit après celles du *réel* et de l'*histoire*, et où la langue n'est plus ni système de communication ni production-expression d'un sens, la linguistique semble avoir atteint le sommet de ce chemin qu'elle s'est frayé lorsqu'elle s'est constituée comme science d'un objet, d'un système en soi. Désormais, dans cette voie, elle ne pourra que multiplier l'application des formalismes logico-mathématiques sur le système de la langue, pour ne démontrer par cette opération que sa propre habileté à joindre un système rigoureusement formel (les mathématiques) à un autre système (la langue) qui a besoin d'être dépouillée pour s'y accorder. On peut dire que cette formalisation, cette mise en ordre du signifiant exempt de signifié, refoule les bases métaphysiques sur lesquelles l'étude de la langue s'est appuyée pour commencer : le détachement et le lien au réel, le signe, le sens, la communication. On peut se demander si ce refoulement, tout en consolidant ces bases, ne facilite pas — par un jeu dialectique — la démarche qui s'amorce déjà et qui consiste à *critiquer* les fondements métaphysiques d'une phénoménologie que la linguistique subit et veut ignorer.

Car, en dehors de la linguistique, l'étude psychanalytique du rapport du sujet à son discours a indiqué qu'on ne saurait traiter du langage — quelque systématique que puisse paraître la langue — sans tenir compte de son sujet. La langue-système formelle n'existe pas en dehors de la parole, la langue est avant tout *discours*.

D'autre part, l'expansion de la méthode linguistique sur d'autres champs de pratiques signifiantes, c'est-à-dire la sémiotique, a l'avantage de confronter cette méthode à des objets résistants, pour montrer de plus en plus que les modèles retrouvés par la linguistique formelle ne sont pas omnivalents, et que les divers modes de signification sont à étudier indépendamment de ce sommet-limite qu'a atteint la linguistique.

Ces deux domaines, psychanalyse et sémiotique, qui se fondaient au départ sur la linguistique, démontrent que l'expansion de celle-ci — résultat d'un geste totalisant qui a voulu architecturer l'univers en un système idéal — l'a confrontée à ses limites, et l'obligent à se tranformer pour donner une vision plus complète du fonctionnement linguistique et, en général, du fonctionnement signifiant. Elle gardera sans doute le souvenir d'une systématisation et d'une structuration que notre siècle lui a imposées. Mais elle tiendra compte du sujet, de la diversité des modes de signification, des transformations historiques de ces modes, pour se refondre dans une *théorie générale de la signification*.

Car on ne saura assigner sa place à la linguistique, et encore moins faire une science de la signification, sans une théorie de l'histoire sociale en tant qu'interaction de plusieurs pratiques signifiantes. C'est alors que sera appréciée la juste valeur de cette pensée qui voit tout domaine s'organiser comme un langage ; c'est alors seulement que le lieu du langage, de même que celui du sens et du signe, pourra trouver des coordonnées exactes. Et c'est vers ce but précisément que peut tendre une sémiotique comprise non pas comme une simple extension du modèle linguistique à tout objet pouvant être considéré comme ayant un sens, mais comme une critique du concept même de la *semiosis*, sur la base d'une étude approfondie des pratiques historiques concrètes.

Le règne du langage dans les sciences et l'idéologie moderne a comme effet une systématisation générale du domaine social. Mais, sous cette apparence, on peut discerner un symptôme plus profond, celui d'une complète mutation des sciences et de l'idéologie de la société technocratique. L'Occident, rassuré par la maîtrise qu'il a acquise sur les structures du langage, peut confronter maintenant ces structures à une réalité complexe et en constante transformation, pour se trouver en face de tous les oublis et de toutes les censures qui lui avaient permis d'édifier ce système : système qui n'était qu'un refuge, langue sans réel, signe, voire simplement signifiant. Renvoyée à ces concepts eux-mêmes, notre culture est contrainte de remettre en question sa propre matrice philosophique.

Ainsi, la prédominance des études linguistiques et, plus encore, la diversité babylonienne des doctrines linguistiques — cette diversité qu'on a baptisée du nom de « crise » — indiquent que la société et l'idéologie modernes traversent une phase d'auto-critique. Le ferment en aura été cet objet toujours inconnu — le langage.

Bibliographie

La nature encyclopédique de cet ouvrage nous a obligé à rester près de certains travaux sur l'histoire de la linguistique, voire à les suivre quasi littéralement, sans avoir la possibilité d'en évoquer partout les références. Nous donnons ici la liste des plus importants d'entre eux.

Carroll (John B.), *The Study of Language, a Survey of Linguistics and Related Disciplines in America*, Havard University Press, 1959.

L'Écriture et la Psychologie des peuples, Paris, Armand Colin.

Février (J.-G.), *Histoire de l'écriture*, Paris, Payot, 1958.

Lepschy (G.-C.), *La Linguistique structurale*, Paris, Payot, 1968.

Kukenheim (L.), *Esquisse historique de la linguistique française*, Leyde, 1966.

Leroy (M.), *Les Grands Courants de la linguistique moderne*, PUF, 1963.

Mounin (G.), *Histoire de la linguistique des origines au XXe siècle*, PUF, 1967.

Pedersen (Holger), *The Discovery of Language, Linguistic Science in the XIXth Century*, Indiana University, 1962 (1re éd. anglaise 1931; éd. originale 1924).

Robins (R. M.), *Ancient and Medieval Grammatical Theory in Europe*, Londres, 1951.

Zvegintsev (V. A.), *Istoriya Iazikoznaniya XIX-XX vekov*, Moscou, 1960.

Table

TROISIÈME PARTIE

Langage et langages

Illustrations rassemblées par
Myriam Sicouri-Roos

COMPOSITION : MAME À TOURS
IMPRESSION : BRODARD ET TAUPIN À LA FLÈCHE (6-87)
D.L. 1er TR. 1981. No 5774-3 (6136-5)

Collection Points

Collection Points

SÉRIE ROMAN